# Yoga Dinámico

# dinámico
# yoga

EJERCICIOS PARA MANTENERSE EN FORMA,
EQUILIBAR LA MENTE Y AUMENTAR
LA ENERGÍA FÍSICA

## Godfrey Devereux

**TUTOR**

Editor: Jesús Domingo
Coordinación editorial: Paloma González
Asesoría técnica: Marta R. Mahou y Paloma de la Peña
Traducción: Joaquín Tolsá

Publicado por primera vez en inglés por Thorsons, un sello de
HarperCollins*Publishers*
bajo el título: *Dynamic Yoga. The ultimate workout that chills your
mind as it charges your body*.

© Godfrey Devereux 1998
Godfrey Devereux reclama su derecho moral a ser identificado
como autor de esta obra
© 2001 de la versión española *by*
Ediciones Tutor, S.A.
Marqués de Urquijo, 34. 28008 Madrid
Tel: 91 559 98 32. Fax: 91 541 02 35
E-mail: tutor@autovia.com

ISBN: 84-7902-299-X
Depósito legal: M-31.412-2001
Impreso en Fernández Ciudad
Impreso en España – *Printed in Spain*

Dedico este libro a la memoria de Tirumalai Krishnamacharya, por haber rescatado del olvido el *Yoga Korunta*, el antiguo manual de Hatha Yoga clásico, y por hacerlo accesible al mundo moderno.

Tirumalai Krishnamacharya llevó a cabo esta obra tanto directa como indirectamente. Directamente, mediante el Yoga Ashtanga Vinyasa, gracias a la labor de sus discípulos K. Pattabhi Jois y B. N. S. Iyengar, ambos de Mysore; indirectamente, a través del Yoga Iyengar, merced a la obra de B. K. S. Iyengar, de Puna, y del Vinniyoga, gracias a los esfuerzos de T. K. Desikachar, de Madrás.

# Nota del autor

El Hatha Yoga clásico es por naturaleza dinámico. Ello se manifiesta, externamente, en un flujo ininterrumpido entre las diversas posturas, y en la relación existente entre postura, respiración y meditación; internamente, se aprecia en la actividad profunda, precisa y continua del cuerpo en el seno de la quietud de las posturas. Son estas cualidades dinámicas las que hacen del Hatha Yoga meditación en acción. El Yoga Dinámico no es, pues, otra forma de Yoga, sino que, al recalcar por igual la dinámica interna y externa del Hatha Yoga, capta su esencia como meditación en acción.

# Índice

# Agradecimientos

Quisiera manifestar mi gratitud a los siguientes maestros, cuya guía ha hecho posible el Yoga Dinámico:

A B. K. S. Iyengar, de Puna, y a sus discípulos, por guiarme en el profundo arte de la alineación corporal correcta.

A B. N. S. Iyengar, de Mysore, por guiarme en la *vinyasa krama* tradicional del Yoga Korunta.

A *swami* Satyananda Saraswati y sus discípulos, por guiarme en el sutil arte de los *bandhas*.

Me gustaría también expresar mi agradecimiento por la valiosa contribución de todos mis alumnos, que han participado, incluso sin saberlo, en el desarrollo del Yoga Dinámico,

en especial Simon Turner y June Whittaker.

Me gustaría manifestar mi agradecimiento también a Sarah Robbie por sus fotografías y a Simon Turner y Simon Lloyd por su ayuda, tan servicial y competente, a Kirsten Heckterman por sus sugerencias tras leer los originales

y finalmente a Sarah Robbie y a Louise White por su fe, su apoyo y su amistad.

# Advertencia

El Yoga Dinámico, como todas las formas de Hatha Yoga, implica la utilización de la mente y de los músculos, tendones, ligamentos y articulaciones de formas insólitas y desacostumbradas. Aunque todos los movimientos son posibles, y aunque ninguno de ellos es inherentemente dañino, se debe tener cuidado. Muchos de los movimientos son tan distintos de aquellos a los que estará usted acostumbrado que deberá afrontarlos con paciencia y gradualmente. No se precipite, no haga esfuerzos inútiles, no fuerce su cuerpo. Aunque es posible que a veces lo consiga, en especial con ciertas partes del cuerpo, en otras ocasiones, y con otras partes del cuerpo, es posible que no. Una lesión muscular suele pasar pronto; no así las que afectan a tendones y ligamentos. Las rodillas y el cuello son especialmente vulnerables.

El Hatha Yoga no es simplemente una forma de ejercicio. Es un agente de transformación extremadamente potente. Las posturas, los *bandhas* y la respiración, incluso cuando se realizan parcialmente o con dificultad, provocan profundos cambios en nuestro equilibrio energético, lo cual puede precipitar la liberación de bloqueos psíquicos profundos. Si no se afrontan conscientemente y se permite que se resuelvan por sí mismos, pueden tener un efecto perturbador tanto mental como físicamente. Tenga cuidado y preste atención a lo que está haciendo en todo momento, sintiendo su efecto, y actuando en consecuencia.

Si padece alguna lesión o enfermedad, le recomiendo encarecidamente que, antes de utilizar este libro, consulte a un profesional de la medicina y a un profesor de yoga bien preparado y con experiencia. El aspecto terapéutico del Hatha Yoga no debe darse por supuesto. Para utilizarlo con fines terapéuticos concretos, debe buscar a un profesor con plena preparación y con mucha experiencia. Un profesor así es, a la vez, raro y difícil de encontrar.

# Prólogo

Ésta es una obra práctica. Describe una adaptación del método tradicional del Hatha Yoga, desarrollada y refinada en cientos de clases, con miles de alumnos, durante muchos años. Presenta una integración segura y eficaz de las técnicas del Hatha Yoga, demasiado a menudo reducidas al presentarse aisladamente. Ha adoptado la forma que presenta sobre la base de un solo criterio: funciona. No me preocupaba de si era o no conforme con la práctica, la teoría o el dogma habituales. Lo que sí me interesaba era si las personas, fuera cual fuera su edad o sus posibilidades, podían practicarlo. Aquellos que ya practiquen sin duda encontrarán en el Yoga Dinámico aspectos que les resultarán familiares, aunque es posible que descubran aspectos nuevos, que bien pudieran parecerles extraños o irrelevantes; sin embargo, si los prueban, descubrirán, como muchos antes que ustedes, que todos ellos tienen su razón de ser.

Para que el Hatha Yoga funcione, debe respetar las leyes del cuerpo, del movimiento, de la mente y de la conciencia que definen al ser humano. Igual sucede con el Yoga Dinámico. Pero no se presenta dentro del contexto de ninguna doctrina, dogma o perspectiva religiosa. De hecho, el Hatha Yoga, como todas las demás formas de Yoga, no requiere ninguna forma de credo, ni las expectativas y limitaciones que las creencias imponen. El Yoga no es una religión. A nadie se le pide que crea en un solo Dios o en muchos dioses, ni en la reencarnación o en el karma. El Yoga es un proceso que excluye la necesidad de religión. Es una forma de ser: un medio de aclarar y revelar la naturaleza de la realidad y de la existencia humana. Una vez que se desencadena este proceso, la necesidad de guía religiosa se hace innecesaria. Todo lo que se necesita son los consejos prácticos de alguien que conozca el camino. En este libro encontrará algunos de esos consejos.

La metodología específica del Yoga Dinámico se ha desarrollado mediante un proceso de interacción entre mis maestros y mis alumnos, en la que yo he servido de mediador. Fue la respuesta de mis estudiantes, que no necesariamente tenían las mismas motivaciones o capacidades que yo o que mis maestros, lo que introdujo las modificaciones de las formas tradicionales que el Yoga Dinámico presenta. Muchos de mis alumnos dejaron bien claro que, sin estas modificaciones, la práctica y beneficios del Hatha Yoga quedarían lejos de sus posibilidades. Me parece algo tosco y poco razonable ajustarme estrictamente a la tradición si ésta aleja el yoga del alcance de todas las personas que no estén ya en excelente forma física y profundamente motivadas. Todas las personas pueden beneficiarse del yoga, de forma más o menos profunda. Este libro hace posible, a quienes tienen restricciones de tiempo, ocasión, motivación o capacidad, disfrutar por lo menos de algunos de los beneficios del yoga.

*Yoga Dinámico* se ofrece al lector con la esperanza de que pueda ayudarle a aclarar la confusión que existe respecto a los diferentes "estilos" de Hatha Yoga. No pretende constituirse en un estilo aparte, desgajado de los demás, sino mostrar cómo cada una de las orientaciones de los distintos estilos encaja en el conjunto único del Hatha Yoga.

Ibiza

# ¿Cómo se utiliza este libro?

La obra se divide en cuatro partes. La primera ofrece el transfondo teórico que permite comprender lo que se pondrá en práctica más adelante.

La segunda explica detalladamente los procesos técnicos implicados en la práctica.

En la Parte III se proporcionan los detalles de las posturas.

La Parte IV ofrece la estructuración de la práctica.

En la sección de *Vinyasa* de la Parte III (pág. 75) se encontrarán detalles sobre el aspecto cinético de la práctica: salutaciones al Sol, *Vinyasas* y *Vinyasanas*. Todas ellas se practican como elementos tanto de la Serie de Base como de la Preparatoria. Antes de empezar con la Serie de Base, familiarícese con las *Vinyasanas*, *Sukhasuryanamaskar* y *Sukhavinyasa;* antes de comenzar la Serie Preparatoria, con *Surianamaskar* y *Vinyasa*.

En la sección dedicada a las Posturas (Parte III), cada una de ellas ocupa dos páginas. En la izquierda, una fotografía grande muestra la postura completa. Sobre ella se encuentra una explicación de las claves de la postura. Debajo de la fotografía, se halla una descripción resumida de la forma de la postura. En la página de la derecha hay una explicación paso a paso de cómo adoptar, establecer, activar, mantener y salir de cada postura. Este texto se ilustra con pequeñas fotografías que muestran los diversos pasos para adoptar y salir de la postura y algunos detalles. Cuando lo use para aprender una postura, lea todos los pasos antes de intentar realizarla, y remítase a ellos siempre que lo necesite. Asimismo, también le servirá de ayuda leer la descripción completa cuando no esté practicando.

En las secciones de las Series de la Parte IV, encontrará representaciones gráficas de las tres Series del Yoga Dinámico y seis secuencias cortas de práctica. Tenga la experiencia que tenga, comience por la Serie de Apaciguamiento, y progrese a través de la Serie de Base hasta la Serie Preparatoria. Los números que acompañan a cada imagen se refieren a los de las respectivas posturas. El número le ayudará a encontrar las instrucciones detalladas y las ilustraciones correspondientes en la Parte III. Estas instrucciones deben complementarse con la comprensión plena de la información que se encuentra en la sección técnica (Parte II).

Lea primero la Parte I, y luego la Parte II por completo más de una vez. No se sorprenda ni se preocupe si encuentra abrumadora la Parte II. Probablemente sólo le suceda al principio. Pero una vez que inicie la práctica, cada vez la comprenderá mejor. Cuando haya empezado a practicar, vuelva una y otra vez a la Parte II, hasta que haya incorporado completamente la información específica que contiene, así como los principios en que ésta se basa. Una vez que lo haya conseguido, podrá disfrutar, con seguridad y plena eficacia, de una práctica rápida, creativa y autónoma.

Cuando practique una de las Series, tendrá que observar el orden de las posturas en la sección correspondiente (Parte III). Con excepción de las posturas de *Suryanamaskar*, en cada una de las demás Series, las ilustraciones muestran las siguientes posturas. Cada Serie tiene su propio símbolo —✳ para la Serie de Apaciguamiento, ■ para la Serie de Base y ● para la Serie Preparatoria–, dentro del cual se halla un número que hace referencia a la siguiente postura de esa Serie en particular. En aquellos casos en que una postura se utiliza en más de una Serie, tenga cuidado de seguir el símbolo correcto, verificándolo dos veces con las ilustraciones de la Serie (esto no se aplica a las seis secuencias más cortas).

Como guía de práctica, el libro puede utilizarse a cuatro niveles:

1. Utilizar las ilustraciones de la Serie para encontrar la secuencia de posturas, y luego emplear como referencia las páginas de la derecha (que ilustran cada movimiento con fotografías paso a paso).

2. Una vez que se haya familiarizado con los principios para adoptar, establecer, activar, mantener y salir de las posturas, puede guiarse por las ilustraciones de la Serie y la descripción escrita de la página izquierda.

3. Utilizar sólo las ilustraciones de la Serie y la imagen principal.

4. Utilizar sólo las ilustraciones de la Serie.

# Introducción

El yoga ha perdurado durante miles de años simplemente porque funciona. De todos los enfoques del yoga, el Hatha Yoga es el que mejor se conoce en Occidente; se debe a que es relativamente accesible. Actúa a través del cuerpo, mediante movimientos que inducen posturas y relaciones musculares y fisiológicas insólitas, muy diferentes a las habituales. Estas alteraciones en la forma de utilizar el cuerpo provocan cambios mentales. Más que tratar de actuar de forma directa sobre la mente, que es mucho más difícil, el Hatha Yoga nos permite trabajar a partir del campo tangible y familiar del cuerpo físico.

Es la única orientación del yoga que ofrece una amplia variedad de beneficios físicos. Aunque no constituyen el propósito del Hatha Yoga, son inevitables. Al usar el cuerpo para transformar la mente, también se renueva el organismo: reajustándolo, revitalizándolo, armonizándolo, se le lleva a sus máximas posibilidades funcionales, anatómicas y fisiológicas, inalcanzables mediante ninguna otra combinación de entrenamientos, por intensa o diligente que sea. Son estos beneficios físicos los que lo hacen tan popular. Pero, como estas utilidades físicas accesorias están íntimamente relacionadas con los beneficios psicológicos que realmente se persiguen, el Hatha Yoga posee una singular capacidad de generar mucho más de lo que se pretende al iniciar su práctica. Sólo pretendemos adelgazar, pero también la mente se calma y aclara; esperamos conseguir fuerza y energía, pero se incrementan, asimismo, nuestra capacidad de decisión y nuestra concentración; sólo deseamos que no nos duela la espalda, pero de paso nos liberamos de la ansiedad compulsiva; buscamos tan sólo aliviar el asma, y acabamos descubriendo reservas ilimitadas de energía física y mental; intentamos reducir la tensión en los hombros y librarnos de la tortícolis, y encontramos una nueva fuente de gozo y entusiasmo.

Así es: el Hatha Yoga desencadena un extraordinario repertorio de beneficios físicos y mentales, que no son, sin embargo, su fin primordial. Simplemente nos permiten entrar en contacto con quienes somos y lo que somos en realidad, lo cual no sólo significa nuestras características transitorias y condicionadas, con las que tan fácilmente nos identificamos, sino también nuestra naturaleza más profunda, más allá de todo condicionamiento, que raramente logramos siquiera vislumbrar. Todo ello se consigue al resolver el conflicto que se deriva de la polarización de contrarios en nuestro interior. El Hatha Yoga nos permite experimentar, en todos los niveles de nuestro ser, la unidad que subyace tras los contrarios, la relatividad de todas las tendencias. Es entonces cuando podemos ver que, al imponer sobre la realidad una proyección dualista y excluyente, nos sentimos aislados, expuestos, inseguros. La vulnerabilidad de esta proyección dualista desarrolla una estructura de tensión, tanto mental como física, compleja y profundamente incorporada, creada para proteger nuestra vulnerabilidad, para reducir la ansiedad de estar vivos.

Sin embargo, esta misma estructura se convierte con facilidad en el mayor obstáculo para disfrutar de una vida plena y dichosa, pues restringe nuestra capacidad de movimiento físico y mental. Nuestra disposición para acoplarnos directa y completamente, con plena libertad, a la dinámica de la vida se ve obstaculizada por gruesas capas de tensión. La rigidez y la falta de flexibilidad del cuerpo y de la mente nos restringen a un limitado repertorio de respuestas ante los estímulos de la vida. El Hatha Yoga está pensado para liberarnos de todas las limitaciones. Para conseguirlo debe desmantelar estas estructuras restrictivas mediante un reajuste físico y mental sencillo y sistemático. Lo consigue por medio de *asana* (alineación corporal correcta), *vinyasa* (sincronización de cuerpo y respiración), *bandha* (energía), *pranayama* (respiración) y *drushti* (atención), que se utilizan para desmontar los patrones de fijación y limitación de los que nos nutrimos. A medida que se desmantela esta estructura, se ponen de manifiesto los aspectos más profundos e íntimamente gratificantes de nuestro ser.

Cada una de las principales técnicas del Hatha Yoga expresa una de las cinco energías fundamentales de la vida. Estas energías se simbolizan en el espacio, el aire, el fuego, el agua y la tierra. Unidas, crean un modelo energético del potencial completo de la vida. Para usar eficazmente el Hatha Yoga, todas estas energías, y sus técnicas correspondientes, deben utilizarse y equilibrarse. Por eso, el Yoga Dinámico no sólo presenta cada una de estas técnicas de forma metódica, precisa y practicable, sino también dentro del marco dinámico de su natural interdependencia.

El Hatha Yoga es un proceso notablemente fecundo. Pueden dársele muchas orientaciones diferentes, cada una de las cuales produce efectos bastante distintos. Puede utilizarse como ejercicio para conseguir una forma física inmejorable, o como sistema de medicina preventiva e incluso terapéutica. Puede servir como forma de relajación, o para desarrollar un amplio repertorio de capacidades mentales. Los diversos "estilos" de Hatha Yoga se concentran en un aspecto específico y sus efectos: así, por ejemplo, el estiramiento, para conseguir flexibilidad; la continuidad, para mejorar la resistencia, o la alineación corporal correcta, para reestructurar la postura. Esto significa que ofrecen sólo algunos de los beneficios del Yoga. El Yoga Dinámico abarca y unifica los distintos estilos y orientaciones en un conjunto unitario. Dentro de esta unidad, las distintas partes se completan recíprocamente, sin lo cual, por separado, lo más probable es que resulten incompletas.

Cuando el Hatha Yoga se utiliza –así se pretende– como práctica espiritual, abarca y trasciende todas sus posibilidades parciales. El Yoga Dinámico es una manifestación del Hatha Yoga entendido como práctica espiritual. Tiene como objetivo práctico una profunda autoaceptación, que se fundamenta en el autoconocimiento, la autoaprobación y la autocapacitación. Esto significa que actúa como espejo y nos revela exactamente lo que somos, a cada nivel de nuestro ser: físico, emocional, psicológico, social, cultural, espiritual. Podemos usar

entonces esta revelación para armonizar los diversos aspectos de nosotros mismos y vivir nuestras vidas a partir de la integridad de nuestro ser.

El Yoga Dinámico es un método práctico. Este libro está pensado para ofrecerle una serie de formatos progresivos para su práctica personal. Se basan en el Hatha Yoga Clásico Chikitsa, un grupo de posturas de yoga básicas secuenciadas para volver a armonizar la estructura anatómica. Las posturas del Yoga Chikitsa fueron popularizadas por vez primera en Occidente por B. K. S. Iyengar, quien las introdujo como base para una práctica segura y eficaz del Hatha Yoga. El formato del Yoga Chikitsa se conoce en Occidente como la Serie Primaria del Yoga Ashtanga Vinyasa. Este libro contiene tres de las cuatro series del Yoga Dinámico que preparan para la práctica segura y eficaz de esa Serie. Ellas le permitirán progresar gradualmente y con seguridad hacia los formatos más complejos de la práctica tradicional del Yoga Ashtanga Vinyasa, y otras prácticas más avanzadas.

Sin embargo, es indispensable el adiestramiento personal en las sutilezas de las técnicas. Por eso, le resultará muy beneficioso encontrar profesores que puedan instruirle personalmente sobre los detalles de la práctica, como la alineación corporal correcta, los *bandhas,* la forma de adoptar y salir de las posturas, y la respiración. Pero esto no debe sustituir la propia práctica. Sólo en la silenciosa experiencia de nuestras propias estructuras físicas y mentales podemos recoger los frutos del Hatha Yoga. Para que le sirva de guía en la alineación corporal correcta, busque un profesor con experiencia en el método Iyengar; para ayudarle con *vinyasa* y los *bandhas,* a un profesor de Yoga Ashtanga Vinyasa, y para orientarle sobre *Vinyasa Krama,* a un profesor de Vinniyoga. Sin embargo, no permita que los posibles prejuicios de los profesores de uno u otro estilo menoscaben su confianza en las técnicas en que se concentran otros estilos. Al final, deberá ser usted quien encuentre su propio camino y su propio estilo de práctica que se ajuste a todas las cambiantes circunstancias y ciclos de su vida.

# I

# Los antecedentes del Yoga Dinámico

# 1

# LOS BENEFICIOS DEL YOGA DINÁMICO

El Yoga Dinámico tiene algo que ofrecer a cada persona, no sólo a quienes se hallan en buena forma física o tienen interés por lo espiritual. Sus efectos son tan variados, completos y transcendentales que sería difícil encontrar a alguien a quien no pudiera ofrecerle nada.

Desde un punto de vista muy superficial, es una excelente forma de ejercicio. A diferencia de la mayoría de las prácticas físicas, el Yoga Dinámico ofrece un repertorio completo de beneficios para conseguir o mantener un buen estado físico. No sólo desarrolla la flexibilidad, sino también la fuerza, la resistencia y la vitalidad. El suave estiramiento presente en cada postura de yoga incrementa de forma segura y gradual la flexibilidad de todo el cuerpo. Hay cientos de posturas de yoga; en conjunto, desarrollan la flexibilidad de todos y cada uno de los músculos, una elasticidad lograda paulatinamente y sin riesgos para la salud. Como resultado de la utilización cuidadosa y precisa del cuerpo en las posturas, las lesiones por sobreestiramiento son raras.

El Yoga Dinámico favorece la resistencia tanto cardiovascular como muscular. La resistencia cardiovascular se desarrolla gracias a la continuidad de acción; la resistencia muscular, mediante el sostenimiento de la acción de los músculos mientras se mantienen las posturas. Sin embargo, el Yoga Dinámico no es intencionalmente aeróbico. Aunque al inicio provoque en ciertos momentos un incremento del ritmo cardíaco, con el tiempo dejará de ocurrir. Si esto sucede, es indicación de falta de forma física y/o dificultad en la realización de las posturas o en el mantenimiento de la continuidad. A medida que se recupere la forma física, el fenómeno se irá reduciendo. Con el tiempo, el número de pulsaciones disminuirá y se mantendrá bajo. Hasta que esto suceda, es importante usar las inversiones y las posturas sentadas finales para dejar que se ralentice el latido cardíaco y vuelva a su propio ritmo.

La resistencia es un tipo de fuerza muscular, más profunda y más beneficiosa que la de la potencia. Tanto la potencia como la resistencia musculares se desarrollan mediante la sincronización dinámica de la práctica. Sin embargo, el alargamiento –y la ausencia de contracción– hace que se desarrolle una fuerza profunda con mucha menor masa muscular. El uso que de los músculos hace el Hatha Yoga, más que hipertrofiar las fibras musculares, incrementa su eficacia; de manera que el cuerpo se tonifica sin hacerse necesariamente más voluminoso, aunque parezca que así ocurre al incrementarse la definición de cada músculo.

Uno de los primeros efectos que apreciará, si practica con cuidado y atención, es una sensación de relajación profunda pero vigilante después de la práctica. Sin embargo, quienes tengan un residuo de antiguo cansancio, enmascarado con actividad y estimulantes, tendrán una sensación de fatiga, que acabará por pasar tras un período de tiempo más o menos largo. No espere que su práctica opere milagros en un estilo de vida que le debilita. Emplee su práctica como ayuda para cambiar sus malos hábitos, de modo que se nutra, gracias a ella, su vida entera, o todos los aspectos que pueda, y le sirva para mantener la salud. Con el paso del tiempo y con la coherencia de la práctica, la relajación que sienta al final de una sesión impregnará su vida. Se sentirá cada vez más relajado, tanto interiormente como en sus actividades cotidianas.

La mejora de la circulación que resulta del movimiento y de la actividad muscular eficaz tonifica todo el cuerpo. Los músculos, las articulaciones, los órganos internos, el tejido conjuntivo y la piel permanecen irrigados por un continuo flujo de sangre fresca, lo cual no sólo aporta nutrientes a las células, sino que ayuda a purificarlas de residuos tóxicos. El calor producido por la práctica incrementa esta purificación al abrir los tejidos celulares y mejorar la liberación de toxinas, lo que significa que se limpia todo el cuerpo y se nutre más eficazmente. Este efecto, a su vez, optimiza no sólo el estado de las diversas partes del cuerpo, sino también su funcionamiento. De este modo, se benefician todos los sistemas: respiratorio,

digestivo, circulatorio, endocrino, inmunológico y reproductor. Así, su práctica mejorará su salud, proceso que vendrá acompañado de vitalidad, entusiasmo y aprecio por la vida.

Todo ello, a su vez, tendrá un efecto cosmético. A medida que la circulación mejore, también lo hará el tono y la calidad de la piel. Esta transformación se intensificará aún más gracias a la vitalidad de los órganos internos, especialmente el hígado y los riñones, que mantendrán el cuerpo saludable y vigoroso. Uno de los signos más evidentes de un practicante experimentado de Hatha Yoga es una piel suave, tersa y brillante. Es este síntoma y el efecto global sobre el tono corporal de su postura lo que a menudo les hace parecer mucho más jóvenes de lo que son en realidad. La misma calidad vibrante que la práctica del yoga confiere a la piel puede apreciarse también en la mirada.

El Hatha Yoga influye en la mente tanto como en el cuerpo. Mejora la concentración, incrementa la viveza, estimula la claridad mental y la percepción, cultiva la calma, desarrolla la ecuanimidad, infunde confianza y mantiene la alegría y el contento. Todos estos beneficios dependen de la presencia mental durante la práctica.

Pero eso no es todo: el Hatha Yoga llega hasta lo más profundo de nuestro ser, más allá de la mente, penetrando hasta el verdadero núcleo. Es realmente un alimento espiritual de valor incomparable. Si su práctica se enfoca con franqueza, sin ambición ni orgullo, sin objetivos específicos, ideales predeterminados ni falsas ilusiones, alentará un profundo autoconocimiento. También inspirará una extraordinaria autoaceptación y servirá como vehículo de autoaprobación y autocapacitación permanentes. En pocas palabras, despertará el amor por uno mismo. Un amor que brota de uno y se convierte en compasión e interés por todos los seres y fenómenos. Esta compasión se expresa en una generosidad natural y espontánea, y un humor relajado y comprensivo.

Es difícil encontrar suelo más fértil para que florezca la felicidad.

# 2

# EL CONTEXTO DEL YOGA DINÁMICO

## El yoga

El yoga es un océano que nutren muchos ríos, cada uno de los cuales se alimenta de numerosos arroyos. El océano es el océano, y una vez allí se disuelven los sedimentos de los ríos que hasta él conducen. Los ríos que llevan al océano del yoga difieren en sus cursos, pero comparten su destino final. Sólo cuando se está todavía en la corriente del río tienen alguna importancia estas disparidades. A cada uno de estos ríos van a dar muchos arroyos y regatos. El repertorio de técnicas e instrumentos del yoga es interminable e imposible de enumerar o clasificar exhaustivamente, si bien, desde el punto de vista histórico, ha habido cinco ramas principales: *Raja Yoga,* la Senda de los Reyes, que hace hincapié en la meditación; *Jnana Yoga,* la Senda de la Sabiduría, que se concentra en el autoexamen; *Hatha Yoga,* la Senda de la Energía, que recalca el equilibrio energético; *Bhakti Yoga,* la Senda de la Devoción, centrada en la adoración, y *Karma Yoga,* la Senda de la Acción, que concede especial importancia al servicio desinteresado.

Sin embargo, cuanto más se profundiza en una senda, más pone de manifiesto las demás y más se parece a ellas en sus efectos, si no en sus métodos, porque las distinciones entre unas y otras son principalmente de énfasis y enfoque. Estas diferencias tienen en cuenta el amplio espectro de las inclinaciones y aptitudes humanas, lo que hace el océano del yoga más accesible a un mayor número de personas.

El océano del yoga representa el ideal más elevado del ser humano y su logro más excelso. Sin embargo, no es un fenómeno filosófico, sino experimental. En esencia es la experiencia pura del potencial completo de la existencia humana. Esta experiencia, o estado de existencia, no es exclusiva del yoga. Es accesible mediante muchas otras prácticas de distintas culturas, orientales y occidentales. Para describirla se han propuesto muchos nombres, todos inadecuados y parciales, pero cada uno de los cuales ofrece un aspecto de esta realidad desde un ángulo particular. Libertad:

liberación de las ataduras. Emancipación: liberación de uno mismo. Iluminación: liberación de lo ilusorio. Salvación: liberación del sufrimiento. Autorrealización: liberación del ego.

La misma palabra *yoga* implica todos estos significados. Es un estado de existencia en el cual todos los aparentes opuestos, distinciones y situaciones se reconcilian experimental y ontológicamente en un estado de unidad. La palabra *yoga* quiere decir "unión", lo cual significa no sólo unión de las partes entre sí, sino también con el todo. A partir de ese momento somos capaces de vivir sin fragmentación ni conflicto interior. Podemos abarcar todo nuestro ser desde la superficie más aparente hasta las profundidades más impenetrables. Englobamos tanto nuestras limitaciones transcendentes como nuestra perenne infinitud. Expresamos a través de nuestra individualidad el todo del que somos efímera expresión. Honramos a nuestra verdadera naturaleza y vivimos desde, por y dentro de ella. Ésta es la clave para una vida de paz y plenitud.

## El Hatha Yoga

El Hatha Yoga enfoca todo esto de una forma muy definida. Utiliza todos los aspectos disponibles del ser humano para acceder a la sutil y escurridiza naturaleza interna del ser. Utiliza los aspectos anatómico, fisiológico, nervioso, energético, perceptivo, emocional, racional e intuitivo de nuestro ser para acceder a nuestra naturaleza espiritual. Esto es posible porque no son distintos de ella, sino expresiones particulares y limitadas de nuestro espíritu. Accediendo a ellos plenamente, integrándolos y armonizándolos, se libera nuestro potencial latente y se pone de manifiesto nuestra verdadera naturaleza.

Aunque el último objetivo del yoga puede ser profundo y amedrentador, está lejos de ser irrelevante. Nuestra naturaleza espiritual no es distinta de nuestras naturalezas social, psicológica o animal. Es la fuente y el sustento de estas últimas,

que son, a su vez, agentes e indicadores de su existencia. Embarcarse en el proceso del yoga no significa volver la espalda a nuestros egos condicionados. Todo lo contrario. Implica encontrarnos, reconocernos y aceptarnos a nosotros mismos exactamente como somos. Para revelar y expresar lo que somos en el sentido más profundo, nuestra verdadera naturaleza, antes debemos aprender a revelar y expresar lo que somos a otros niveles de nuestro ser.

El yoga no es un proceso de negación, sino de revelación. Tampoco es un proceso de creación. Nuestra verdadera naturaleza, espiritual, ya existe. Nuestra imaginación, nuestra inteligencia, nuestro entusiasmo y nuestra energía, por potentes que sean, no son capaces de un acto tan creativo: ése es el dominio de Dios. Todo lo que podemos hacer es aclarar su existencia, mediante la práctica del yoga; y luego honrarla en la forma de vivir nuestra vida. Esto es lo que significa la santidad: ser plenamente. Vivir a partir de la integridad de nuestro ser humano. Éste es el estado de yoga.

Aunque el Hatha Yoga sea un solo río, ha generado muchos regatos: las diferentes escuelas de yoga, cada una de las cuales tiene su propio estilo. Estas diferencias son principalmente de orientación. Lo que tienen todas ellas en común es el uso de nuestra parte física, de nuestro cuerpo, sobre todo mediante las posturas de yoga conocidas como *Asanas*. Son distintas porque la vida no es monótona. Es una sinfonía de variedad infinita: un tapiz que la energía entreteje y cambia constantemente. Para interpretar el diseño de este tapiz se han propuesto muchas representaciones simbólicas. Una de las más sencillas, y más pragmáticas, es la de los cinco elementos del mundo natural.

## Los cinco elementos

Una de las formas más eficaces de captar la dinámica de la vida y del yoga es considerar la relación energética entre los cinco elementos o energías de la naturaleza. Estas cinco energías, que subyacen bajo los cinco procesos técnicos del método del Hatha Yoga, son fundamentales en todas las transformaciones, situaciones, acontecimientos y fenómenos. Se definen simbólicamente como los cinco elementos del mundo natural: tierra, agua, fuego, aire y espacio.

Representan el contexto y los cuatro estadios o niveles de manifestación. El *espacio* representa el contexto de la existencia, tradicionalmente conocido como conciencia. El *aire* representa el nivel gaseoso de la existencia, en el que entran en juego las distintas energías. El *fuego* representa el nivel plasmático, donde las energías se encuentran, ensamblan y transforman. El *agua* representa el nivel líquido de la existencia, en el cual las energías se van concentrando, estabilizando, definiendo cada vez más. La *tierra* representa el nivel sólido, en el que se forman los objetos debido a la duración estable en el tiempo y en el espacio.

Las representaciones simbólicas de estos estados nos son útiles porque nos resultan familiares. Desde nuestra concepción todos hemos venido interactuando con la tierra, el agua, el fuego y el aire en sus muchas formas, dentro del contexto, no sólo del espacio físico, sino también de la conciencia.

## Espacio

El espacio es el elemento primordial en el que emergen y actúan los cuatro elementos secundarios. Es el contexto dentro del cual los demás se influyen mutuamente. Las cualidades del espacio son simultaneidad o instantaneidad, vacuidad, autenticidad, libertad y ser. Su expresión fundamental es la conciencia, y está incorporado en la técnica de *drushti*: la atención dirigida, concentrada. Conduce a una conciencia directa y profunda de lo que está ocurriendo, libre de ilusiones, suposiciones, proyecciones y expectativas. El espacio es la matriz dentro de la cual evolucionan los demás elementos. Su ámbito es cualquier lugar; su fuente, la conciencia; su medio, el conocimiento, y su control, la concentración. La aplicación superficial del espacio es la concentración sostenida. Establecer el espacio requiere el empleo del

autocontrol; el signo de su presencia es lo contrario, la libertad.

## Tierra

La tierra es el elemento secundario fundamental. Las cualidades de la tierra son estabilidad, firmeza, sustentación, base (o apoyo) y actividad. Su expresión fundamental es la forma, o la estructura, y está incorporada en la técnica de *asana*. La tierra se cultiva y expresa estableciendo la integridad estructural en el cuerpo. Se consigue practicando *Asana* de acuerdo con los principios de la alineación corporal correcta (*asana*). El ámbito de la tierra es la columna vertebral; su fuente es la base sobre la que se asienta el cuerpo; su medio, los músculos, y su control, la pelvis. La aplicación superficial de la tierra consiste en enfocar la alineación corporal correcta de manera lineal, perdiéndose en el detalle. La aplicación sutil consiste en un enfoque intuitivo, mediante el cual la energía generada por la oposición se utiliza para activar la vacuidad. Establecer la tierra requiere la utilización de la presión; el signo de su presencia es su contrario, la vacuidad.

## Agua

Las cualidades del agua son la ductilidad, la fluidez, la adaptabilidad, la energía y el sentimiento. La expresión fundamental del agua es el movimiento deliberado, y está incorporada en la técnica para entrar y salir, llegar y partir: *vinyasa*. El agua se cultiva y expresa aprendiendo a realizar los movimientos para adoptar, desarrollar y salir de las *Asanas* sin esfuerzo, con suavidad y fluidez. La sostiene la repetición y la expresa la sincronización entre respiración y movimiento corporal. El ámbito del agua es la pelvis; su fuente, la eminencia plantar (la parte carnosa del pie), en la base del dedo gordo; su medio, los huesos, y su control, las articulaciones. La aplicación superficial del agua consiste en permitir que la pasividad se adueñe del sistema muscular reduciendo *Asana* al estiramiento. La aplicación sutil supone encontrar la sincronización exacta entre el movimiento corporal y la respiración. Establecer el agua requiere emplear la delicadeza; el signo de su presencia es su contrario, la energía.

### Fuego

Las cualidades del fuego son la transformación, su carácter repentino, intensidad, resplandor e inspiración. La expresión fundamental del fuego es la acción, que produce el cambio, y está incorporado en la técnica de *bandha*. El fuego se cultiva y expresa mediante la aplicación de *Uddiyana, Mula* y *Jalandharabandha*. El centro de este proceso es *Uddiyanabandha*. El ámbito del fuego es el abdomen; su fuente, el plexo solar; su medio, los *nadis,* y su control, la garganta. La aplicación superficial del fuego consiste en generar calor a base de pura potencia. La aplicación sutil supone generar calor mediante *Uddiyanabandha,* y utilizar *Jalandhara* y *Mulabhanda* para transformarlo y redirigirlo. Establecer el fuego requiere la utilización de la sutileza; el signo de su presencia es su opuesto, el resplandor.

### Aire

Las cualidades del aire son la apertura, la expansión, la luminosidad, la gracia y el pensamiento. La expresión fundamental del aire es la amplitud, la ausencia de restricciones, y está incorporado en la técnica de *pranayama*. El aire se cultiva y expresa creando espacio en las articulaciones y órganos, especialmente los pulmones. El ámbito del aire es el tórax; su fuente, la garganta; su medio, la piel (incluidos los nervios), y su control, las extremidades. La aplicación superficial del aire consiste en desarrollar la capacidad de superar el efecto de la gravedad en el cuerpo físico. La aplicación sutil supone liberar la respiración de las restricciones de la tensión física y mental. Establecer el elemento aire requiere utilizar el movimiento; el signo de su presencia es su contrario, la quietud.

## Las cinco técnicas

El Hatha Yoga consiste en una serie de herramientas muy precisas que sirven para ponernos profundamente en contacto con nuestra verdadera naturaleza a través del cuerpo. Son las cinco técnicas prácticas, cuyo conjunto constituye el método del Hatha Yoga. Cada una de ellas incorpora y expresa una de las cualidades de los cinco elementos. Para que la práctica del yoga resulte equilibrada, y para acceder a sus profundidades, todas estas energías deben estar presentes y equilibradas. Juntas crean un modelo energético del potencial completo de la vida, lo que permite a cada una de las energías naturales, y a cada una de las técnicas del Hatha Yoga, sostener a todas las demás. Ello no sólo aumenta su eficacia, sino que también previene el desequilibrio entre las cinco energías. La rueda del Hatha Yoga tiene cinco radios principales. Su eficacia depende de la presencia de todos ellos. Si uno o más se pierden, la rueda no rodará adecuadamente y acabará deteriorándose. Lo mismo que ocurrirá si se insiste en uno de ellos a expensas de los demás.

### Drushti

Por lo que respecta a la práctica del Hatha Yoga, el Espacio representa la libertad: la capacidad de actuar a voluntad, de cualquier modo y en cualquier dirección. Está incorporado en *drushti*. *Drushti* es la atención dirigida, en la cual la energía de la conciencia se concentra en un objeto, proceso, situación o fenómeno concretos. El procedimiento para concentrar de este modo la conciencia, completamente, es la esencia de la práctica espiritual y, por tanto, del yoga. Concentrarse en la cualidad de la atención es el aspecto de la práctica relacionado con el espacio.

### Asana

La tierra representa la estabilidad, es decir, la capacidad de mantener la integridad estructural bajo condiciones de tensión. Está incorporada en *asana*. *Asana* es la estabilidad relajada de la estructura física, en la cual cada parte del cuerpo está alineada con las demás para sostener el conjunto sin esfuerzo aparente. Estabilizando el cuerpo, nuestra mente también se estabiliza y aquieta. Concentrarse en la estructura utilizando los principios de la alineación corporal correcta es el aspecto de la práctica relacionado con la tierra.

### Vinyasa

El agua representa la fluidez: movimiento armonioso, sin esfuerzo. Está incorporada en *vinyasa*. *Vinyasa* es el modo de adoptar las posturas, salir de ellas y ligarlas entre sí: el aspecto cinético de la práctica. Estos movimientos se realizan siempre en armonía con la respiración. Concentrarse en la fluidez, utilizar la sincronización entre cuerpo y respiración para adoptar una determinada postura y salir de ella es el aspecto de la práctica relacionado con el agua.

### Bandha

El fuego representa la transformación, el proceso de cambio energético que conduce a la purificación. Está incorporado en *bandha*. Los *Bandhas* son ajustes musculares y energéticos que transforman nuestras energías internas. Llevándolas a una armonía más profunda, la mente se aquieta aún más. Concentrarse en transformar y dirigir la energía es el aspecto de la práctica relacionado con el fuego.

### Pranayama

El aire representa la movilidad: la capacidad de moverse con libertad y ligereza, sin esfuerzo. Está incorporado en *pranayama*. *Pranayama* es el proceso de refinar la calidad de nuestra respiración. Al refinarla, nuestra respiración se hace lenta, suave, relajada y sin esfuerzo, cualidades que incrementan aún más la quietud de la mente. Concentrarse en la calidad de la respiración es el aspecto de la práctica relacionado con el aire.

En resumen, *drushti* es la calidad de nuestra conciencia; *asana*, la calidad de nuestra postura; *vinyasa*, la calidad de nuestro movimiento; *bandha*, la calidad de nuestra energía, y *pranayama*, la calidad de nuestra respiración. Es la calidad de estos aspectos de la práctica, no su cantidad, lo que importa en el yoga. Todas ellas pueden, o recalcarse excesivamente, o desatenderse. Insistir excesivamente en el espacio conduce al retraimiento; descuidarlo, a la ansiedad. Insistir excesivamente en la tierra conduce a la rigidez; descuidarla, a la debilidad. Insistir excesivamente en el agua conduce a la fragilidad; descuidarla, a la dureza. Insistir excesivamente en el fuego conduce al agotamiento; descuidarlo, al entumecimiento. Recalcar en exceso el aire conduce a la inestabilidad; descuidarlo, a la pesadez y al letargo.

La aplicación equilibrada de las cinco técnicas de *drushti, asana, vinyasa, bandha* y *pranayama* aporta un vigorizante equilibrio entre los cinco elementos. Sólo entonces pueden producirse los efectos de cada técnica, o darse la presencia de cada elemento o energía. Cuando nuestra práctica está equilibrada, manifestamos estabilidad, adaptabilidad, luminosidad, gracia y sinceridad. Según van madurando en nosotros estas cualidades, nos permiten desprendernos de más y más estructuras dentro de las cuales nos hemos estado escondiendo a nosotros mismos nuestro verdadero potencial. La práctica de las cinco técnicas se explica en detalle en la Parte II de esta obra.

# Estilos de Hatha Yoga

### Yoga Ashtanga Vinyasa

El Yoga Ashtanga Vinyasa es un sistema de Hatha Yoga desarrollado por K. Pattabhi Jois a instancias de Krishnamacharya. Se basa directamente en las enseñanzas del Yoga Korunta, adaptadas para que resulten practicables por los ciudadanos del mundo moderno. No es, estrictamente hablando, un estilo de yoga, sino una forma de presentar el Hatha Yoga Clásico. Sin embargo, la conciencia cabal de las energías de los cinco elementos suele perderse en los métodos de enseñanza contemporáneos. El Yoga Ashtanga Vinyasa puede enfocarse de forma parcial, recalcando en exceso uno u otro aspecto de la práctica a expensas de los demás. Por ejemplo, calor y fluidez a expensas de la alineación corporal correcta, o fuerza y flexibilidad a expensas de la sensibilidad. Esto a veces causa un desequilibrio que nada tiene que ver con el sistema, que es, de por sí, fundamentalmente completo.

## Yoga Iyengar

El Yoga Iyengar recalca la alineación corporal correcta, especialmente mediante el uso de las posturas de pie, que inician las secuencias del Yoga Korunta. Este énfasis asegura que la utilización insólita del cuerpo exigido por *Asana* no resulte dañino. Respeta las leyes de la estructura anatómica, del movimiento y de los procesos energéticos. Para conseguir que este proceso se aclare y madure, a veces descuida otros aspectos del Hatha Yoga, en especial los *bandhas* y *vinyasa*. Sin embargo, una profunda familiaridad con la alineación corporal correcta, con *vinyasa* y con los *bandhas* pone de manifiesto que no se trata de un fenómeno de omisión, sino de énfasis. Pues si *vinyasa* es el arte de moverse sistemáticamente de una *Asana* a otra, el estudio de la alineación corporal correcta incluye *vinyasa* en la precisión rigurosa con la cual se establece una *Asana* y se sale de ella. Si *bandha* es el arte de ajustar el núcleo energético del cuerpo, el estudio de la alineación corporal correcta incluye *bandha* en el detalle preciso con el cual se acopla cada parte del cuerpo en *Asana*.

## Vinniyoga

El Vinniyoga recalca la progresión paso a paso hacia una meta (*vinyasa krama*), usando como clave y guía la respiración. Esto supone un especial hincapié en mantenerse relajado y sensible a lo que se está haciendo, pero a veces descuida las sutilezas tanto de la alineación corporal correcta como de los *bandhas*. Sin embargo, un estudio profundo de *vinyasa krama*, en la secuencia de las posturas y en la activación secuenciada de los ajustes internos, revelará los principios de la alineación corporal correcta y las sutilezas de los *bandhas*.

## Yoga Energético (Power Yoga)

El Yoga Energético hace especial hincapié en la fluidez y el calor, usando la continuidad para sostener ambos aspectos. Esto supone profundizar intensamente en la concentración y la interiorización como resultado de las dificultades que presenta la práctica y la potencia que genera. Sin embargo, el énfasis en la continuidad puede conducir a una pérdida de sutileza. Por otro lado, si se enfoca francamente, sin meta, puede conducir a una conciencia profundamente interiorizada. Esta conciencia se convierte entonces en fuente para las sutilezas de la alineación corporal correcta, de *vinyasa*, de los *bandhas* y de la respiración.

## Yoga Dinámico

El Yoga Dinámico puede considerarse y utilizarse como un trampolín seguro y eficaz para alcanzar la práctica tradicional de *Ashtanga Vinyasa*. Se debe a que aclara cada uno de los aspectos técnicos del Hatha Yoga y los integra a la manera clásica, pero en un formato modificado. Puede usarse también como modo de unificar los métodos de enseñanza del Yoga Iyengar, el Vinniyoga y el Yoga Energético.

Quizás a alguien le sorprenda que la clave para la práctica del Hatha Yoga no sea tanto el énfasis en la técnica, como la actitud e intención de maestro y discípulo. El hecho cierto, que la experiencia demuestra, es que los distintos aspectos técnicos del Hatha Yoga no están separados entre sí. Un estudio profundo de cualquiera de ellos conducirá, a un practicante libre de prejuicios, a todos los demás aspectos. Por tanto, los así llamados distintos estilos de Hatha Yoga no son por completo diferentes unos de otros. Se completan e incluso se apoyan entre sí. El Hatha Yoga es como un diamante. Aunque sus distintas facetas miran en distintas direcciones, se sostienen unas a otras, mientras, a la vez, contienen y conducen a su santasanctórum interno: la autorrealización. Para alcanzar este lugar sagrado necesitamos seguridad y sutileza (Yoga Iyengar), suavidad y sensibilidad (Vinniyoga), continuidad y calor (Yoga Ashtanga Vinyasa), concentración e internalización (Yoga Energético), todos juntos. Entonces tenemos Hatha Yoga. Éste es el enfoque del Yoga Dinámico.

# 3

# LOS FUNDAMENTOS DEL YOGA

## El Hatha Yoga como relajación

El yoga es un método práctico para descubrir nuestro potencial escondido y latente. Usa las cinco técnicas de *asana, vinyasa, bandha, pranayama* y *drushti* para alcanzar un estado de profunda relajación. Este estado distendido es una situación de armonía vibrante y alerta, en la cual todos los distintos aspectos de nuestro ser se encuentran integrados y resultan accesibles. Surge cuando nos hemos liberado completamente de cualquier tensión residual, pero comienza a aparecer en cuanto iniciamos el proceso de liberarnos de la que hemos acumulado en nuestro interior. Esta tensión se halla fijada a niveles tan profundos que a menudo somos inconscientes de su existencia. Aunque es un impedimento, no podemos saberlo porque nunca hemos estado libres de ella, o no nos acordamos ya. Así que el Hatha Yoga no consiste simplemente en liberarnos de las tensiones que nos molestan, sino en un método para desprendernos completamente de todos los patrones de fijación y estancamiento, profundizando hasta los niveles más hondos e inconscientes de nuestro ser.

Todos los patrones restrictivos de tensión habitual que nos inhiben son resultado de experiencias pasadas. Las experiencias extrañas y amenazadoras de cualquier tipo tienden a afrontarse con resistencia. Se trata de un mecanismo de protección. Sin embargo, a la larga el mecanismo empieza a desvirtuarse, y reaccionamos ante estas invasiones tensando y endureciendo no sólo el cuerpo sino también la mente. Al hacerlo, conseguimos que la invasión resulte de momento menos dolorosa. Pero, desgraciadamente, el efecto de la tensión es que los músculos y otras células se endurecen en torno al impulso energético de la invasión. Este endurecimiento entierra la energía de la invasión, y así no tenemos que afrontar el dolor que nos produce. Pero se queda dentro de nosotros, aprisionada por fibras musculares rígidas, venas y capilares obstruidos, ramificaciones nerviosas embotadas y sinapsis inactivas. Las experiencias pasadas que no hemos asimilado permanecen imponiéndose a nuestro presente, donde sólo sirven para constreñirnos y limitar nuestra vida. El yoga puede liberarnos de este proceso... si se realiza con sensibilidad y conciencia, pues si se practica de forma descuidada o forzada puede consolidarlo aún más. Enfocando nuestra práctica desde la perspectiva equilibrada de todos los elementos de *asana, vinyasa, bandha, pranayama* y *drushti,* es más probable que nos liberemos de él.

Así pues, el Hatha Yoga no es relajación en sentido superficial. Es más que ocultar o evitar los sentimientos incómodos. Si fuera eso todo lo que ofrece, sería más fácil tomarse un vaso de vino, recibir un masaje o darse un baño caliente. El Hatha Yoga profundiza mucho más. Se enfrenta con la tensión que hemos incorporado, la pone de manifiesto y nos permite desprendernos de ella. Al hacerlo, libera nuestro potencial completo. Afronta esta ardua tarea de forma precisa y sistemática, sin emplear nada ni fortuito ni arriesgado. La aplicación precisa y reiterada de las técnicas permitirá obtener resultados específicos y predecibles; su aplicación inexacta, no. El resultado es una profunda sensación de relajación y libertad interior. Esta libertad se expresa como un entusiasmo que manifiesta agradecimiento, aprecio y compasión por la vida y por los seres vivos.

## *Asana* como relajación

El método básico consiste en utilizar posturas corporales muy específicas. Esta base va después desarrollándose mediante el empleo de las demás técnicas. De hecho, sin aplicarlas, el Hatha Yoga es poco más que gimnasia. La postura se convierte en *Asana* mediante el uso de *asana, vinyasa, bandha, pranayama* y *drushti.* Sólo entonces pueden generarse todos los frutos del yoga.

Hay cientos de posturas. Tiene que ser así para que sea posible comprender las complejas y sutiles profundidades de nuestro sistema neuromuscular.

Las posturas más sencillas trabajan más superficialmente; las más complejas, a mayor profundidad. Por eso no tiene sentido intentar dominar las más complejas antes de que las *Asanas* más sencillas hayan liberado las tensiones superficiales. Aunque seamos capaces, mediante la fuerza o la flexibilidad, la decisión o el trabajo incesante, de lograr la forma de la postura, será al precio de la libertad. Simplemente estaremos imponiendo nuevos patrones de fuerza, dureza y tensión a los antiguos. Lo que debemos hacer en realidad es trabajar en la dirección contraria: capa tras capa, ir retirando la armadura de que nos hemos revestido a lo largo de nuestra vida.

Es probable que todos y cada uno de los músculos, órganos, articulaciones y nervios se hallen impregnados, en mayor o menor medida, de algún tipo de tensión. Cada persona tiene su propio patrón particular; pero casi todos padecemos limitaciones de nuestro funcionamiento corporal. La dureza muscular, la rigidez de las articulaciones, el embotamiento de los nervios, las obstrucciones en capilares y venas, todos ellos se combinan entre sí para limitar nuestra sensibilidad física, perceptiva, emocional e intuitiva. Para poder disponer de esta sensibilidad, debemos disolver esas tensiones que nos limitan.

Para que logren desarrollar y manifestar su completo potencial, *Asana* pone en dificultades a los músculos y articulaciones. Cuando ese potencial se realiza, la sangre y los impulsos nerviosos pueden fluir libremente. Cada *Asana* estimula una red diferente de células en músculos, tendones, ligamentos y órganos. Una tras otra profundizan sistemáticamente en cada parte del cuerpo, y en cada una de las relaciones funcionales existentes entre ellas. Dominar una determinada *Asana* significa liberar de tensión un patrón concreto de relaciones neuromusculares. También implica suministrar, mediante la circulación sanguínea, oxígeno, glucosa, minerales y energía a ciertos músculos, ganglios, glándulas y órganos. Liberar siquiera uno de estos patrones lleva tiempo y repetición constante y consecuente. "Constante" significa reiterando una y otra vez las acciones de la *Asana*, que incluyen *asana, vinyasa, bandha, pranayama* y *drushti;* si hay discontinuidad en esta repetición, el antiguo patrón se reafirmará sobre el débil efecto de la *Asana.* "Consecuente" quiere decir activando la *Asana* siempre de la misma forma, incluido el uso correcto y juicioso de *asana, vinyasa, bandha, pranayama* y *drushti.*

A medida que la *Asana* comience a liberarnos de la tensión, se revela algo muy importante: el cuerpo y la mente no pueden funcionar por separado. Lo que descubrimos es que cada área de resistencia física (tensión, estancamiento, embotamiento, dureza, debilidad, irritación) incorpora un patrón emocional. Cuando el patrón físico habitual comienza a ser liberado, hace su aparición el patrón emocional: significa que *Asana* puede liberarnos emocionalmente; es algo inevitable. Sin embargo, también nuestra práctica puede obstaculizar este importantísimo proceso. Si no aplicamos todas las técnicas, quizá sólo preocupados por la alineación corporal correcta, el desarrollo del calor interno o la profundización de la respiración, podemos fácilmente invalidar este proceso y ahondar aún más el patrón emocional. Las posturas deben enfocarse con la intencionalidad de *asana* (alineación corporal correcta), la fluidez de *vinyasa,* la sutileza de *bandha,* el ritmo de *pranayama* y la atención de *drushti.* Entonces, el patrón emocional subyacente que el patrón físico escondía recibirá el estímulo adecuado y podrá liberarse.

## Lograr relajarse

Antes de poder conseguirlo, por supuesto, tiene que aprenderse la *Asana.* No se trata sólo de que nos expliquen o nos muestren cómo se hace, sino de trabajar con paciencia y gradualmente en cada una de las zonas de resistencia específicas que aparecen dentro del patrón general de cada *Asana.* Una vez que se libera cada una de las áreas concretas implicadas, hay que integrarlas. Cuando esto haya ocurrido, podremos entrar en el segundo nivel de la *Asana,* donde se trata su aspecto nutritivo y de integración. En este nivel, se absorbe, en nuestra estructura física, energética y mental, el efecto específico de cada *Asana.* Al mantener *Asana* en este nivel, ocurren profundas transformaciones corporales, energéticas y mentales. Se trata de un proceso de apertura, revelación, armonización y liberación que nos permite ser más nosotros mismos. Al no estar ya sujeta por las restricciones que la limitaban, la energía vital puede fluir a través de nosotros libremente, limpiar todas las impurezas que se han ido depositando en nuestros sistemas y hacer posible que florezca todo nuestro potencial.

Así pues, hay dos niveles de *Asana.* El primero es activo, correctivo, gradual, y varía en su aplicación específica de individuo a individuo. Implica la eliminación de los viejos patrones de restricción. El segundo es pasivo, nutritivo, integrador, y su aplicación es universal. Implica la liberación de nuestro componente universal, que nos integra con el resto del cosmos. Lleva tiempo establecer cada uno de estos niveles. Su dominio requiere el apoyo absoluto de todas las técnicas de *asana, vinyasa, bandha, pranayama* y *drushti.*

No obstante, el primer nivel es crucial para el proceso de relajación. Si somos fuertes, flexibles y estamos resueltos a conseguirlo, podemos, por lo menos a corto plazo, imponer la forma de la *Asana* a nuestros músculos. Podemos forzarnos a nosotros mismos para conseguir adoptar la postura, mediante el calor, la fuerza, la decisión, la ansiedad, la desesperación o una combinación de todos estos elementos. Pero esto no es *Asana.* Las resistencias físicas subyacentes, y sus lesiones emocionales más profundas, no son liberadas. Sencillamente, durante un breve lapso de tiempo se dejan de lado. Si lo repetimos día tras día, podemos convencernos a nosotros mismos, a través de un progreso físico rápido en nuestras esterillas de práctica, de que algo hemos logrado. Pero la prueba verdadera tiene lugar cuando salimos de la esterilla. ¿Nuestra vida está más libre de las desavenencias y conflictos que podemos causar con nuestras acciones? ¿Estamos viviendo con una comprensión más profunda, más clara, de nuestros pensamientos, nuestros sentimientos, nuestras acciones y nuestra repercusión en los demás? ¿O simplemente nos estamos haciendo cada vez más fuertes, cada vez más flexibles sólo físicamente, cada vez más orgullosos de nosotros mismos en nuestros egos tan cortos de miras?

El primer nivel, terapéutico, es condición previa para el segundo. Demasiado a menudo los principiantes, e incluso muchos profesores, intentan soslayar la crucial primera etapa. Intentan imponer una imitación de integración a sus limitaciones intrínsecas. Una forma de hacerlo es siendo muy enérgico, un modo que a menudo se estimula basándose en la idea de que se supone que el Hatha Yoga es el yoga de la fuerza. Así es, pero no de esa clase de fuerza. No se trata de fuerza como agresión, sino como energía. Otra forma de hacerlo –opuesta a la anterior– consiste en buscar siempre la línea de menor resistencia, soslayando las limitaciones que la tensión impone, evitándolas. Ninguno de estos enfoques conduce al sanctasanctórum interior del yoga. Para alcanzar el nivel de integración, deben liberarse de sus restricciones todas las partes implicadas. Entonces pueden integrarse libremente, y *Asana,* habiendo dado su fruto superficial (la relajación), puede dar su fruto más profundo (la liberación de la fluctuación de los opuestos).

Este proceso de dos niveles se aplica igualmente a los patrones de tensión que restringen nuestra respiración, y a los que definen nuestra mente. Nuestra respiración y nuestra mente no están menos encerradas en patrones restrictivos de tensión habitual que nuestro cuerpo. El ritmo respiratorio natural, libre, potente, es inhibido por tensiones que restringen la capacidad de los músculos respiratorios. Estos músculos se localizan principalmente en el tronco y la garganta. Por tanto, sus tensiones incorporan traumas asociados con la seguridad, la confianza y la comunicación: algo que, en sí mismo, hace especialmente difícil relajar estos músculos y liberar nuestra respiración. Los recuerdos que subyacen a la tensión física son tan amargos y amenazadores que tenemos miedo de liberarlos. Sin embargo, la paradoja reside en que no es soltar estos restos traumáticos lo que hace daño, sino resistirnos a soltarlos. Apegarnos a ellos crea molestias en forma de tensión y ansiedad. Los afrontamos deslizándolos por debajo del umbral de nuestra conciencia. *Pranayama*, en *Asana,* es lo que invierte este proceso, sacándolo a la luz. A medida que nos hacemos conscientes del dolor de la tensión física, aún podemos continuar resistiendo con el patrón general: esto es lo que duele. Cuando dejamos de resistirnos y nos abandonamos a la tensión, ésta simplemente se disuelve, el patrón emocional subyacente se libera y nos sentimos inmediatamente libres. Entonces, y sólo entonces, cuando todos los residuos emocionales ocultos han sido disueltos, pueden aspirar y espirar libremente nuestros pulmones. Es en ese momento cuando da inicio el segundo nivel, que depende del primero de relajación emocional. En este nivel, la respiración establece gradualmente sus propios ritmos libres, sin restricciones. Mientras mantenemos estos ritmos, acomodándonos a ellos y mejorándolos mediante la atención concentrada, se armonizan cada vez más íntimamente. Esta cualidad de profunda armonía afecta igualmente a la mente de modo directo. Nos volvemos profundamente tranquilos, apacibles, lúcidos y perspicaces. Según va apareciendo esta serena claridad, emergen los patrones subyacentes de nuestra mente.

*Pranayama* produce un estado de meditación: la armonización y clarificación de nuestros procesos mentales. Aquí, nuevamente, el proceso tiene lugar en dos etapas. Y de nuevo es inmensa la resistencia de la primera de ellas. Esta vez no a causa del miedo al dolor, sino más bien por temor a la incertidumbre. Dentro de la clara quietud de nuestra mente aparecen los habituales patrones de nuestros pensamientos. Debido a que la mente se encuentra ya en un estado de tranquilidad y lucidez, sus contenidos se revelan de un modo que no era habitual. En vez de que ciertos pensamientos, ya sean recuerdos, reacciones de la percepción o simplemente hábitos, conduzcan automáticamente a cadenas involuntarias de pensamientos, sentimientos o acciones asociativos, somos capaces de sentir cómo entran en nuestra mente. Podemos verlos sencillamente como pensamientos fugaces, más que como signos de nuestro yo que nos sentimos obligados a consentir o a expresar.

Cuando descubrimos que ciertos patrones de pensamiento, ciertos temas, historias, dramas, son repetitivos, sabemos que hemos encontrado un patrón restrictivo de tensión mental. Para liberarnos de este patrón debemos someterlo a la luz de nuestra conciencia. Igual que hacemos con las tensiones físicas. No resistirnos a nuestros pensamientos ni restringirlos, no imponer otros pensamientos predilectos. Simplemente referirnos a lo que hay, aclarándolo y aceptando el cambio que tiene lugar cuando se ilumina un proceso habitual e inconsciente. Un proceso que dura toda la vida. Un proceso que se concentra en las capas más profundas de tensión que llevamos incorporadas. A medida que soltamos estas sutiles tensiones corporales y mentales, empezamos a ser capaces de afrontar la vida sin miedo, sin necesidad ya de aferrarnos a la certidumbre de lo conocido. Y es entonces cuando puede desarrollarse la segunda etapa de meditación, la de integración, que depende de la primera etapa de profunda relajación psicológica. Es aquí cuando sale a la luz el potencial más profundo y rico de nuestra verdadera naturaleza. Una vez que nos hayamos liberado de la tensión física, emocional y psicológica.

Por desgracia, es sumamente fácil pasar por alto la primera de estas dos etapas, fingiendo que la relajación y la integración llegarán a ocurrir sin esfuerzo. Es igualmente fácil descuidar la segunda, cambiando de una a otra postura sin mantenerlas el tiempo debido. Cualquiera de estas dos omisiones disminuye considerablemente la potencia del Hatha Yoga. Y aunque podamos desarrollar algunas libertades y posibilidades físicas, emocionales y psicológicas limitadas, comparadas con la libertad espiritual que puede lograrse, serán insignificantes y, a la larga, insatisfactorias. Para acceder a este don espiritual, tenemos que esforzarnos continua y coherentemente en la primera etapa, y dedicarle

tiempo a la segunda –de quietud y asimilación– de cada proceso. En la primera etapa, *asana* y *vinyasa* son especialmente importantes; en la segunda, *bandha* y *pranayama; drushti*, la atención concentrada, es esencial en ambas etapas.

Aunque estas dos etapas son una característica corriente de la práctica en todos los niveles, también se expresan en la estructura tradicional de la práctica (*sadhana*), que podemos dividir en dos partes. La primera es la etapa dinámica, que expresa la energía activa y creativa de *Ha*, el principio solar; la segunda, la etapa pasiva, que expresa la energía pasiva y receptiva de *Tha*, el principio lunar. Cuando se completa la secuencia de posturas, y antes de tenderse en *Savasana*, terminamos en una posición sentada, tradicionalmente el Loto completo (pág. 254). La tradicional práctica sentada de *Pranayama* se concentra entonces en refinar y soltar la respiración, mientras el cuerpo se mantiene inmóvil en una postura que saca el máximo partido de la liberación de la caja torácica. Este alivio se consigue concentrando la atención. Con el tiempo, cuando la liberación de la respiración consigue que la mente se aquiete, abandonamos el control de nuestra respiración y entramos en meditación.

Nuestra mente se aquietará en la misma medida en que hayamos conseguido liberar nuestra respiración. Llegados a este punto, dejamos que nuestra respiración, nuestra energía, nuestra postura y nuestra conciencia se asienten libremente por sí solas: algo que depende de nuestra capacidad de "soltar". Si no se consigue simplemente por colapso físico y mental, antes tendremos que haber usado el potencial del primer nivel dinámico para liberarnos de limitaciones restrictivas. Con la práctica, sucederá cada vez más. Los dos niveles de *Asana* se reflejan entonces en los dos niveles de *sadhana*: primero, actividad para liberar nuestras limitaciones habituales; luego, quietud para facilitar la cosecha de nuestro potencial latente. Éste es el don espiritual que nos regala el Hatha Yoga: una liberación que nosotros mismos nos concedemos, tan profunda y completa como si volviéramos a nacer.

# El sentido del límite

Para hacernos entrega de este inapreciable regalo, el Hatha Yoga tiene que llevarnos constantemente a los confines mismos de nuestro ser, tanto físicos como mentales. Tiene que llevarnos a nuestro límite. ¿Y dónde está nuestro límite? En el punto de equilibrio entre demasiado e insuficiente. Desde el punto de vista físico, significa utilizar la plena capacidad de nuestro cuerpo en este momento; significa ni pasarse ni quedarse corto. Encontrar este equilibrio requiere una sensibilidad sincera que puede desarrollarse mediante la práctica. Desde el punto de vista mental, significa estar dispuesto a mantener la postura el tiempo suficiente para que ésta dé su fruto. Significa no sucumbir a la prisa, la impetuosidad, la distracción, el aburrimiento, el miedo o la incertidumbre. Todo lo contrario: debemos desarrollar y usar claramente la conciencia de lo que está sucediendo en realidad. Entonces, salir de una determinada postura sucederá de modo espontáneo y sin esfuerzo. Es igualmente posible permanecer más tiempo del debido en una postura a voluntad, lo que puede suceder fácilmente si perdemos el sentido del límite. Si lo hacemos, nuestra energía empezará a disminuir y nuestra conciencia a disiparse. Hay un momento perfecto para pasar a otra cosa. Mediante el cultivo de una sensibilidad sincera, podemos aprender a responder a ese momento, dar por concluida la postura y salir de ella. No nos sirve de ayuda para conseguirlo cronometrar el tiempo que debemos permanecer en la postura, ni con el reloj, ni contando nuestras respiraciones o los latidos cardíacos. Al principio, sin embargo, pueden ser necesarias estas mediciones; pero no debemos apegarnos a ellas. Está en la esencia del yoga trascender la medición cuantitativa para entrar en la infinitud.

Si no nos esforzamos suficientemente, nos reducimos a nosotros mismos; si nos esforzamos demasiado, nos violentamos. El límite se halla entre una y otra situación. Es un lugar vigorizante; pero puede dar mucho miedo: todos sabemos lo que se siente cuando nos acercamos al borde de un precipicio; en el yoga, está aquí, en el límite, en el borde del precipicio donde reside la fertilidad. Mediante la práctica debemos aprender a encontrar nuestro límite, el límite de la postura. Cuando lo hayamos encontrado es cuando podremos mantener, permanecer, permitirnos a nosotros mismos estar inmóviles, receptivos. Entonces es cuando descubrimos que el límite se mueve. Pero no tenemos que moverlo nosotros. Simplemente sucede. Al alcanzar nuestro actual límite, al utilizar al completo nuestra actual capacidad, el límite se mueve, se incrementa espontáneamente nuestra capacidad. Así es como va aumentando. Así es como maduran nuestra práctica y nuestra capacidad.

Enfocar nuestra práctica como una exploración nos ayuda a desarrollar la sensibilidad sincera que pone de manifiesto nuestro límite. Significa entrar en cada postura simplemente para descubrir lo que hay. Para descubrir nuestro cóctel actual de tensión, libertad, embotamiento, vitalidad, movimiento, estancamiento, etc. Para descubrirlo, reconocerlo, aceptarlo y expresarlo, completamente. Está en la naturaleza de la vida que lo que pueda ser por completo sí mismo cambiará. O crecerá o se disolverá. De este modo mejora el yoga nuestra vida: haciendo posible que madure lo que contiene potencial, y que pase lo que ha llegado a su apogeo.

No es necesario que nos impongamos un destino predeterminado. Esto puede resultarnos difícil. Es grande la tentación de quedar atrapados por la descripción conceptual de la postura, o seducidos por la capacidad de otras personas. Pero no nos sirve de ayuda. Somos lo que somos. Sólo cambiaremos según nuestra capacidad verdadera. No durará ningún cambio que impongamos a nuestra capacidad, y además puede causar problemas. Debemos tener paciencia y ser sinceros, en nuestra práctica y en nuestra vida. Debemos aprender a actuar por amor, no por deseo. Estar dispuestos a encontrar la belleza y el valor de lo que hacemos, de lo que somos, en vez de ignorar lo que somos, de negarlo o de que nos moleste, mientras perseguimos algo de lo que nos han hablado o que hemos visto: tal vez no sea para nosotros.

Descubriendo el potencial del límite aprendemos que la fuerza es completamente innecesaria en el Hatha Yoga. Las propias técnicas están cargadas de energía. No necesitamos añadirles más con nuestra impetuosidad e impaciencia equivocadas. Es peligroso usar la fuerza para superar apresuradamente nuestras limitaciones actuales. No sólo por el riesgo de lesionar por sobreestiramiento los músculos, tendones y ligamentos, sino porque también fomenta una sensación de ineptitud, de incapacidad, que genera un sentido codicioso de que debemos tener más de lo que tenemos. Además, santifica la ansiedad mediante la cual se manifiesta la codicia. De cara a mejorar la flexibilidad no sirve de tanta ayuda como podría pensarse. Es cierto que trascendiendo nuestros límites conseguimos alargar las fibras musculares; pero sólo momentáneamente. Si no se mantiene este impulso en nuestra práctica diaria, el efecto global a la larga es un acortamiento equivalente al alargamiento alcanzado. Porque el resultado mecánico del estiramiento excesivo es un acortamiento compensatorio: un aumento de la tensión. Si en vez de eso respetamos nuestro límite y utilizamos la inteligencia celular para liberarnos de nuestras limitaciones sin aplicar ningún esfuerzo, descubriremos que no tenemos que mantener una práctica diaria intensa para conservar nuestra flexibilidad. La flexibilidad conseguida con inteligencia celular es más permanente que la que resulta de la fuerza.

Pero, aparte de con la capacidad física, el límite se relaciona con otros elementos. Más profundamente se halla el lugar donde se encuentran todas las polaridades y donde se resuelven entre sí. Es el espacio de la disolución, la rendición, donde el yo y los otros se unifican; donde nuestro ego se funde en nuestro yo, donde nuestra estructura condicionada se fusiona con nuestra verdadera naturaleza. Este lugar da verdadero miedo al ego, que depende de que sigan bien marcadas las separaciones dualistas del yo y los otros, de dentro y fuera. Cuando alcanzamos el límite, todo se vuelve borroso. Esto produce ingentes cantidades de resistencia. El ego no quiere perder el poder. Pero

para degustar los frutos del yoga, es esto lo que debemos permitir que suceda. Tenemos que estar dispuestos a llegar hasta el límite y a renunciar a nuestra resistencia, a quedarnos allí, justo en el límite. Luego podemos entrar en el espacio ilimitado del yoga. Esto es lo que se conoce como "morir en la postura". Es necesario para que madure el fruto del yoga. Se trata de algo que puede suceder en cualquier momento. No es cuestión de esforzarse durante años y años de práctica, y luego, quizá, un día, si se trabaja mucho, poder vislumbrar nuestra verdadera naturaleza, nuestra verdadera condición. Ya está aquí. No requiere grandes realizaciones por nuestra parte. Si deseamos conocerla, sentirla, serla, debemos morir para nuestro ego, nuestro sentido de nosotros mismos como un centro continuamente aislado. Llegando al límite de una postura, se nos da la oportunidad de hacerlo, momentáneamente. Podemos conseguirlo siempre que queramos. Basta soltar la resistencia, abandonar el miedo y sentir cómo el cuerpo y la mente se desprenden de lo que se les ocultaba.

Por supuesto, esta muerte no puede ocurrir si intentamos forzar nuestro límite para conseguir más movilidad, o para seguir más tiempo en la postura. No es cuestión de espacio o de tiempo. Lo único que así conseguimos es reforzar nuestro ego, dejar que pase de largo la oportunidad de disolver nuestra estructura condicionada en nuestra verdadera naturaleza. A menudo no nos damos cuenta de que es esto lo que estamos haciendo, tan tremendo es el poder del ego para trastocar cualquier cosa con tal de mantenerse. Para no quedarse en paro nos incita, con el palo y la zanahoria del "esto no basta, más es mejor". Quedamos entonces atrapados en la dualidad, en la cual el yo y los otros, y todas las demás polaridades, permanecen separados y antagónicos. Si, no obstante, podemos permanecer impávidos ante las oleadas de inestabilidad que empiezan a levantarse cuando nos hallamos en el límite, descubriremos de qué trata el yoga. Cuando permanecemos justo en nuestro límite, el desafío que supone para el ego le hace flaquear. Cuanto más tiempo permanezcamos en él, más se incrementa el desafío. Cuanto más se incrementa el desafío, más y más se desestabiliza el ego: cada vez le parece más difícil mantener su presencia sólida, constante. Esto puede dar mucho miedo, y a medida que seguimos adelante, incluso resultar aterrado. Pero es el ego, y sólo el ego, el que tiene miedo, el que siente terror. A nosotros nos está reservado algo mejor. Si podemos vencer esta resistencia a que perezca nuestro ego, y nos quedamos como estamos, descubriremos el otro lado. El límite se disolverá y experimentaremos nuestro verdadero yo. Aprender a dejar que esto suceda en la realidad es la esencia de todas las prácticas espirituales. El Hatha Yoga está concebido para ofrecernos esta oportunidad una y otra vez, de muchas maneras distintas. Cada *Asana* tiene su propio límite. Cada límite es una puerta que conduce a nuestro verdadero yo. Se abre sola; todo lo que tenemos que hacer es llegar al umbral y permanecer allí, resistiendo el enorme impulso de retirarnos, o la sutil demanda de resolverlo por la fuerza.

## Inteligencia celular

Nuestra mente no se localiza sólo en el cerebro. Existe en cada célula de nuestro cuerpo. *Asana,* por tanto, no es sólo cuestión de flexibilidad y energía musculares, ni de movilidad articular. Éstas sólo forman la base. La superestructura es el despertar de la inteligencia celular, que se consigue mediante la sensibilidad, sintiendo en todo momento lo que estamos haciendo, dirigiendo lo que estamos haciendo hasta el grado más preciso, hasta el nivel más sutil, despertando la inteligencia en cada parte del cuerpo mientras entramos en cada postura, profundizando esa inteligencia mientras mantenemos la postura, y manteniendo ese nivel de inteligencia mientras salimos de esa postura y luego continuándola en la siguiente. Despertando y utilizando la inteligencia celular es como podemos disponer el cuerpo sin utilizar la fuerza, y con toda seguridad, en posiciones extrañas y maravillosas. Sin ella, resulta tentadora la tendencia a usar una fuerza

potencialmente peligrosa. Muchas posturas pueden lograrse mediante la fuerza o la flexibilidad, sin ser *Asana,* sin aportar los beneficios del Hatha Yoga. Sin esta inteligencia somática, el yoga es sólo un conjunto de ejercicios exóticos de estiramiento. Lo que despierta esta inteligencia es el efecto combinado de las cinco técnicas, más que sólo sus formas.

## El equilibrio

El Hatha Yoga es el yoga del equilibrio. Eso es lo que indica el término *Hatha: Ha* significa corriente solar, principio energético, fuerza creativa; *Tha,* corriente lunar, principio apaciguador, fuerza receptiva. El Hatha Yoga es el medio a través del cual estas, y todas las demás, fuerzas opuestas se equilibran a cada nivel de nuestro ser. En este estado de equilibrio, los opuestos dejan de encontrarse en conflicto, y se resuelven entre sí. Existen un cierto número de pares de opuestos que deben estar bien equilibrados en nuestra práctica. Si uno de los elementos de un par supera al otro de forma aplastante, surgirán los problemas.

### ACCIÓN Y QUIETUD

Necesitamos encontrar un equilibrio entre la actividad y el reposo: entre el tiempo que permanecemos en las posturas y el tiempo que empleamos en pasar de una a otra. La *Asana* misma es reposo y, por tanto, no hay necesidad de descansar después de las posturas. A menos, por supuesto, que estemos exagerándolas al enfocarlas superficialmente con un sentido de cantidad y no de calidad. Cada *Asana* tiene un aspecto dinámico y otro estático. La forma de movernos influye en su calidad, matiza su efecto. Una vez que hayamos dado los pasos necesarios para entrar en una postura tan completamente como sea posible, debemos hacer una pausa, sin movimiento alguno, a excepción del respiratorio. Con la práctica aprenderemos a sentir cuánto tiempo necesitamos pasar inmóviles. Luego salimos de la postura. Sin embargo, esta quietud contiene una cualidad dinámica. Los ajustes que hemos realizado al adoptar la postura, especialmente los *bandhas,* es necesario mantenerlos. Aunque ya no estemos moviéndonos en el espacio, seguimos activos internamente. Aunque al principio nos resistamos ante las dificultades que nos supone movernos, también tenemos resistencia mental para quedarnos quietos. En diversos momentos nos descubriremos a nosotros mismos resistiéndonos más a uno o a otro aspecto. Tenemos que estar atentos a esta resistencia para averiguar lo que hay tras ella. Si se trata de miedo o aburrimiento, o pereza, debemos abandonar la resistencia. Si descubrimos que es porque nuestra verdadera capacidad, ya sea mental o física, está más baja de lo que debiera, debemos cubrirla. Demasiada acción, demasiado hincapié en el aspecto dinámico de la práctica, puede llevarnos al cansancio mental y al agotamiento biológico y energético. Demasiado descanso entre las posturas puede conducir a la inconsciencia, a la superficialidad y a la falta de vitalidad. Con el tiempo aprendemos a encontrar el descanso dentro de la actividad, y el dinamismo que hay en el descanso. De este modo comprendemos la unidad que subyace en estos polos.

### FUERZA Y FLEXIBILIDAD

El Yoga Dinámico ofrece iguales oportunidades a la fuerza y a la flexibilidad. No obstante, cada individuo elegirá una u otra orientación. Normalmente, aunque no siempre, se tratará de lo que nos resulte más fácil. Pero si es así, estaremos simplemente incrementando nuestro desequilibrio. Lo que debemos hacer es, más bien, ver a qué tendemos y utilizar nuestra práctica para equilibrarnos. La fuerza y la flexibilidad no son sólo cuestión de músculo. ¿Tenemos tendencia a abrirnos camino en la vida a base de forzar las situaciones, o resolvemos con facilidad nuestras dificultades? ¿Somos suficientemente fuertes para soportar la dificultad? ¿Somos lo bastante adaptables para superar los problemas de la vida con una sonrisa? Los músculos sometidos a mucho movimiento

pueden encontrarse en un estado caracterizado por la falta de estabilidad o elasticidad en las fibras: esto es flexibilidad superficial. A los músculos sometidos a los esfuerzos excesivos que provienen del desarrollo de la masa muscular les falta la eficacia para variar la carga que soportan: esto es fuerza superficial. Demasiado hincapié en el desarrollo de la fuerza superficial puede hacer que disminuya la flexibilidad. Demasiado hincapié en la flexibilidad superficial puede hacer que disminuya la fuerza profunda y la estabilidad. Algo que se aplica por igual a la mente y al cuerpo. Una mente de verdad fuerte es aquella capaz de adaptarse. Una mente flexible es aquella que puede afrontar cualquier situación. Igualmente, un cuerpo fuerte puede acomodarse a cualquier cambio; un cuerpo flexible no se romperá bajo ninguna presión, por grande que sea.

### CALENTAR Y REFRESCAR

El Hatha Yoga es una técnica de fuego. Genera calor. Sin embargo, este calor tiene que ser transformado por los *bandhas.* El exceso de calor físico conduce al agotamiento. El sudor debería formar una capa protectora, aislante, sobre la superficie del cuerpo y no gotear en abundancia. El sudor excesivo es indicación de exceso de líquido en el cuerpo, o de esfuerzo desmedido, o de ambos. No obstante, al acabar nuestra práctica, nuestro cuerpo debería estar fresco. Para facilitarlo, se emplean al terminar la práctica las secuencias finales que incorporan las inversiones, las posturas sentadas y *Savasana*. Debe emplearse en ellas el tiempo suficiente para asegurar un adecuado enfriamiento. Si no, lo que ocurrirá es que el calor de la práctica lo trasladaremos a nuestra vida, donde puede no ser ni apropiado ni controlable. El Hatha Yoga es una práctica intensa, pero si se emprende juiciosamente acabará serenando la mente y haciendo sutiles nuestros movimientos. Por supuesto, este enfriamiento puede también exagerarse. Los excesos en las inversiones y en las posturas sentadas pueden conducir a abandonar la práctica y a una pérdida de vitalidad psicológica.

### ESFUERZO Y DESCANSO

Las técnicas de Hatha Yoga requieren esfuerzo. Pero debe ser un esfuerzo comedido. No debe crear ni tensión ni oposición. Una aplicación equilibrada y juiciosa proporciona una sensación de descanso sin esfuerzo, lo que puede apreciarse claramente en la práctica de un Hatha yogui consumado. Tenemos que encontrar un equilibrio creativo entre la imposición (demasiado esfuerzo) y la complacencia (demasiado descanso), lo que implica encontrar nuestro límite. Cuando conseguimos sentir nuestro límite, podemos danzar sobre él experimentando con el esfuerzo que nada tiene que ver con la fuerza y encontrando la facilidad que no es inercia.

### ACCIÓN Y MEDITACIÓN

La meditación no es un trance vacuo. Es una aprehensión clara y completa de lo que existe, exactamente como es. Es una conciencia vibrante, sin esfuerzo, que lo abarca todo. En el Hatha Yoga se establece mediante la actividad, no a través de la inacción. Los sutiles ajustes que hacemos para establecer *asana, vinyasa, bandha* y *pranayama* sirven para cultivar la presencia mental. Para que *Asana* llegue a ocurrir, estos ajustes no pueden hacerse poco a poco, de manera lineal, como una secuencia. Debemos aprender a activarlos simultáneamente. Cuando somos capaces de hacerlo, es decir, que los ajustes ocurran instantáneamente, meditamos. Utilizamos un campo panorámico de conciencia que es igualmente consciente de todas y cada una de las partes. Las acciones que realizamos, el ajuste que establecemos, son el enrejado o celosía sobre el que enhebramos los hilos de nuestra conciencia meditativa. Entonces nuestro cuerpo se convierte en el *mandala* sobre el cual transformamos nuestra conciencia de distinciones dualistas, selectivas, en una conciencia de nuestra identidad unificada, completa. Utilizamos los ajustes, que implican tanto la mente como el cuerpo, la conciencia y la actividad, para disolver la distinción entre cuerpo y mente. Como nuestra mente es el sujeto, y nuestro cuerpo, el objeto, también borramos la distinción de sujeto y objeto que tipifica la fragmentación de la conciencia que la meditación libera. Así pues, el Hatha Yoga, tomando el cuerpo como sede, es la vía de la meditación en acción.

# Presencia mental

En su práctica, sea consciente de todas estas polaridades y úselas como ayuda para encontrar un equilibrio entre las cinco técnicas y los cinco elementos que conducen al estado de relajación más profundo posible. La clave para este proceso completo es la voluntad y la capacidad para mantenerse en el presente, para entrar en contacto exactamente con lo que está uno haciendo ahora mismo, experimentar exactamente lo que uno siente, sin ninguna evasión, hacer lo que se está haciendo totalmente; sentir lo que se está sintiendo sinceramente y por completo, ser lo que se es sin disimulo ni excusas. Cada una de las técnicas de *asana, vinyasa, bandha, pranayama* y *drushti* ayuda a su manera en este proceso. Mediante ellas podemos acceder por completo al presente, liberando a partir de ahí el presente mismo y el futuro. No puede ocurrir en absoluto si intentamos imponernos algo a nosotros mismos, ya sea una posibilidad de movimiento, una forma, la profundidad de la respiración, un patrón de pensamiento preconcebido, o lo que sea. Tenemos que rendirnos al presente aceptando lo que hay en realidad, no lo que preferiríamos tener, ser o hacer. Significa que debemos ser tolerantes y pacientes con nuestras limitaciones. No significa aceptarlas complacientemente; todo lo contrario: usamos nuestra tolerancia y nuestra paciencia para que se nos revelen; entonces las ponemos a prueba, con *asana, vinyasa, bandha, pranayama* y *drushti,* no con nuestros ideales arbitrarios o con nuestras ambiciones irreales.

Imposición es intentar hacer lo que no estamos todavía preparados para realizar o de lo que no somos capaces. Poner a prueba es activar por completo nuestro verdadero potencial. En el Hatha Yoga, hay una enorme diferencia entre los efectos que produce la imposición y los que surgen de poner algo a prueba. Aquélla nos hace profundizar cada vez más en el conflicto del yo; este proceso, en cambio, nos libera gradualmente de él.

Nos ha costado años desarrollar nuestros patrones peculiares de tensión restrictiva. Nos llevará tiempo liberarnos de ellos. Pero no tiene que llevar tanto tiempo desmontarlos como nos costó establecerlos. La atención es energía. La energía de la atención concentrada (*drushti*) refuerza y mejora el efecto de las demás técnicas. El progreso entonces puede ser rápido. Si nuestra práctica es equilibrada y prudente, cuanto más practiquemos, más rápida será la progresión. Sin embargo, para que los efectos de nuestra práctica se integren en el ritmo diario de nuestra vida, debemos pasar tiempo viviendo; es decir, por expresarlo más claramente, en relación, de uno u otro tipo, con otros seres humanos. El yoga no funciona en aislamiento, a menos de que sea uno mismo quien se aísle. Alguna vez se tiene que bajar de la montaña y volver a entrar en el mercado. Es entonces cuando uno comprueba si su práctica ha sido una mera imposición imitativa o una genuina liberación.

**II**

# Las técnicas del Yoga Dinámico

# 4

# *DRUSHTI:* LA CALIDAD DE LA CONCIENCIA

Las cinco técnicas del método del Hatha Yoga son facetas de un único diamante que se sostienen entre sí en intimidad simbiótica. Esta intimidad significa que ninguna de ellas puede prosperar o madurar sin las demás. La forma de entrar en una postura (*vinyasa*) es seguro que favorece u obstaculiza, en mayor o menor medida, nuestra capacidad de establecer equilibrio estructural (*asana*). Para que el núcleo del cuerpo se recargue correctamente de energía (*bandha*), debe estar sostenido por el equilibrio estructural. Cuando los *bandhas* están plenamente establecidos, abren y llenan de energía la caja torácica de forma natural, lo que permite que el aire entre y salga sin esfuerzo (*pranayama*). Dirigir atentamente la conciencia (*drushti*) a cada parte del cuerpo para asegurarse de que está funcionando como parte integral de un todo armonioso subraya la presencia de todas las demás técnicas. Por tanto, debe tenerse presente que los límites conceptuales y verbales entre *asana, vinyasa, bandha, pranayama* y *drushti* no reflejan la experiencia de la realidad de la práctica. Aunque son cinco desde fuera, desde dentro son una sola cosa.

*Drushti* es el marco en el que pueden desarrollarse las técnicas. Sin él, sólo se quedan en abstracciones, nociones idealizadas que podemos creer que estamos expresando, pero que de hecho no manifestamos. Sin conciencia, el Hatha Yoga es mera acrobacia. La distracción, es decir, la inconsciencia, es el obstáculo más habitual para la práctica del yoga. La clave es la presencia mental.

La mejor manera de cultivarla es mediante la práctica de *drushti*. *Drushti* significa concentrar la atención abierta, libre, plena, directamente, en un lugar, actividad, sensación, cualidad o vibración determinados. Cuando la atención está abierta, no conlleva ni prejuicio ni expectativa. Cuando la atención es libre, no viene impuesta, sino que se establece por sí misma de modo natural. Cuando la atención es plena, no abarca ninguna otra cosa aparte del objeto que se desea enfocar: la concentración es completa. Cuando la atención es directa, es inmediata y sin esfuerzo alguno. Cuando nuestra atenta conciencia posee todas estas cualidades, puede llamarse *drushti*. Mientras tanto, debemos tener paciencia y aprender mediante la repetición constante.

*Drushti* tiene dos aspectos, uno cuantitativo y otro cualitativo. Para que pueda establecerse *Asana* íntegramente, cada parte del cuerpo debe ocupar su puesto y asumir las funciones que le corresponden, lo cual incluye entrar en la *Asana* suavemente, sin esfuerzo y en armonía con la respiración (*vinyasa*), así como establecer por todo el cuerpo líneas de fuerza sobre las que se base el equilibrio estructural (*asana*); asimismo, supone activar las sutiles contracciones o llaves que transforman los procesos energéticos de la postura (*bandhas*), y en último lugar, pero no por ello menos importante, significa asegurar que no se impone fuerza o tensión alguna sobre la respiración (*pranayama*).

Al comienzo sólo somos capaces de establecer todos estos ajustes mentales y corporales de manera lineal, en secuencia. Lo cual no sólo significa que lleva tiempo establecer *Asana*, sino también que a menudo perdemos algunos ajustes mientras atendemos a otros. Es parte insoslayable del proceso de aprendizaje. A medida que maduramos en nuestra práctica, la clarificación de las relaciones íntimas que existen entre todas estas acciones permite que se activen unas a otras de forma simultánea. Finalmente, todas ellas ocurren al unísono. Al surgir esta cualidad de unión es cuando podemos disolver nuestra conciencia en la integridad de la postura. Cuando aparece la cualidad interna de la postura y absorbe nuestra conciencia, esto es *drushti*, o la conciencia espontánea, sin preferencias.

El aspecto cualitativo de *drushti* nos permite sentir la *Asana* como un todo, absorbiendo y expresando su calidad y su naturaleza: una actividad interna que tiene un reflejo externo. Éste es el punto en el cual nuestra mirada se concentra por sí sola. Del mismo modo que nuestra mirada interior se concentra en la integridad de la *Asana* misma, nuestros ojos se concentran por sí solos en un punto específico que expresa y soporta esa integridad. Pensando en los principiantes, en la sección en que

damos instrucciones sobre el método de la postura, se indica el punto de concentración externa para *drushti*; es decir, se ofrece un punto de concentración que tiene en cuenta las habituales limitaciones estructurales de un cuerpo cargado de tensión.

Por ejemplo, en el Perro (*Adhomukhasvanasana*, pág. 128) se pide que se deje caer la cabeza y se concentre la mirada en las piernas. El *drushti* tradicional es el ombligo. Sin embargo, los estudiantes más sinceros tendrán que admitir que esto sólo pueden hacerlo si arquean la espalda, flexionan las piernas y sueltan los hombros; es decir, forzando el *drushti* sin establecer el soporte estructural. El punto de concentración de la mirada se reduce entonces a una imposición conceptual, mientras que se ve comprometida la integridad de la *Asana*; en cambio, cuando se presenta la integridad de la postura, es el punto natural de descanso de los ojos. La energía de la postura dirige allí la mirada como una expresión natural de sí misma. El *drushti* es una indicación de que ha ocurrido *Asana*, o conciencia meditativa con el cuerpo como mandala. Depende de que cada parte del cuerpo haya ocupado su lugar y asumido su función. Tiene lugar a través de los ajustes de *asana*, *vinyasa*, *bandha* y *pranayama*.

Igual que las otras cuatro técnicas prácticas del Hatha Yoga dependen de *drushti*, también *drushti* depende de ellas. Con suma atención pueden realizarse los diversos ajustes internos. Esta claridad mejorada permite ajustes más sutiles y difíciles de conseguir. De este modo, las cinco técnicas proporcionan una dinámica que se sostiene a sí misma y transforma la postura en *Asana*.

Dentro de esta transformación, las distinciones entre los cinco aspectos, o elementos, empiezan a desdibujarse, hasta que, a su debido tiempo, resulta evidente que no son separables uno de otro, que en realidad son distintas manifestaciones del mismo proceso: *Asana*. Al entrar en una postura con la debida atención a la respiración y a la activación secuencial y armoniosa de los diversos grupos musculares (*vinyasa*), se garantiza la alineación corporal correcta (*asana*). Activando los sutiles controles o sujeciones de los *bandhas*, el proceso de alineación corporal se refina, madura y carga de energía. Al cargar de energía el tronco y el núcleo del cuerpo (ver párrafo siguiente), se estimula la respiración para que fluya libre, plena y regularmente (*pranayama*). Todo ello, por supuesto, requiere conciencia, atención concentrada (*drushti*).

Adonde quiera que dirijamos y mantengamos la atención, debe siempre abarcar el núcleo de nuestro cuerpo. El **núcleo de nuestro cuerpo** incluye *el cerebro, los ojos, las orejas y la lengua, la parte frontal y el interior de la columna vertebral, el suelo pélvico y el ombligo*. Estas zonas, que en conjunto reciben el nombre de núcleo del cuerpo, deben permanecer relajadas en todo momento. Si el núcleo del cuerpo se endurece y tensa, la postura (que ya no *Asana*) generará tensión en vez de disolverla. Y también alterará el ritmo y la calidad de nuestra respiración. La calidad del núcleo de nuestro cuerpo es un indicador vital de la calidad de *Asana*. Es mucho más importante que la cantidad de la extensión o estiramiento. El núcleo de nuestro cuerpo, con su relajación, debería ser el centro y la fuente de nuestra conciencia (*drushti*), que poco a poco, con la práctica, se debe extender por sí sola a cada célula del cuerpo sobre el ritmo libre de nuestra respiración, ya no sometida a esfuerzo alguno.

Para decirlo sencillamente, *drushti* es conciencia sensible de lo que se está haciendo. Tiene dos aspectos que son vitales para cada elemento de nuestra práctica. En primer lugar, significa dirigir la mente justo a lo que se está haciendo; no hacer una cosa mientras se piensa en otra. Supone, en realidad, aprender, no a estar sólo pensando en lo que se está haciendo, sino más bien sólo a estar haciéndolo, sintiéndolo. Al principio, debemos pensar antes de actuar, luego actuar, y despues volver a pensar. Pero debemos aprender a separar estos dos procesos para poder actuar con precisión y claridad, sin la distracción del pensamiento. Con el tiempo aprenderemos a confiar en la inteligencia del cuerpo y podremos prescindir cada vez más del proceso de pensamiento. Entonces nuestra práctica se convierte en meditación en acción.

El segundo aspecto consiste en sentir el efecto de lo que estamos haciendo. No sólo en el punto en que opera la acción, sino en toda la estructura del cuerpo y en la calidad mental. Debemos sentir su impacto en el funcionamiento del cuerpo, de la respiración y de la mente. Haciendo ajustes en las cuatro técnicas secundarias de *asana, vinyasa, bandha* y *pranayama*, empleamos la información que nos aporta esta reacción para profundizar en las posturas. Es entonces cuando, a través de la dinámica creada entre nuestra atención y nuestras acciones, emerge una conciencia meditativa.

A medida que nuestra práctica desarrolla una cualidad meditativa, es importante dedicar tiempo a sentarse en silencio al final de la práctica. La parte dinámica, de calentamiento, de Hatha Yoga *Sadhana* tiene un profundo efecto en nuestro equilibrio energético. Agita y conmueve nuestros viejos patrones. Entonces comienzan a aparecer las impurezas acumuladas. Debemos dejarle espacio para que lo haga. Y eso es lo que hacemos durante la parte pasiva, refrescante o reparadora, de la práctica. Pero debe hacerse conscientemente. Debemos dejar que los sentimientos y pensamientos que aparecen como resultado de nuestra "conmoción" tengan el tiempo y el lugar que buscan. Sólo entonces podrán solucionarse las tensiones subyacentes y sus orígenes no resueltos. Esta resolución ocurre a la luz de nuestra atención dirigida: *drushti*.

*Drushti* posee tres cualidades principales: focalización, apertura y dirección. A través de la focalización se desarrolla una profunda concentración. Mediante la apertura se cultiva el desapego. Gracias a la dirección se estimula la perspicacia. Todas estas cualidades son necesarias para resolver nuestros bloqueos psíquicos subyacentes. Mediante la concentración, desarrollamos la estabilidad mental que nos permite afrontar las oleadas energéticas de los transtornos emocionales que empiezan a emerger. A través del desapego, desarrollamos la claridad para verlos como son, sin perdernos en ellos. Gracias a la perspicacia, los iluminamos completamente, no sólo como oleadas pasajeras, sino también respecto a su origen, contexto, implicaciones y consecuencias. Es esta iluminación lo que permite solucionar los patrones o bloqueos estructurales/energéticos/emocionales que van apareciendo.

# ASANA: LA CALIDAD DE LA FORMA

El Hatha Yoga no consiste en adoptar posturas. *Asana* es mucho más que realizar una forma en el espacio. Lo que tiene importancia es lo que sucede dentro de esa forma. Su base es el equilibrio estructural establecido mediante sutiles ajustes musculares: la alineación corporal correcta *(asana)*, que es lo que confiere a la postura la gracia, estabilidad y relajada facilidad que caracteriza a *Asana*. Asimismo, es la alineación corporal correcta *(asana)* lo que confiere a *Asana* su poder terapéutico: su capacidad de reestructurar la parte anatómica del cuerpo y nutrir su fisiología. La alineación corporal correcta *(asana)* es la esencia misma de *Asana;* sin ella, todos los demás aspectos de *vinyasa, bandha, pranayama* y *drushti* vacilan. Por consiguiente, debe ser la base práctica sobre la cual se construya *Asana* y en la que se integren los demás aspectos.

El propósito básico de la alineación corporal correcta es armonizar el cuerpo, lo cual puede implicar o no la perfección estructural: depende de la capacidad de que dispongamos en ese momento. Lo más importante es que supone armonizar líneas opuestas de fuerza. Este proceso, aunque no nos dé inmediata perfección estructural, aporta estabilidad estructural. Al mismo tiempo, despierta la energía y la inteligencia latentes de cada célula del cuerpo. Con el tiempo, a través de la repetición constante, a medida que la tensión desaparezca de las células del cuerpo, estas líneas de fuerza establecen una armonía y una integridad estructurales cada vez más profundas. Sin embargo, es contraproducente intentar imponer nociones idealizadas de perfección geométrica sobre las realidades específicas de las estructuras deformadas de nuestro cuerpo. No sólo atrinchera más profundamente la tensión habitual, sino que, además, a menudo genera otras nuevas; aparte de debilitar nuestra capacidad para relacionarnos con lo que realmente existe si intentamos imponernos constantemente, por avidez ansiosa, alguna noción de perfección que deseemos alcanzar. Si trabajamos con nuestras limitaciones e imperfecciones verdaderas (y a partir de ellas), nos descubriremos a nosotros mismos acercándonos a lo que podemos llamar perfección inevitablemente y sin esfuerzo.

Para sostener *Asana,* cada parte del cuerpo debe ocupar su lugar y asumir sus funciones. En la práctica, se trata de un proceso de ajuste muscular, como resultado del cual los huesos se desplazan, se abren las articulaciones, cambian de posición y forma los órganos internos y la columna vertebral. Por tanto, cada músculo debe emplearse precisamente en relacionarse no sólo con aquellos que están conectados con él, sino también con aquellos que lo complementan o se oponen a él. Es cuestión de establecer equilibrio entre los ajustes necesarios para que cada corrección sirva de soporte al equilibrio y a la estabilidad estructurales, en vez de dificultarlos. La clave para establecer este equilibrio es asegurar que cada línea de fuerza que resulte de un ajuste muscular se complemente con sus antagonistas. Como el cuerpo es tridimensional, cada línea de fuerza coincide y es soportada por más de una fuerza opuesta, lo cual también refleja el hecho de que ningún músculo existe aisladamente. La simple acción de levantar los brazos por encima de la cabeza repercute en toda la musculatura. Estas fuerzas antagonistas actúan como límite de cada ajuste individual en las diversas direcciones de su impacto, asegurando que no se excede y produce desequilibrio. Su efecto combinado crea en el cuerpo una serie de momentos de fuerza en espiral que se soportan y complementan entre sí. Las líneas de fuerza sólo son rectas cuando se consideran aislada o parcialmente. Si seguimos su momento, descubrimos que todas son espirales, y que están conectadas entre ellas en espiral.

Establecer en el cuerpo entero todo el repertorio de ajustes musculares que son necesarios para *Asana* significa aportar vida y conciencia a células y músculos que normalmente están aletargados. Al comienzo es posible que el cuerpo no responda. Antes de que el cuerpo pueda obedecer a la mente, deben establecerse nuevas vías neuronales entre el cerebro y el músculo, y entre el músculo y el cerebro, y entre las diferentes partes del cerebro y después de nuevo con el músculo. Esto lleva tiempo. Tenga paciencia. Una vez más, la repetición constante es el único camino. Alguien puede forzarle

a adoptar una nueva postura, pero si la actividad de su circuito neuronal correspondiente no despierta la inteligencia innata de las células del cuerpo requeridas, no se habrá aprendido nada que resulte útil para *Asana.* Ajustar el cuerpo en *Asana* no es simple cuestión de superar las limitaciones físicas de los músculos, sino –más fundamentalmente– de despertar la inteligencia somática del cuerpo entero. A medida que la inteligencia celular comience a despertarse, se prestará a ajustes cada vez más sutiles, eficaces y completos.

De todas las posturas de yoga, las más importantes para despertar la inteligencia somática son las posturas de pie. No sólo porque desarrollan los pies y las piernas, que son los soportes fundamentales de nuestra columna vertebral. Para que se establezca la estabilidad, toda postura de pie requiere la actividad de cada una de las partes del cuerpo. No hay zonas inertes, y muy pocas quedan pasivas en determinada postura: tantas son las relaciones vitales de soporte que necesitan establecerse en una postura de pie para poder mantener el equilibrio. En posturas más avanzadas, esto no es así. Los extremos del movimiento en algunas partes del cuerpo se compensan mediante la absoluta relajación en otras. La extrema complejidad de las líneas de fuerza implicadas en las posturas de pie despiertan la inteligencia somática completa y profundamente. Aunque este proceso puede ser muy largo y durar muchos años, el progreso global hacia las *Asanas* más avanzadas es más rápido, y también más seguro, que si no se da la importancia debida a las posturas de pie. Ésta es la razón por la que las series de Hatha Yoga Clásico comienzan con una secuencia de posturas de pie. Tras despertar la inteligencia somática en este tipo de posturas, queda disponible cuando se intentan *Asanas* más avanzadas y enérgicas que, de otro modo, requieren extremos de fuerza, flexibilidad o insensibilidad.

Es una paradoja de la práctica de *Asana* que, cuanto más avanzada sea la *Asana,* menores sean las opciones que uno tiene para equivocarse: el error acarrea inmediatos problemas. En las *Asanas* más básicas, las opciones son muchas y los errores pueden pasar desapercibidos para la mirada inexperta. O tenemos la capacidad –en cuanto a flexibilidad de la pelvis, la espalda, el cuello y los tendones de la corva– para poner una pierna detrás del cuello, o no la tenemos. Si no la tenemos e intentamos imponer la postura sobre esa limitación, nos haremos daño, inmediata y obviamente. En las posturas de pie, el error no es tan obvio, no tan inmediatamente dañino. Somos capaces de estar de pie más o menos erguidos con los pies juntos, y aprendiendo con seguridad a refinar esta postura. Por tanto, podemos trabajar con seguridad dentro de nuestras limitaciones y usar las posturas de pie como base segura para las posturas avanzadas.

La complejidad accesible de las posturas de pie contrasta directamente con la ardua simplicidad de las posturas avanzadas. Sin embargo, esta simplicidad descansa enteramente en el trabajo de base establecido dentro de la complejidad de las posturas de pie. Si no hemos despertado la inteligencia de las piernas, la pelvis, la columna vertebral, los hombros y el cuello, probablemente nos hagamos daño cuando intentemos ponernos la pierna detrás del cuello. Si no hemos despertado la inteligencia de las extremidades, las manos, los pies, la pelvis, los hombros y la columna vertebral, probablemente nos hagamos daño hasta en sencillas extensiones de columna como la postura del Perro mirando hacia arriba (*Urdhvamukhasvanasana,* pág. 126). No seremos sensibles a los impulsos que nos indican dónde tenemos bloqueos, qué partes están sueltas, cuándo hemos alcanzado nuestro límite seguro y, por consiguiente, cómo tenemos que ajustar nuestros movimientos para alcanzar nuestro propósito.

La alineación corporal correcta (*asana*) se aprende y establece en las posturas de pie. Si no, las posturas avanzadas sólo pueden hacerse a partir de extremos de fuerza y flexibilidad que no pueden reconocer, expresar o nutrir la actual capacidad e integridad estructural del cuerpo. Esto no es *Asana,* sino gimnasia o acrobacia, y no aportará ni autoconocimiento, ni autoaceptación, ni autoaprobación. En vez de ello, será fuente de orgullo, apego a las apariencias y sutil conflicto interior.

Cuando la alineación corporal correcta (*asana*) transforma la postura en *Asana,* aparecen ciertas cualidades. Una es la estabilidad sin esfuerzo; otra, la facilidad vigilante. Anatómicamente, ambas dependen de la capacidad de los músculos para calibrarse y estabilizarse en todo el cuerpo. Para que toda la musculatura se estabilice de forma genuina como un todo, ningún músculo en particular ni ningún grupo de músculos debe estar sometido a tensión u ofreciendo ninguna resistencia. Establecer este estado lleva tiempo. Algunos músculos necesitan fuerza; otros, relajación. Unos necesitan alargarse; otros acortarse. Algunos necesitan descansar, y otros, despertarse. Todos estos ajustes complementarios ocurren de modo natural como resultado de aplicar constantemente las adecuadas líneas de fuerza a lo largo y ancho de todo el cuerpo.

Los sutiles detalles de la alineación corporal correcta son infinitos, y no es necesario considerar conscientemente cada uno de ellos para que suceda. La interconexión de cada parte del cuerpo con todas las demás asegura que, a medida que madure nuestra práctica, nuestra sensibilidad se hará cada vez más sutil y nuestra conciencia más profunda, muchos ajustes sucederán espontáneamente, y nos haremos conscientes de que están ocurriendo. Intentar dominar la alineación corporal correcta exactamente del modo contrario, analizando cada postura en sus mínimos detalles e intentando imponer cada detalle de modo secuencial, es como intentar vaciar el océano con una cuchara. Mejor es empezar comprendiendo los principios básicos y vigilar la estabilidad estructural global. Entonces, a medida que se desarrolle nuestra sensibilidad y se profundice nuestra atención abierta, nos guiará la información que, en la postura, nos devuelve nuestro cuerpo cada vez más profundamente. Entonces no necesariamente conocemos de manera consciente lo que está ocurriendo músculo a músculo.

El organismo humano vivo, y cada una de sus partes, se halla en un flujo continuo. Por lo tanto, ningún ajuste puede ser válido de manera permanente o absoluta. La dinámica viva del cuerpo no se rendirá alegremente ante la naturaleza estática de las palabras y los conceptos. No trate de forzarla a que lo haga. Por eso esta sección presenta los principios subyacentes a la alineación corporal correcta en algunas de sus aplicaciones más fundamentales y necesarias. No podría pretender ser exhaustiva, ni lo intenta. Esta sección está pensada simplemente para ofrecer una base firme que sirva de guía a su mente y a su cuerpo en su propia indagación y exploración de la alineación corporal correcta. Cuanto antes pueda usted experimentar el funcionamiento de los principios descritos al final de esta sección, antes podrá disfrutar de este fascinante viaje en solitario.

**Sacará el máximo partido de la lectura de los epígrafes siguientes si, a medida que lee, va probando todas las acciones que se mencionan. Aunque un dibujo pueda valer por mil palabras, una acción vale por miles de dibujos. El yoga es una actividad práctica. Probar todas estas acciones ahora le facilitará enormemente la práctica de las posturas. Pero recuerde que la asimilación completa sólo puede conseguirse mediante la práctica reiterada dentro del contexto de las posturas.**

## La base de la postura

El aspecto más básico de la alineación corporal correcta es la calidad del contacto con el suelo: es nuestro soporte, nuestra base. Sólo podrá establecerse la estabilidad estructural si la base es estable y uniforme. Esto significa que el peso de todo nuestro cuerpo debe repartirse por igual sobre toda la base. Por ejemplo, en el Perro (*Adhomukhasvanasana*, pág. 128), la base está constituida por las manos y los pies, cada uno de los cuales forma un vértice que debería soportar un cuarto del peso del cuerpo. Recuerde que estos principios se aplican de forma holográfica; por lo tanto, cada uno de los cuatro vértices tiene, a su vez, otros cuatro vértices que

deben activarse al mismo tiempo. Esto puede realizarse con tanta profundidad como su sensibilidad le permita. Desde esta base uniforme, el tronco puede alzarse libremente y la columna vertebral liberarse completamente y por igual.

**Adhomukhasvanasana**

Por supuesto, al comienzo puede que esto no sea posible. Quizás a causa de la rigidez de la zona lumbar, de las caderas o de las piernas, el peso no pueda repartirse uniformemente sobre los pies. Con el tiempo, la práctica de esta postura y de las posturas de pie lo hará posible.

En cualquier postura erguida en la cual ambos pies estén en contacto con el suelo, sin importar en qué relación espacial se encuentren entre ellos, se reparten el peso del cuerpo por igual. Y lo mismo hace cada parte del pie. Esto significa que el peso se reparte uniformemente entre el pie izquierdo y el pie derecho; entre la eminencia plantar (la parte carnosa en la base de los dedos) y el talón; entre el borde externo y el arco plantar. Lo cual quiere decir que los músculos de la cara frontal, posterior, externa e interna de las piernas recibirán el mismo soporte y así podrán activarse uniformemente, permitiendo que la articulación de la rodilla quede centrada y la cabeza del fémur descanse equilibradamente en la articulación de la cadera. Todo ello, por supuesto, depende también de la posición exacta de los pies, que viene indicada en las instrucciones para cada postura.

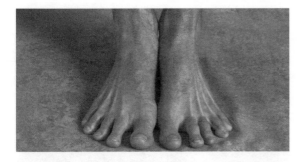

La base del cuerpo no son siempre únicamente los pies. En el Perro, por ejemplo (pág. 128), son las manos y los pies. Cuando las manos se emplean como parte de la base, soportando una porción o todo el peso del cuerpo, deben usarse de forma similar a los pies. Esto significa que el reparto de todo o la mitad del peso del cuerpo entre ellas debe ser uniforme, e igualmente debe serlo el contacto que mantienen con el suelo.

Para que esto ocurra, las palmas deben ser lo más anchas posible, la base de los dedos abrirse completamente sin tensión, los dedos estar alargados y centrados, con espacios uniformes entre ellos, y las eminencias hipotenar y tenar (base de la mano, junto a la muñeca) en claro contacto con el suelo. Especial cuidado debe tenerse, a causa del efecto de la eminencia tenar (la parte carnosa en la base del pulgar), de mantener la base del dedo índice sobre el suelo; pero, cuidado, no debe conseguirse a expensas de disminuir el contacto con el suelo de la eminencia hipotenar ni de la base del meñique. No obstante, es cierto que mantener el contacto de la base del índice con el suelo se convierte en el punto clave para aprender a usar las manos contra el suelo. Desde este punto adoptamos y salimos de las posturas de *vinyasa*, y de las de la sección media de la Salutación al Sol.

También pueden formar la base del cuerpo otras partes. Deben usarse según el mismo principio de crear un equilibrio uniforme, estable, que no dependa de la potencia indebida, de la fuerza ni de una exagerada flexibilidad. En la Postura sobre la cabeza (*Sirsasana*, pág. 241), por ejemplo, la base es la coronilla, la cara externa de las muñecas, el radio y la parte carnosa del interior del antebrazo. No debe

sentirse tensión en el cuello. Esto requiere elevarse desde los hombros, que se apoyan en la acción de los brazos, las muñecas y los pulgares. La elevación del cuerpo, pues, es posible porque cuenta con el soporte de una base uniforme.

Igual sucede en la Postura sobre los hombros (*Sarvangasana,* pág. 230). La base es el occipital, la parte alta de la cara posterior de la cintura escapular, los brazos y los codos. El peso no debe ser soportado por las vértebras, lo cual requiere elevarse desde los hombros, que se apoyan en la acción de los antebrazos y las manos.

*Debe ponerse mucho cuidado, tanto en la Postura sobre los hombros (Sarvangasana, pág. 230) como en la Postura sobre la cabeza (Sirsasana, pág. 241), de que no sólo se establezca la base correcta que dé soporte a toda la postura, sino también de que todo el resto del cuerpo se active contra la fuerza de la gravedad para evitar la presión en el cuello.*

En las flexiones de columna en postura sentada, la base es la cara posterior de las piernas y la parte baja de la pelvis. Para usar con eficacia las piernas como soportes a partir de los cuales pueda relajarse la columna vertebral y distenderse en toda su longitud, tiene que establecer pleno contacto con el suelo. Esto significa que deben poder estirarse. Si los

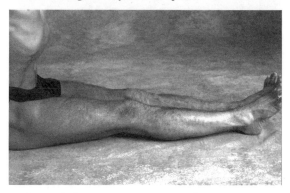

tendones de la corva no están completamente liberados, esto será difícil; además, para bajar la parte posterior de las rodillas de modo que las piernas estén estiradas y en máximo contacto con el suelo, debe ponerse mucha atención en los pies y los muslos, y esforzarse con prudencia.

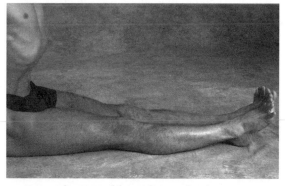

Esto se hace posible mediante el trabajo repetitivo en las posturas de pie.

En algunas posturas de suelo, como las diversas *Marichyasanas* (pág. 180 y ss.), la base es una pierna y la nalga correspondiente, y el pie contrario. Aquí se aplican los mismos principios. Tanto la pierna estirada como la flexionada y el pie están activos, con el peso repartido uniformemente entre ellos e igualmente en cada una de sus superficies respectivas.

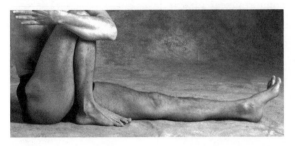

## Las extremidades

La forma en la que usamos nuestras extremidades para sostener la base de las posturas es decisiva. La actividad de los músculos de las extremidades es sutil. Los músculos no se usan para articular los huesos, pues *Asana* es un proceso estático en cuanto al movimiento externo, sino para abrazarlos y sostenerlos: para hacerlos estables. Esto implica que los grupos musculares deben alargarse y adherirse completamente a los huesos: un empleo de los músculos voluntarios que nos resulta poco familiar. De nuevo debemos tener paciencia para aprenderlo. No implica contracciones musculares intensas que provoquen el acortamiento en el centro del cuerpo del músculo. Cuando esto sucede, los músculos tienden a separarse del hueso, desestabilizándolo, como si estuvieran preparándose para moverlo.

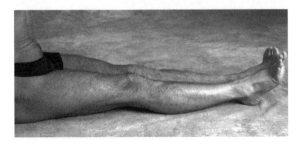

Pero lo que queremos en *asana* es estabilizar e inmovilizar los huesos. Así que debemos aprender a contraer sólo los extremos del músculo, en el origen y en la inserción, para que esto alargue el centro del músculo y lo aplane contra el hueso.

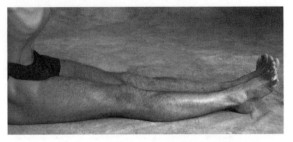

Este proceso de soldadura también tiene el deseado efecto complementario de abrir las articulaciones. Se experimenta como una sensación de absorción de los músculos, como si entraran en el hueso, lo cual crea espacio bajo la piel, y una sensación de vacío en los huesos. Entre estos dos espacios se percibe una sensación de solidez energética libre de tensión o tirantez.

Este proceso de soldadura o sellado sirve también para estirar las piernas, alineando los muslos con los gemelos, mientras abre y centra la articulación de la rodilla, lo cual es necesario para estabilizar las piernas y permitirles transmitir la estabilidad uniforme de los pies a través de la pelvis hasta la columna vertebral.

Si las piernas no están estiradas, no proporcionan la estabilidad sin esfuerzo necesaria para liberar la columna vertebral, el suelo pélvico y el núcleo del cuerpo (ver pág. 38).

Debe ponerse mucha atención para evitar la hiperextensión de las piernas en las posturas de pie.

Para evitarlo, debe mantenerse suficiente peso sobre las eminencias plantares, la cara anterior del muslo debe estar soldada completamente al hueso y los gemelos elevados, como entrando en el hueso, para que la tibia se separe del talón.

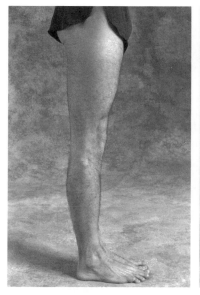
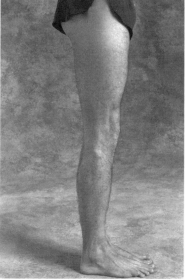
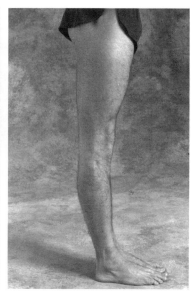

**Piernas estiradas**       **Piernas ligeramente flexionadas**       **Hiperextensión de las piernas**

Lo mismo se aplica cuando las piernas están separadas y los pies abiertos. Entonces el peso debe trasladarse a las eminencias plantares. Las piernas deben estar estiradas, con la cara anterior del muslo tirando del fémur, y los músculos anteriores de la espinilla (pretibiales) elevando la tibia, para sacarlos, respectivamente, de la articulación de la rodilla.

Este proceso de soldadura también se emplea en las piernas, e igualmente en los brazos, incluso en los casos en que no formen la base de la postura. Por ejemplo, mediante el sellado de las piernas de esta manera, durante las inversiones, las piernas son

elevadas, casi exprimidas, sacándolas de la pelvis, liberando la base de la postura de parte de su peso.

Esta acción de soldadura de los músculos de las extremidades es más que un proceso anatómico; también es funcional. Proporciona una profunda liberación de los tejidos, nervios, capilares, venas, conductos y canales de la piel y las articulaciones, lo cual permite un flujo más pleno, más libre, de los líquidos y los impulsos nerviosos. Este proceso también se activa en el tronco y en la columna vertebral mediante los *bandhas*. Cuando la superficie y la periferia se estabilizan, las profundidades y el centro pueden liberarse. Se trata de un principio básico de *asana* por el cual accedemos a los aspectos más profundos y sutiles de nuestro ser.

En los brazos, esta acción se produce

principalmente mediante el empleo de las manos. Gracias al alargamiento de los dedos y al ensanchamiento de las palmas, los músculos del brazo se alargan y se sueldan a los huesos.

Entonces, sin girar ni el brazo ni el codo, gire la palma hacia abajo, mirando al suelo, para que la muñeca y el antebrazo giren con ella.

Ésta es la espiral.

Esta acción es parte del modo global mediante el cual los brazos se extienden, estiran y estabilizan cuando se sostienen libres en el espacio, tanto horizontal como verticalmente.

Esta misma acción de alargamiento y sellado se vuelve a emplear en la postura del Perro (pág. 128) para sostener la base mediante la transmisión de su estabilidad uniforme hacia arriba, a los hombros y los músculos de la espalda, para liberar la columna vertebral.

Algunas personas deben tener cuidado de no sobreestirar o hiperextender el brazo en la articulación del codo. Si esto tiende a suceder, deben ser conscientemente acortados hasta que los músculos respectivos establezcan su longitud correcta.

Esta acción es, de hecho, en espiral. A medida que el brazo se extiende hacia fuera de la articulación del hombro, o de la muñeca en la postura del Perro (págs. 128), el brazo gira hacia fuera mientras el antebrazo se rota hacia dentro. Esto da a los brazos la fuerza y estabilidad de una soga. Para sentirlo y hacerse al menos una idea, extienda un brazo paralelo al suelo. Ensanche la palma de la mano, alargue los dedos y gire la palma hacia arriba.

Esto es especialmente importante en la postura del Perro (pág. 128), y ayuda a ajustar la parte alta de la espalda y el pecho. Las piernas también trabajan en forma de espiral en muchas posturas, incluyendo las del Perro. La acción hacia atrás de la cara interior del tobillo es equilibrada por la acción hacia atrás de la cara externa de la cadera. De esta forma, la parte superior e inferior de la pierna se oponen entre sí y crean la estabilidad energética de un impulso en espiral.

## Rodillas

*Padmasana*, o postura del Loto (pág. 254), es el arquetipo popular de *yogasana*. Sin embargo, requiere extrema flexibilidad en las caderas, las rodillas y los tobillos; una flexibilidad que muy pocos occidentales poseen. Por tanto, debe ponerse mucho cuidado cuando se intente no sólo el Loto, sino cualquier postura en la que haya que doblar las piernas, entre las que se incluyen el Medio Loto y otras flexiones de columna con una pierna doblada. Comparadas con las caderas y los tobillos, las rodillas son, no sólo las articulaciones con mayor movilidad, sino también las más vulnerables.

Por consiguiente, es la articulación que soporta la presión cuando intentamos imponer el Loto u otros movimientos similares flexionando las piernas antes de que estemos preparados. La posibilidad de hacerlo sin que esto ocurra reside principalmente en las caderas y se cultiva sobre todo en las posturas de pie. En conjunto, las posturas de pie abren la pelvis hasta el máximo de su capacidad y rango de movimiento, haciendo que pueda disponerse de esta movilidad para la realización de posturas más avanzadas.

Cuando se intente practicar *Padmapascimottanasana* (pág. 176) en la Serie

Preparatoria, o las variaciones del Loto en las clases de yoga, tenga mucho cuidado. Sea paciente. No fuerce nada. Al flexionar el apoyo de la pierna (la rodilla y el pie), y separar las masas musculares de los gemelos y el muslo, acerque lo más posible la tibia y el fémur entre sí antes de mover el pie hacia el otro muslo. Esta acción NO se realiza tirando del pie hacia el muslo. Más bien el pie es transportado pasivamente hacia el muslo cuando éste se mueve alejándose del otro. Este desplazamiento requiere la movilidad de la fosa ilíaca para poner el pie en posición. Si no hay suficiente movilidad, el pie no alcanzará con comodidad el muslo contrario.

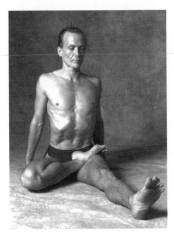

No debe forzarse para ponerlo en posición, pues produciría daños a la rodilla que pueden ser irreparables. No cultive el apego a las apariencias. Usted sólo tiene dos rodillas y necesita las dos. Si el pie no llega con facilidad, colóquelo debajo del muslo para que tenga la misma relación respecto a su cadera correspondiente, pero sin presión ni en la rodilla ni en el tobillo.

Ésta es la primera posición de piernas para *Sukhapascimottanasana* (pág. 172).

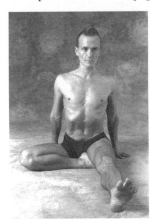

Siempre que intente el Loto Completo, empiece de la forma descrita arriba. Luego cruce la segunda pierna exactamente de la misma manera.

Como la primera pierna ya está arriba, es más probableque pueda rotar la segunda rodilla, ya que hay que elevarla más para ponerla sobre la primera. Esto puede evitarse. Tenga cuidado. Y tenga el mismo cuidado para descruzar las piernas, pues es entonces cuando más frecuentemente suceden las lesiones. Mientras libera la pierna de arriba, sujete la rodilla y el tobillo correspondientes y, mientras abarca con una de las manos la rótula, use la otra colocándola sobre el tobillo para rotar la tibia y alejarla de usted al mismo tiempo que baja la pierna. Esto debería evitar la presión en la cara frontal interna de la rodilla.

Cuando la cara anterior de la pierna se flexione en alguna de las posturas de pie, debe colocarse con precisión. El ángulo entre la tibia y el fémur debe ser de 90 grados.

 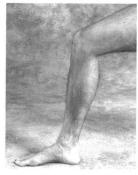

**Correcto**                    **Incorrecto**

Esto asegura que el cuerpo de la tibia en su posición vertical pueda proporcionar la máxima resistencia a la gravedad. Si no es así, los músculos del muslo tienen que trabajar en exceso para resistir la gravedad y mantener la estabilidad, lo cual no sólo significa que la pierna se cansa, sino que no puede darse la correcta acción de sellado debido a la contracción excesiva del cuádriceps. Una vez que haya despertado la inteligencia celular de los pies y las piernas, puede establecer esta línea a través de los pies. La posición de la rodilla respecto al talón indica la distribución de peso sobre los pies. Si el peso cae sobre la parte anterior del pie, la rodilla se vencerá hacia delante.

Si el peso está desplazado sobre el talón, la rodilla tenderá a situarse por detrás del talón.

Si el peso es mayor sobre el borde interno del pie, la rodilla se desplazará hacia dentro.

Si el peso es mayor sobre el borde externo, la rodilla se desplazará hacia fuera.

La consecuencia del desplazamiento de la rodilla hacia delante o hacia atrás es sólo un aumento del cansancio; pero hacia dentro o hacia fuera es peligroso. Retuerce la rodilla y la somete a una presión excesiva, lo cual tensa los ligamentos de la rodilla y puede desgarrarlos. Algo que también puede suceder en la vida diaria, especialmente cuando se corre en un suelo desigual y cuando se conduce, al usar los pedales de embrague y de freno.

## Manos y pies

Los pies son siempre de gran importancia, incluso cuando no forman parte de la base de una determinada postura. Lo mismo les sucede a las manos. Al estar en la periferia misma de nuestra estructura física, se mantienen en oposición complementaria respecto al centro de la estructura: el núcleo de nuestro cuerpo (ver pág. 38). Se crea así un intenso potencial dinámico entre ellos, que si se activa puede cargar todo el cuerpo de vitalidad. Entonces las manos y los pies se mantienen siempre vitales, vibrantes y activos, mientras el núcleo del cuerpo permanece relajado, pasivo y receptivo. La energía bloqueada por la tensión en el núcleo del cuerpo se desplaza hacia la periferia y se distribuye por todo el cuerpo como potencial para la actividad, la nutrición o el rejuvenecimiento.

Cuando los pies no están sobre el suelo, en las flexiones de columna en postura sentada, en inversiones, etc., deben estar activos y llenos de energía. Esto puede ser difícil de aprender, porque nuestros pies, encerrados todo el día en zapatos que restringen sus movimientos, al principio tienden a ser insensibles, y, o bien permanecen inertes, o bien se ponen algo tensos. Por lo menos cuando están sobre el suelo, soportando peso, éste ofrece resistencia.

La eminencia plantar debe estar abierta y extendida. Respecto al tobillo, tiene que estar más adelantada que el talón: esto mantiene el tobillo abierto y también ayuda a alargar la tibia sacándola de la articulación de la rodilla.

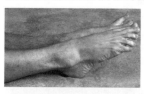

Sin embargo, no debe extenderse hacia delante exageradamente como haría un bailarín, lo que produciría calambres en la eminencia plantar y estiraría excesivamente la parte anterior del tobillo, tensando el tendón de Aquiles. Las cuatro caras de la articulación del tobillo deben estar abiertas por igual, lo que significa que ninguna de

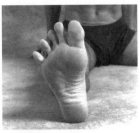

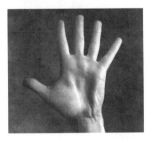

ellas puede alcanzar su límite, pero tampoco ninguna se bloquea. Igualmente no debe tirarse hacia atrás de los pies, lo que estiraría excesivamente el tendón de Aquiles, bloquearía la parte anterior del tobillo y acortaría la tibia.

Debe también haber espacio suficiente entre la cara interna del tobillo y la cara interna del talón. Los dedos del pie deben estar extendidos suavemente, como irradiando de la eminencia plantar, más bien hacia arriba que hacia delante, sin tensión añadida, ni en los dedos ni en los tendones.

El punto más alejado del ombligo y del tobillo debe ser el centro de la eminencia plantar, no las yemas de los dedos.

De pie, el tobillo es la articulación más cercana al suelo. Soporta todo el peso del cuerpo y a menudo sufre sobrecargas. Debemos aprender a abrir la articulación del tobillo de manera uniforme y completa, para que se asiente libremente en el centro entre el pie y la pierna. Cuando esté de pie, si el peso tiende a desplazarse hacia la parte exterior del pie, compénselo con la parte interna del tobillo, tirando mucho de ella continuamente, algo que contribuirá a conservar la actividad de la cara interna de las piernas mientras las mantiene estiradas.

La calidad de las manos mientras se mantienen en el espacio es similar a la ya descrita para la postura del Perro (ver pág. 48; postura en pág. 128). Las palmas se mantienen abiertas y alargadas, lo que crea un arco entre las eminencias (hipotenar y tenar) y la base de los dedos, con los dedos alargados y los lados de las muñecas extendidos por igual.

La calidad energética de las manos y de los pies, no sólo conduce la energía desde el centro hacia el exterior, sino que también actúa como un cierre hermético que evita que vuelva de nuevo al centro.

## La pelvis

La pelvis es el fulcro, el punto de apoyo de la palanca formada por las piernas y el tronco. La actividad de los pies y de las piernas no puede alcanzar la columna vertebral y sostenerla si se pierde en la pelvis. Por tanto, la pelvis debe estar abierta y alineada (o sea, en su posición correcta) para transmitir la estabilidad y el soporte de la parte baja del cuerpo a la columna vertebral, y viceversa cuando se realizan posturas invertidas.

Sin embargo, la mayoría tenemos tensa la musculatura de la pelvis: el suelo pélvico, las articulaciones ilíaca y sacroilíaca, la parte baja del abdomen. Esta tensión restringe el uso que hacemos de las piernas y el movimiento de la columna vertebral, pues la pelvis es el punto en que se inserta la columna vertebral, mediante el sacro y el coxis. Esta tensión se libera eficazmente mediante la práctica continua del repertorio completo de posturas de pie, que harán posible la movilidad completa de la pelvis de manera sistemática y progresiva. Sin esta completa libertad en la pelvis, no es posible la liberación completa ni el alargamiento uniforme de la columna vertebral.

Sin embargo, uno de los principales problemas que la gente encuentra es que, debido a la debilidad en el abdomen y a problemas en la parte baja de la espalda, toda la pelvis se halla desalineada.

La parte antero-superior se adelanta y baja ligeramente; la parte postero-inferior se atrasa y se eleva. Ésta es la clásica postura basculada hacia delante. Para conseguirlo, inicialmente conviene partir de la alineación de los huesos de la cadera. La mera elevación de los huesos de la cadera y su desplazamiento hacia fuera a partir de los muslos empezará a compensar esta distorsión.

Al hacerlo, se debe sentir cómo se abren, estiran y alargan las ingles; y cómo se alarga la parte anterior del

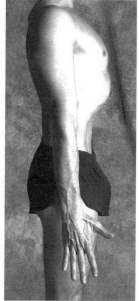

**Sacro basculado hacia delante**

bloqueará, rompiendo la continuidad entre las piernas y la columna vertebral.

Otro problema relacionado es el desplazamiento del sacro. Uno o más bordes del sacro no están verdaderamente encajados en la pelvis. Para compensarlo, y evitarlo, se desplaza el sacro hacia dentro y hacia arriba uniformemente, tanto en el eje derecha-izquierda como en el eje arriba-abajo. No debe rectificarse el sacro, ni colocarse la pelvis ni en retroversión ni en anteversión. Este ajuste es sutil, pero fundamental. Al encajar la parte inferior de la columna vertebral completamente en el soporte pélvico, la parte baja de la espalda se libera de tensión indebida. Esto es especialmente importante en las posturas de extensión de la columna vertebral (o sea, hacia atrás), que requieren el apoyo de las piernas. Se consigue desde la parte anterior del cuerpo, no desde la espalda. Se comprometen los músculos de la parte inferior del abdomen, aplanando la parte baja del vientre y metiendo el sacro. De hecho, es uno de los efectos de un *Mulabandha* sensato.

A causa de estos y otros problemas, la pelvis se encuentra a menudo desalineada en la postura del Perro (pág. 128). Esto la priva de su capacidad para proporcionar un descanso completo y un efecto renovador. También impide que se despierte equilibradamente la inteligencia somática, proceso para el cual esta postura está especialmente indicada. Quienes tienen la zona lumbar (parte baja de la espalda) flexible, suelen tener los isquiones demasiado desplazados hacia arriba, lo cual

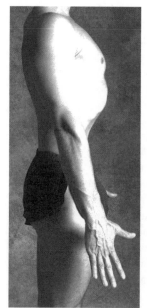

**Rectificación del sacro**

cuerpo. Esto no implica inclinar la parte alta de la pelvis hacia atrás ni la parte baja hacia delante.

Este movimiento **debe** iniciarse desde la espina ilíaca antero-superior, es decir, por delante del cuerpo desde la parte alta de las caderas, y **no** desde el coxis por detrás. Si se hace desde atrás, el sacro se mete hacia dentro y, aunque los iliones se eleven, las articulaciones sacroilíacas se tensarán, los fémures se desplazarán hacia delante y la pelvis perderá sensibilidad y se

presiona sobre las vértebras lumbares y distorsiona las piernas.

A otras personas les ocurre exactamente lo contrario, y presentan una especie de rectificación del sacro, lo cual también puede tensar la parte baja de la espalda y distorsionar la postura.

En cambio, la pelvis debe estar equilibrada, con una sensación de liberación en la parte baja de la espalda, libertad en la articulación de la cadera y una sensación general de vibrante vacío en la pelvis.

Otro problema común se presenta en posturas de pie, como *Parsvavirabhadrasana* (pág. 152), las variaciones de *Parsvakonasana* (pág. 138) y *Utthitatrikonasana* (pág. 132). En estas posturas, por desgracia, muy a menudo la nalga de la pierna girada hacia fuera se proyecta hacia atrás y la rodilla de la misma pierna se desplaza hacia dentro (ver más arriba epígrafe "Rodillas").

El isquion de la nalga adelantada debe mantenerse alineado con la rodilla en el mismo plano de los pies, con el glúteo hacia el pubis y hacia la ingle de la otra pierna en un movimiento en espiral.

Este ajuste necesita complementarse con la acción de la parte frontal del muslo de la pierna girada hacia dentro, que debe presionar en línea recta fuertemente hacia atrás y hacia dentro en la dirección del fémur y el tendón de la corva. Sin esta fuerza opuesta, el ajuste que se realiza al empujar la nalga hacia delante puede alterar la alineación de la pelvis. También debe complementarse con el ajuste que se explica más abajo.

En el principal grupo de posturas de pie asimétricas, en las cuales las piernas se usan de manera distinta una de otra, hay dos clases de posturas respecto al alineamiento de la pelvis: aquellas en las cuales la pelvis está alineada a lo largo del eje descrito por los pies y aquellas en las cuales corta ese plano. En ambos casos, el correcto alineamiento requiere

**Pierna izquierda desplazada hacia delante**

esfuerzo. En el caso de posturas como, por ejemplo, *Utthitatrikonasana* (pág. 132), *Parsvakonasana* (pág. 138) y *Parsvavirabhadrasana* (pág. 152), que se desarrollan en un solo plano, la tendencia de la cadera de la pierna girada hacia dentro es a desplazarse hacia delante saliéndose del plano de las piernas.

Debe mantenerse hacia atrás. Para servirle de apoyo en este movimiento, debe compensarse con el desplazamiento contrario del borde de la misma rodilla hacia atrás, para que toda esa pierna se mantenga alejada de la otra con este movimiento en espiral. Esto requiere que la pierna de atrás se mantenga estirada de manera que absorba y transmita el giro, lo cual requiere el soporte, mediante la resistencia a esta acción, del tobillo y el pie.

**Cadera desplazada hacia atrás**

En el caso de aquellas posturas en las cuales la pelvis corta el plano de las piernas (*Parivrttatrikonasana* –pág. 134–, *Parsvottanasana* –pág. 148–, *Virabhadrasana* –pág. 150–), la dificultad estriba en alinear ambas caderas, lo que depende de su flexibilidad, que se soporta por el giro hacia atrás de la ingle de la pierna girada hacia dentro, mientras se compensa el movimiento llevando hacia atrás la cara interna de la rodilla, de modo que toda la pierna queda girada hacia atrás desde el interior, y la cara externa de la pierna, girada hacia delante, alineándose así la cadera. Esto también requiere que la pierna de atrás se mantenga estirada, de modo que pueda absorber y transmitir el giro.

## Abdomen

La calidad del abdomen es un aspecto fundamental del Hatha Yoga. El mal uso del abdomen puede producir debilidad en la parte baja de la espalda, inhibición de la respiración, hipertensión e insensibilidad. No debe estar ni duro ni relajado, ni tenso ni inactivo. Debe encontrarse alargado, cóncavo, pasivo, firme y estable. En este estado actúa como sólido soporte para la columna vertebral, el diafragma y la actividad de la caja torácica. Con sólo unas pocas excepciones, lo mismo es siempre válido para toda *Asana*, sea cual sea su forma exterior. En algunos casos resulta más fácil que en otros. Debe intentarse incluso en muchas posturas donde parezca extremadamente difícil (*Navasana* –pág. 210–, *Sarvangasana* –pág. 230–). Sin

embargo, en algunas no debe hacerse, principalmente en aquellas en las que la columna vertebral se curva intencionadamente, con la parte antero-superior dirigida hacia la parte antero-inferior (*Ardhapindasana* –pág. 226–, *Karnapidasana* –pág. 236–).

El abdomen está relajado cuando los músculos son cortos e inactivos, algo que a menudo se manifiesta como un abultamiento alrededor y por debajo del ombligo.

El abdomen está tenso cuando los músculos se encuentran contraídos, lo cual tiende a tirar hacia abajo de la parte inferior del esternón, hundiendo las clavículas y restringiendo la capacidad torácica.

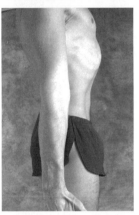

Para alargar el abdomen, los músculos de la pared abdominal deben primero estar pasivos. Entonces levantamos la caja torácica separándola de la pelvis uniformemente. Las axilas deben elevarse apartándose de las caderas, pero los hombros no deben elevarse hacia las orejas, sino mantenerse relajados.

La principal cualidad que debe tener el abdomen es estar cóncavo. Esto significa que la pared abdominal no sobresale, sino que está metida en dirección a la columna vertebral. No se hace empujando la pared abdominal hacia atrás, sino elevando y ensanchando el borde costal y absorbiendo el plexo solar desde arriba. Aunque el abdomen se fortalezca verdaderamente, se debe a que se eleva y se mete hacia dentro. A medida que los músculos se alargan, su tono se incrementa. Sin embargo, el músculo recto abdominal no está contraído.

Para más detalles sobre el uso del abdomen, ver la sección de los *bandhas* en que se explica la acción de *Uddiyanabandha* (pág. 63).

## Pecho

El pecho, o tórax, es la sede de los pulmones. Es necesario darle la máxima posibilidad de apertura. Sólo entonces pueden los pulmones respirar libremente y a plena capacidad. La calidad del tórax debe complementar la del abdomen. Debe encontrarse ancho, activo y lleno; el abdomen, alargado, pasivo y vacío. Cuando elevamos la caja torácica separándola de la pelvis, alargando de este modo tanto el abdomen como la columna vertebral, el pecho debe ensancharse. Este ensanchamiento comienza en el borde costal, donde resulta más fácil, y termina en las clavículas, donde resulta más difícil. Al abrir los bordes costales, no deben empujar hacia fuera, ni debe sobresalir la parte baja del esternón.

Al contrario, los bordes costales deben casi empotrarse hacia dentro, para que las costillas flotantes se sientan como si se estuviera tirando de ellas hacia las caderas. Al mismo tiempo la piel bajo las costillas flotantes debe pegarse contra el hígado y el estómago.

Por supuesto, en algunas posiciones (*Ardhapindasana* –pág. 226–, *Karnapidasana* –pág. 236–), el pecho no puede mantener estas cualidades. En estos casos, concéntrese en abrir y ensanchar la parte posterior del tórax, dejando que la parte posterior de los pulmones se abra más.

La forma en que usamos el tórax en conjunto está relacionada con el empleo del esternón. Debe ponerse mucho cuidado en que, al intentar abrir el pecho, la parte baja del esternón no sobresalga: al contrario, debe empotrarse ligeramente bajando y metiéndose. La parte alta del esternón debe elevarse y sobresalir ligeramente.

La posición de los omóplatos también es importante. Debe tirarse de ellos hacia atrás del torso y hacia abajo, manteniéndolos separados entre sí, estimulando los pulmones para que se abran y sosteniendo las vértebras torácicas. Las clavículas normalmente deben mantenerse paralelas a los huesos púbicos, para que el tronco y la columna vertebral no se inclinen lateralmente, algo que tiende a ocurrir especialmente en las torsiones en posición de sentado.

## Cuello

El cuello es una parte muy vulnerable de nuestro cuerpo. Además, no sólo tiene que soportar el enorme peso de la cabeza, sino la carga aún más desmedida de nuestros incesantes pensamientos. Debe ponerse mucho cuidado al moverlo. Nunca debe tirarse de él ni empujarlo bruscamente. Muévalo lenta y suavemente, y con la debida sensibilidad.

Cuando la cabeza está total o parcialmente levantada, la nuca se acorta. Debe ponerse mucho cuidado en mantener el mayor espacio en las cápsulas articulares, es decir, por detrás de la columna, entre las vértebras. Si no, éstas se bloquean, los músculos se tensan, y enseguida sobreviene el dolor y la restricción de movimiento. La clave para conseguirlo estriba en meter la barbilla y elevar la base del cráneo mientras se desplaza la cabeza hacia atrás.

Cuando la cabeza se baja hacia el pecho, debe ponerse mucho cuidado en que antes la nuca esté relajada. También en que, a medida que baje la cabeza, el movimiento se haga relajando la nuca, no como si se tirara de ella. Los músculos de la nuca suelen estar muy tensos y no permitirán libremente el movimiento completo de la barbilla hacia dentro. En este caso tenemos que esperar pacientemente a que los músculos de la nuca se relajen y alarguen. Para conseguirlo, nos puede servir de ayuda la Postura sobre los hombros (*Sarvangasana,* pág. 230) y sus variantes, siempre que no realicemos una práctica exagerada.

Las posturas de pie también pueden ayudar al cuello, como resultado del giro de la cabeza a la izquierda y la derecha, como es posible hacerlo en las torsiones. Cuando se hace, las vértebras cervicales (las del cuello) deben rotar sobre su eje. Este eje no debe ser continuación directa de las vértebras dorsales (las del tórax). El cuello es parte de la columna vertebral, y como tal debe tratarse cuando se gira la cabeza a la izquierda y a la derecha en posturas de pie y otras posturas, como las torsiones en posición de sentado. Aunque el cuello tenga mayor capacidad de giro que la parte torácica de la columna vertebral, debe pivotar a lo largo del mismo eje. De otro modo, los lados del cuello se deformarán: uno se acortará demasiado; el otro se alargará excesivamente.

Tanto en la Postura invertida sobre la cabeza (*Sirsasana,* pág. 241) y sus variantes, como en la Postura sobre los hombros (*Sarvangasana,* pág. 230) y su ciclo, el peso es sostenido por el cuello. Debe ponerse mucho cuidado para asegurar que el cuello reciba para ello el apoyo necesario. Se hace elevando cada parte del cuerpo en contra de la gravedad de modo que disminuya la carga sobre el cuello y asegurando que el peso del cuerpo se reparta uniformemente sobre la base que ofrecen los brazos y las manos. Debe ponerse mucho cuidado para colocar la cabeza y el cuello simétricamente, con el fin de que los músculos de cada lado se activen uniformemente y no se deformen.

## Columna vertebral

Por supuesto, una prudente atención a la postura, a la forma y a la calidad de la pelvis, el abdomen, el pecho y el cuello, determinará la forma y la calidad de la columna vertebral. Aunque a menudo usamos el adjetivo "recta" para calificar el sustantivo "columna", se trata de una distorsión. La columna no es, ni debe ser, recta. Más bien debe estar completamente extendida o erguida, dejando espacio –y, por tanto, libertad de movimiento– entre cada una de las vértebras, lo cual pondrá de manifiesto sus curvas naturales. La clave para conseguirlo es el uso de los *bandhas.* Cuando somos capaces de realizar *Mulabandha* (pág. 64) completamente, el sacro se alinea, lo cual libera la parte baja de la espalda y las vértebras lumbares. Cuando podemos realizar *Uddiyanabandha* (pág. 63) plenamente, los segmentos lumbar y torácico de la columna vertebral se alargan; las vértebras lumbares se desplazan hacia atrás, hacia fuera; las vértebras

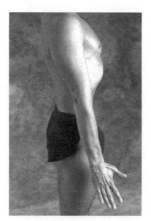

torácicas se elevan hacia dentro y hacia arriba. Esto compensa las deformaciones habituales de las zonas lumbar y torácica, y alinea la columna vertebral de modo natural, con dos suaves curvas opuestas en las vértebras lumbares y dorsales complementadas por otras dos curvas opuestas menos marcadas en el sacro y el cuello.

Por supuesto, la columna vertebral puede elevarse y alargarse sin el uso directo de los *bandhas.* En esos casos tenemos que crear espacio entre las axilas y las caderas, entre los bordes costales y el pubis; tenemos

que ajustar la forma y posición de las costillas flotantes, las costillas fijas y el esternón; tenemos que alinear las clavículas, los hombros y los omóplatos; tenemos que ajustar los huesos de la cadera, el sacro, las nalgas y el perineo. Sin embargo, todos estos ajustes ocurren simultáneamente como resultado de los *bandhas.* Inicialmente los nervios y los músculos no son capaces de activar completamente los *bandhas,* pero con la repetición constante llegará a ser posible.

Una columna vertebral sin apoyo no mostrará las cuatro curvas naturales. Lo más habitual es que sobresalga el sacro, se arqueen hacia delante las vértebras lumbares y se hundan las dorsales y cervicales. Cambiar esta situación lleva tiempo. Todos los músculos del cuerpo están involucrados, no sólo los del tronco, y deben ser reeducados y desarrollados en mutua armonía.

# Los principios básicos de la alineación corporal correcta

La fácil estabilidad en que consiste la alineación corporal correcta abarca la integridad estructural (tierra), la libertad funcional (agua), la armonía energética (fuego), el espacio interior (aire) y la atención sin esfuerzo (espacio). Esto es *Asana.* Este estado se sostiene y manifiesta por un cierto número de cualidades o principios. La enumeración de estos principios es algo arbitraria y personal. No se deje atrapar por uno a expensas de otro. Ni los considere como separados entre sí o del conjunto al que todos apuntan; considérelos como el todo que ellos sencillamente reflejan.

1   **Oposición** Resulta de equilibrar cualquier línea de fuerza aplicada con otras iguales y opuestas, en un impulso en espiral, que tiene presentes los siguientes polos:

> izquierda/derecha
> arriba/abajo
> delante/detrás
> dentro/fuera
> centro/periferia

2   **Estabilidad** Es el resultado de combinar la oposición y adherencia de los músculos del cuerpo al hueso, a base de alargarlos.

3   **Equilibrio** Proviene de una distribución uniforme e integrada de acción y conciencia a través de los polos ya citados:

> izquierda/derecha
> arriba/abajo
> delante/detrás
> dentro/fuera
> centro/periferia

4   **Facilidad** Resulta de la liberación que ofrece, al núcleo del cuerpo (ver pág. 38), la estabilización y el equilibrio, mediante la oposición de fuerzas contrarias, de la parte exterior del cuerpo, el cuerpo en su conjunto y cada una de las partes del cuerpo.

5   **Vacío** Proviene del equilibrio sin esfuerzo alguno de líneas estables de fuerzas opuestas entre los cinco polos de cada parte del cuerpo y por todo el conjunto del cuerpo.

# 6

# *VINYASA:* LA CALIDAD DEL MOVIMIENTO

*Vinyasa* tiene tantas aplicaciones distintas que muchas de ellas suelen pasarse por alto en la práctica del Hatha Yoga. *Vinyasa* implica continuidad, fluidez, interconexión, salir de un lugar y volver a él, progresión paso a paso. En todos los casos, la clave que convierte el proceso en *vinyasa* es la sincronización del movimiento y la respiración. Aunque en cualquier aplicación el proceso de *vinyasa* es sencillo, sus implicaciones globales son extremadamente sofisticadas y transcendentales.

## *Vinyasa*

En la práctica de *Asana* la continuidad significa simplemente que no rompemos el flujo de conciencia, interiorización, concentración o acción cuando nos encontramos entre dos posturas sucesivas. Para mantener este flujo usamos el ritmo de nuestra respiración para guiarnos al salir de una postura y adoptar la siguiente. Muy a menudo esto se realiza mediante otro grupo de posturas, a menudo conocidas como *Vinyasa*. Estas posturas están pensadas como compensación de la postura anterior, y como preparación de la siguiente. Hay un buen número de variantes en la sección "La práctica del *Suryanamaskar y Vinyasa*" de la Parte III.

Aquí, *vinyasa* tiene una función muy importante. No es sólo cuestión de compensación y preparación muscular. Asegura que cualquier apertura del cuerpo producida durante la *Asana* previa sea asimilada en el conjunto del cuerpo, más que como movimiento fijo, como potencialidad. También nos ofrece una oportunidad de restablecer el ritmo libre de nuestra respiración si se ha visto alterado por la dificultad de la postura. Restablecer el movimiento nos permite descansar de la quietud de la *Asana*, que puede resultar muy dificultosa. También nos permite volver a centrar la mente y los sistemas corporales nervioso y energético.

### *Sincronización*

La clave para este sencillo pero potente proceso es la respiración. Cada movimiento en la secuencia de *vinyasa* está sincronizado exactamente o con la inspiración o con la espiración. Para que genere todo su potencial, esta sincronización debe ser exacta. Debe haber movimiento continuo tanto del cuerpo como de la respiración, sin descansar ni hacer pausa alguna para que la respiración o el cuerpo se alcancen entre sí. El movimiento se inicia exactamente con la inspiración o la espiración, y acaba exactamente cuando termina esa fase de la respiración. Exactamente. El ritmo del movimiento corporal refleja exactamente el de la respiración. La velocidad del movimiento del cuerpo viene determinada por el ritmo respiratorio. Cuanto más despacio se respire, más lentamente debe uno moverse.

Claro está que esto también significa que, cuanto más reducido sea el rango de movimiento, más lentamente debe uno moverse. Y esto es así porque la respiración tiene la primacía en esta relación. Nunca acelere la respiración: el cuerpo debe ajustar la velocidad de sus movimientos con la respiratoria. Ni tampoco haga lo contrario: hacer que la respiración siga el movimiento corporal estimula la actividad del sistema nervioso simpático; es decir, endurece los músculos, acorta y acelera la respiración, aumenta el latido cardíaco, acelera la actividad cerebral, drena los órganos internos de sangre, sobreestimula las glándulas. En cambio, ajustar el movimiento corporal al ritmo respiratorio estimula la actividad del sistema nervioso parasimpático: relaja los músculos, hace más profunda y lenta la respiración, ralentiza el latido cardíaco, calma el cerebro, aumenta el riego sanguíneo en los órganos internos y equilibra las glándulas.

La sincronización exacta de cuerpo y respiración también tiene un profundo efecto en la mente. Armonizar la parte anatómica, los nervios y músculos voluntarios, con la fisiológica, los músculos y nervios involuntarios, hace más profunda la mente. Extrae de ella una honda quietud y tranquilidad a medida que la energía de la atención se aparta de los estímulos que invaden el sistema nervioso somático o voluntario, y entra en relación con el sistema nervioso vegetativo o autónomo. Además, la absoluta concentración requerida para sentir y ajustar el ritmo del movimiento de los músculos voluntarios, para que se sincronicen exactamente con los músculos respiratorios, permite a la mente una concentración profunda, clara, estable. Cualquiera puede sentir de inmediato este efecto. No depende de la fuerza, de la flexibilidad, del vigor o de la liberación estructural. Vuelve a dejar clara la supremacía de la respiración sobre el movimiento, de la calidad sobre la cantidad.

Este principio de cambiar de postura a un ritmo determinado por la respiración encuentra sutil aplicación respecto de la forma exacta de adoptar las posturas y salir de ellas: son procesos que no están separados de él; es decir, su calidad afectará la de la postura. Lo cual de nuevo significa que los pasos que demos para adoptar una postura y salir de ella deben estar sincronizados con nuestra respiración; es decir, que podemos adoptarla y salir de ella lenta, segura y suavemente. Esta suavidad es parte del aspecto de continuidad de *vinyasa*. Apacigua, tranquiliza y armoniza la mente. Su presencia es la fuente de la gracia en *Asana*.

Adoptar una postura implica movimientos o pasos claramente delimitados. Cada uno de esos pasos está sincronizado o con una inspiración o con una espiración. El principio para determinar cuál usar es bastante sencillo: si el movimiento expande la parte anterior del cuerpo, inspire; si contrae la parte anterior del cuerpo, espire. Este principio ayuda a determinar qué acciones constituyen un movimiento. Un movimiento es un grupo de acciones o una sola acción –realizado siguiendo el ritmo respiratorio– que te introduce más en la postura o te saca de ella. Para salir de una postura aplicamos el mismo principio de seguir una serie de pasos determinados por la respiración.

En la sección "Las posturas" (Parte III), se dan instrucciones sobre cómo respirar y moverse coherentemente cuando se entra y sale de una determinada postura. A partir de estas instrucciones comprenderá el principio implicado. A medida que su cuerpo se abra y su mente se vaya concentrando cada vez más, podrá agrupar más acciones en un simple movimiento. Aun así, debe atenerse al principio de sincronizar respiración y cuerpo, asegurando que el movimiento anatómico se apoye en el movimiento fisiológico, y viceversa.

La forma exacta de adoptar cada postura no es fija, ni tampoco arbitraria. Siempre implica la sincronización de los movimientos corporales con la respiración. Y siempre supone el uso consciente de la respiración y del cuerpo para adentrarse en una postura. Esto suele suponer un cierto número de pasos graduales. A medida que se despierta la inteligencia somática, el número de pasos (grupos de movimientos relacionados por la respiración) puede reducirse. Con el tiempo, es posible adoptar la postura en un solo paso bien durante la inspiración o bien durante la espiración. Los pasos vienen determinados por la capacidad y las limitaciones del cuerpo de cada uno en un momento dado, que no son siempre las mismas. Esta progresión paso a paso para adoptar una postura asegura que no sobrepasemos nuestros límites al imponernos a nosotros mismos una meta inalcanzable. Es una aplicación específica y sutil del principio de *vinyasa krama*.

## Vinyasa Krama

*Vinyasa Krama* es la técnica de progresar paso a paso desde lo conocido a lo desconocido. Supone desarrollar una secuencia de práctica, o establecer una determinada postura, desde bloques, o pasos, claramente definidos. *Vinyasa Krama* estructura el orden de las posturas en un formato de práctica. Es el corazón de la práctica del Vinniyoga. Se basa en una comprensión de los efectos progresivos y equilibradores de las diversas posturas. También indica claramente el modo de adoptar una postura y de salir de ella.

A medida que nuestro cuerpo se vaya abriendo y se halle menos encorsetado, podremos ejercer mayor libertad de elección y secuenciación de las posturas. Cuando nuestro cuerpo se vea liberado de las tensiones habituales, podremos secuenciar las posturas más de acuerdo con sus efectos energéticos

y psicológicos. Pero hasta entonces debemos respetar la capacidad real, aunque restringida, de nuestro cuerpo. Por tanto, cuando los formatos tradicionales de práctica presenten alguna dificultad para nuestro cuerpo que pueda ponerlo en peligro, deben adaptarse de acuerdo con principios estructurales seguros y eficaces. El conocimiento esotérico que se requiere para guiarnos al secuenciar las posturas si se desea mejorar energéticamente queda reservado para los más dedicados y experimentados practicantes.

Las secuencias tradicionales de Hatha Yoga comienzan con las dinámicas Salutaciones al Sol. En términos físicos, esta serie, al relajar los músculos y abrir las articulaciones, sirve de calentamiento. Luego sigue una serie de posturas de pie, las cuales despiertan con suavidad la inteligencia celular, las piernas, la pelvis y la columna vertebral, sin exigir que la columna vertebral haga ningún movimiento extremado. Una vez movilizada la columna vertebral, puede estirarse hacia delante, hacia atrás, lateralmente o en torsiones. De estos movimientos, las flexiones de columna son las más fáciles y las más familiares, mientras que las extensiones de columna son las más difíciles e intensas. Con las flexiones, la columna vertebral se calienta más, y se desarrolla la movilidad de la pelvis. Las torsiones se utilizan como preparación para movimientos más exigentes de la columna vertebral, en intensas flexiones (hacia delante) y extensiones (hacia atrás). Cuando está más caliente, se la expone a las extensiones.

Dentro de la estructura básica (Salutación al Sol, posturas de pie, flexiones, torsiones, extensiones) son posibles muchas variantes. Estas variantes abarcan diferentes grados de flexibilidad en todos los distintos músculos y articulaciones. Cada cuerpo progresa con una secuencia diversa, dependiendo de las limitaciones y de las capacidades personales. Sin embargo, estas secuencias deben respetar las leyes naturales del movimiento físico, lo que significa que las articulaciones deben abrirse gradualmente para no lesionarlas. Las posturas que actúan más profundamente sobre los músculos y articulaciones deben estructurarse después de las que actúan más superficialmente. Las posturas más sencillas deben usarse para descansar después de las más exigentes. Es, sencillamente, cuestión de sentido común combinado con sensibilidad y conciencia anatómica.

Algunas posturas de Hatha Yoga requieren una extrema movilidad articular más allá de las posibilidades de la mayoría de los occidentales. Esta capacidad debe ser cultivada con paciencia y suavidad. Pasar por alto las limitaciones estructurales del cuerpo y de los requisitos de una postura, para acceder directamente al proceso energético, es empezar la casa por el tejado. Si dedicamos un poco de tiempo a ocuparnos de la situación real en que se encuentran nuestras limitaciones estructurales, nos descubriremos más capaces de nutrirnos más profundamente con los efectos energéticos de las posturas y de las secuencias tradicionales. Cuando llegue la hora, cuando el cuerpo se haya liberado de tensión, se podrá disponer de los efectos energéticos del Hatha Yoga, que entonces resultarán evidentes.

Hasta entonces el cuerpo debe despertarse y abrirse con paciencia y sistemáticamente. Este hecho es el fundamento de la secuencia de posturas de las Series de Yoga Dinámico. Permiten cultivar una apertura gradual y estable de los sistemas óseo articular y muscular, mientras se despierta, contemporáneamente, la inteligencia celular del cuerpo. Están basadas directamente en la secuencia de *yoga chikitsa*, usada no sólo en el Yoga Ashtanga Vinyasa, sino también en las formas que de él se han derivado. La práctica de *yoga chikitsa* no sólo reestructura el cuerpo, también nos permite una profunda comprensión práctica del cuerpo, de su capacidad y de su inteligencia. Las posturas de *yoga chikitsa* son como letras o palabras ordenadas con un determinado propósito: liberar de restricciones la estructura física. Cuando esto se ha logrado, las palabras quedan a nuestra disposición para que podamos escribir con ellas nuestra propia poesía.

## Calor

Uno de los efectos más obvios de la continuidad es el desarrollo gradual del calor corporal. Este calor afecta a todo el interior del cuerpo. A medida que el cuerpo se calienta, los músculos se relajan, los ligamentos se sueltan, las articulaciones se abren y el exceso de líquido se traslada a la superficie. Empezamos a sudar. El sudor tiene dos funciones: en primer lugar, actúa como medio de transporte de las toxinas a la superficie, donde pueden ser descargadas, en un proceso similar a la quema de toxinas en el febril; en segundo lugar, actúa como aislamiento, como una prenda húmeda: cubre el cuerpo con una capa térmica que contiene el calor generado, que así puede ser utilizado y transformado por los *bandhas*. Si el sudor que creamos se elimina a chorros de nuestro cuerpo continuamente, tenemos que consumir más calor para reemplazarlo, lo que consume excesiva energía y nos agota. Por tanto, no debemos secarnos el sudor del cuerpo, ni siquiera de la cara. Por tanto, debemos prestar atención a la cantidad de sudoración que se está produciendo, y asegurarnos de que nuestra actividad no está minando nuestra energía por la pérdida de calor físico. Si chorreamos de sudor, debemos ralentizar un poco y volver a preocuparnos por la calidad más que por la cantidad. El calor que se requiere en el Hatha Yoga es sutil e interno, transformador, no burdo calor externo, drenante.

Así pues, *Vinyasa* es un aspecto fundamental de *Asana*. Confiere a nuestra práctica gracia y facilidad, seguridad y potencia. Sin *Vinyasa*, nuestra práctica se ve muy disminuida.

# 7

# LOS *BANDHAS*: LA CALIDAD DE LA ENERGÍA

Los *Bandhas* son el corazón mismo de la práctica del Hatha Yoga. Representan la diferencia más sutil y evidente entre las posturas de Hatha Yoga y los ejercicios gimnásticos. Mediante ellos interiorizamos profundamente nuestra conciencia, generamos, contenemos y transformamos el calor y la energía, y modificamos la actividad de nuestro sistema nervioso. Todo ello ejerce una benéfica influencia tanto sobre nuestra mente como sobre nuestro cuerpo. A los *bandhas* se les suele llamar "la puerta espiritual" a través de la cual penetramos en una dimensión de nosotros mismos y de la realidad que no suele alcanzarse de modo natural.

Los *Bandhas* implican ajustes musculares relacionados más con nuestra fisiología que con nuestra parte anatómica, más con nuestros músculos involuntarios que con los voluntarios. Por tanto, al principio son difíciles de captar, muy "escurridizos", pero con la práctica acaban resultando de lo más natural. Activar deliberadamente estos músculos involuntarios durante *Asana* no sólo tiene un profundo efecto en nuestros músculos voluntarios, sino que afecta también a nuestro esqueleto y al sistema nervioso central. Al comprometer el sacro y todas las vértebras, lumbares, dorsales y cervicales, la columna vertebral se corrige y se abre el canal central de la espina dorsal. Al estimular el plexo solar, se genera y transforma la energía. Al estimular el perineo y los ganglios del sacro, los sistemas nerviosos periférico y simpático se aquietan, se activa el sistema nervioso parasimpático y el sistema nervioso central se carga de energía. Todo ello puede sentirse claramente en la columna vertebral, pero también en el cerebro.

## Jalandharabandha

Para *Jalandharabandha* debe bajarse la barbilla hacia el esternón, para cambiar la forma y tamaño de la garganta.

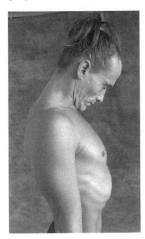

Así se ralentiza la respiración, que se hace más audible. Sin embargo, la barbilla no está en contacto con el esternón en ninguna *Asana,* excepto en las diversas variantes de la Postura sobre los hombros (*Sarvangasana,* pág. 230).

Para que se produzca el efecto energético de *Jalandharabandha* sin que nos molesten sus posibles complicaciones anatómicas, se tiene que ajustar la garganta internamente. Se hace colocando la garganta como si se fuera a pronunciar un sonido "k" (como en *casa* o *kilo*) o una "g suave" (como en *gato* o *guiño*), pero sin hacerlo\*. Así se consigue que entren en contacto la garganta y el paladar, lo que provoca un cierre energético al mismo tiempo que ralentiza la respiración y la hace audible. Este contacto permite realizar la inspiración desde lo más profundo de los pulmones y contener la espiración desde el nivel del paladar.

El sonido resultante de *Jalandharabandha* es la característica distintiva de la respiración *Ujjayi.* Tiene que ser un sonido relajado, suave, rítmico, potente. No debe ser ni áspero, ni forzado, ni impuesto. Ocurre de manera natural, debido a la forma de la garganta y la calidad de la respiración.

## Uddiyanabandha

Para *Uddiyanabandha* hay que absorber el plexo solar hacia dentro y hacia arriba.

Cuando se practica de forma aislada, se hace con los pulmones vacíos. Tiene lugar como resultado de la diferencia de presión provocada por la elevación del tórax como si inspirase sin tomar aire. La diferencia de presión causada al no inspirar asciende y atrae la pared abdominal y los órganos.

No obstante, debido a que el ritmo normal de respiración se mantiene durante *Asana,* se debe emplear entonces una versión modificada, parcial. Para que se produzcan los efectos energéticos y anatómicos de *Uddiyanabandha* mientras se respira, se requiere que los músculos respiratorios implicados en la inspiración actúen al unísono con los músculos transversos de la parte inferior del abdomen, para estabilizar y alargar el abdomen, y estabilizar y elevar los pulmones, y que de este modo se absorban hacia arriba la pared abdominal y los órganos.

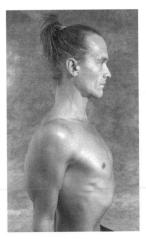 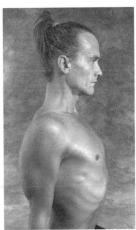

**Uddiyanabandha, pulmones vacíos**  **Uddiyanabandha, pulmones llenos**

---

\* Ejemplos adaptados al español. (N. d. T.)

A partir de las ilustraciones de la página anterior, pueden apreciarse tanto las diferencias como las similitudes entre *Uddiyana* con los pulmones vacíos y llenos. Para crear el efecto de *Uddiyanabandha,* los músculos que se usan normalmente sólo durante la inspiración se mantienen conscientemente activos durante la espiración. Más que inhibir la espiración, esto la pone en dificultades, la refina y la concentra.

El abdomen no está ni tenso ni acortado, ni empuja contra la columna vertebral.

*Uddiyanabandha* es un impulso vertical, que alarga el abdomen y la columna vertebral. Se inicia desde el tórax, al levantarlo mientras lo ensancha. Esta elevación se inicia en los costados y la parte alta de la espalda más que desde la parte anterior del cuerpo. El ensanchamiento comienza en el borde costal y se eleva hasta las clavículas. Se consigue así una profunda succión del plexo solar, que también implica los órganos abdominales.

*Uddiyana* crea dos polos, el pecho y el abdomen, aumentando la cantidad de energía existente en cada uno de ellos y la relación energética existente entre ambos. El pecho queda lleno, activo y amplio; el abdomen, vacío, pasivo y alargado.

Cuanto más profundamente se pueda aclarar esta polaridad, más eficaz será *Uddiyana.*

### EXPLORANDO UDDIYANABANDHA

Para sentir el efecto de *Uddiyana* durante la respiración, coloque las piernas en *Baddhakonasana* (pág. 194) o *Virasana* (pág. 248), y entonces échese sobre un almohadón cilíndrico duro o, si su espalda se lo permite, en el suelo. Al adoptar la postura, sienta el alargamiento del abdomen y el ensanchamiento del tórax que produce. Ajuste los músculos del tronco para mejorar tanto la longitud del abdomen como la amplitud del tórax. Incremente al máximo la distancia entre el pubis y el esternón. Al inspirar, ensanche al máximo los bordes costales. Mientras inspira, resista hinchando el abdomen. Mejor aún, lleve el aire a la parte alta y transversalmente, a la parte frontal, a los costados y a la espalda. La parte alta del abdomen nunca debe elevarse más que la parte más protuberante de los bordes costales; al contrario: mientras se inspira, esta parte debe abrirse al ensancharse junto con los bordes costales. Mantenga esto como punto de concentración tanto mientras inspira como durante la espiración. Conserve pasiva la pared abdominal, sin contracción muscular alguna.

## Mulabandha

Para *Mulabandha* hay que absorber el perineo y el suelo pélvico hacia arriba. Este proceso se inicia aplanando la parte inferior del abdomen, lo que mete el sacro. La parte inferior del abdomen es aquella que se introduce en la pelvis. Comienza en el pubis, ensanchando los huesos ilíacos. Este aplanamiento se inicia en los bordes de la parte inferior del abdomen, en las ingles, por debajo de los huesos de la cadera.

Un profundo *Uddiyana* provocará automáticamente *Mulabandha.* Aisladamente, *Mulabandha* se activa en la parte inferior del abdomen. Afecta entonces al sacro y al suelo pélvico, atrayéndolos hacia dentro y hacia arriba. Sin tensar el músculo vertical del abdomen (recto abdominal), ni estirar la parte que rodea el ombligo, se activan los bordes de la parte inferior del abdomen cerca de las ingles y por debajo de los huesos de la cadera, para que se aplane la parte inferior del abdomen. Compare estas dos ilustraciones:

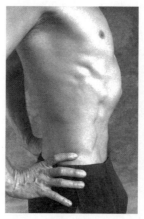 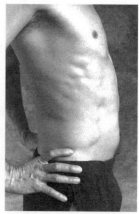

**Mulabandha**          **Abdomen inferior protuberante**

La parte inferior del abdomen no sobresale del plano formado por los iliones. Ni se mantiene succionado mediante una contracción. Ni el ombligo ni el ano deben endurecerse. Si se toca con las puntas de los dedos, debe sentirse un ligero levantamiento de los bordes de la parte inferior del abdomen, cerca de las ingles, y que tienen el tono adecuado, sin que haya cambiado nada en el centro. Si el centro de la parte inferior del abdomen se endurece y se levanta, vuelva a intentarlo. Un prudente *Mulabandha* produce una relajación en el cerebro que recorre la espina dorsal. Cualquier tensión que se sienta en el cerebro, las sienes o la cara indica que nos estamos equivocando.

### EXPLORANDO MULABANDHA

Para desarrollar *Mulabandha* coloque las piernas en *Baddhakonasana* (pág. 194) o *Virasana* (pág. 248), y échese sobre un almohadón cilíndrico duro o, si su espalda se lo permite, en el suelo. Así se estirará y tonificará naturalmente la pared abdominal sin ninguna contracción de los músculos. Si no, adopte *Ardhapindasana* (pág. 226) o *Balasana* (pág. 240). Concentre la atención en el interior de la pelvis. Deje que su conciencia abarque esta área, captando todas las posibles sensaciones. Mientras lo hace, intente distinguir entre el suelo pélvico y los músculos situados por encima de él dentro de la cavidad pélvica. Sea consciente de la parte anterior del suelo pélvico, donde se une con el pubis. Sea consciente de la parte posterior del suelo pélvico, donde se une con el coxis.

Los siguientes ejercicios deben practicarse en secuencia, con un breve descanso entre ellos. Practique tanto como pueda, a cualquier hora, en cualquier lugar, incluso de pie o caminando.

1   ESTIMULAR EL SUELO PÉLVICO. Respirando con libertad y suavidad, pero plenamente, contraiga todos los músculos del suelo pélvico e inmediatamente, pero no deprisa, suéltelos. Mantenga un ritmo de contracción y relajación que no implique los músculos más altos, dentro de la cavidad pélvica.

2   ASWINI MUDRA. Respirando con libertad y suavidad, pero plenamente, contraiga sólo los músculos anales situados hacia la parte posterior del suelo pélvico e inmediatamente, pero no deprisa, suéltelos. Mantenga un ritmo de contracción y relajación que no implique los músculos más altos situados cerca del pubis, los urogenitales. Los músculos que deben emplearse son los que controlan la defecación.

3   VAJROLI MUDRA. Respirando con libertad y suavidad, pero plenamente, contraiga sólo los músculos urogenitales situados en la parte delantera del suelo pélvico e inmediatamente, pero no deprisa, suéltelos. Mantenga un ritmo de contracción y aflojamiento que no implique los músculos más altos de la pelvis, ni los músculos cercanos al coxis, los músculos anales. Los músculos que deben emplearse son los que controlan la micción.

4   MULABANDHA. Aplanando con suavidad la parte inferior del abdomen, sienta que, mientras los músculos anales siguen pasivos, el esfínter anal se estrecha como si se tirara de él hacia dentro y hacia arriba. Todos los músculos del suelo pélvico permanecen pasivos, si bien, según se actúa sobre él, se mueve y cambia de forma. Sienta cómo el sacro se encaja por sí solo más profunda y uniformemente en un lado que en el otro. Intente sentir si esto es así, y compense en la forma en que está empleando los músculos abdominales púbicos.

Todos estos ejercicios le ayudarán a desarrollar la sensibilidad y el control que requiere *Mulabandha*. Los dos clásicos *mudras* y *Mulabandha* tienen efectos muy distintos, especialmente sobre el sistema nervioso central y la calidad y orientación de nuestra conciencia. Explórelos.

Con relativa facilidad, cada uno de los *bandhas* puede aplicarse mal: *Jalandhara* si se tensa la garganta y los músculos faciales y se pone rigidez en el cerebro y el núcleo del cuerpo (ver pág. 24); *Uddiyana,* tensando los músculos de la pared abdominal, especialmente alrededor del ombligo, poniendo rigidez en el núcleo del cuerpo y en los órganos abdominales; y *Mula,* al tensar los músculos del suelo pélvico, especialmente los músculos anales, poniendo rigidez en el núcleo del cuerpo y los órganos más bajos del abdomen. Estas tensiones deben ser evitadas. Alteran el núcleo del cuerpo, estimulan excesivamente la rama simpática del sistema nervioso periférico y desplazan el sistema nervioso central, exteriorizando la energía y la conciencia. El efecto combinado de los *bandhas* es el aquietamiento del sistema nervioso periférico, el acceso al sistema nervioso central y la blandura y aflojamiento del núcleo del cuerpo, lo que interioriza la energía y la conciencia.

Para estar seguro de que los *bandhas* no se realizan incorrectamente, debe mantenerse constante conciencia del núcleo del cuerpo. El núcleo del cuerpo debe permanecer pasivo y relajado, libre de toda dureza y tensión, en todo momento. Si esta cualidad se altera, reducimos *Asana* a un sofisticado ejercicio de estiramiento. Por lo tanto, debe comprobarse constantemente la calidad del suelo pélvico, del abdomen y del rostro, asegurando especialmente que el ano, el ombligo, los ojos y las orejas están relajados. La mandíbula debe permanecer distendida y los labios, cerrados.

Para aplicar correctamente la sujeción combinada de *Mulabandha* y *Uddiyana,* se necesita una clara conciencia del abdomen. No debe haber tensión en el abdomen, si bien la parte púbica debe estar activa. Para ello tiene que darse un suave aplanamiento de la pared abdominal interna entre las ingles, que se dirige hacia la columna vertebral. El largo músculo vertical del abdomen debe permanecer pasivo, para que las partes central y alta del abdomen puedan ser succionadas hacia dentro y hacia arriba.

Los tres *bandhas* constituyen un solo continuo energético. *Jala* significa "red"; *adhara,* "soporte, apoyo", y *bandha,* "sello o cierre". Su propósito es separar la cavidad craneal del tronco. Se consigue encerrando en el tronco el flujo ascendente de energía, para evitar que penetre en el cerebro y lo estimule excesivamente. En el tronco puede ser utilizado por

*Uddiyanabandha. Ud* significa "hacia arriba"; *yana,* "volante". Está diseñado para generar energía y calor, dirigir la energía hacia arriba y transformar la energía física en energía sutil. Una vez que puede disponerse de esta energía sutil con su impulso vertical, se utiliza por *Mulabandha. Mula* significa "raíz". Se refiere a la zona en la base de la columna vertebral, su raíz. Evita el movimiento descendente de la energía, y dirige el flujo de energía ascendente hacia el cuerpo sutil.

En el circuito de los *bandhas,* la energía –inicialmente en forma de calor– se genera y se transforma en el centro del tronco, mientras que éste se encuentra sellado por arriba y por abajo para contener e intensificar esta energía. Se genera así un impulso en espiral en el torso, con un flujo interno ascendente y un flujo externo descendente. El profundo impulso ascendente por el núcleo del cuerpo se ve soportado y complementado por un impulso sutil descendente por la superficie. Así se siente cómo la piel de los bordes costales se mete hacia dentro y encierra o sella el hígado y el estómago. Al mismo tiempo, la piel de la espalda se desplaza hacia abajo, encerrando o sellando los omóplatos. La energía externa, redirigida hacia abajo por el cierre de la barbilla, es transformada en el plexo solar y conducida a la pelvis. La energía vuelve entonces hacia arriba introduciéndose en el cuerpo sutil a través del cierre de la raíz, *Mulabandha.* Este proceso energético puede experimentarse directamente con la sensibilidad y sutilidad que la práctica aporta.

De forma más inmediata, sin embargo, los *bandhas* tienen una importante repercusión en la postura y en la respiración. *Mulabandha* activa el sacro. *Mulabandha* y *Uddiyanabandha* corrigen la columna vertebral. *Uddiyanabandha* moviliza las vértebras dorsales y el tórax. *Jalandhara* activa las vértebras dorsales y cervicales. *Mulabandha* y *Uddiyanabandha* constituyen el ajuste clave del cuerpo, que da soporte a la columna vertebral, la relaja, la alarga y la alinea. Este proceso, a su vez, abre la cavidad torácica, de manera que los pulmones pueden moverse libre y plenamente, lo que mejora y libera la respiración. Todos los demás ajustes físicos soportan y manifiestan éste.

**Columna vertebral erguida**    **Columna vertebral carente de apoyo**

Este hecho refleja el principio universal de complementariedad de los opuestos que se pasa por alto en el funcionamiento dualista del pensamiento racional lineal. Por consiguiente, los procesos energético y estructural del núcleo del cuerpo se reflejan en su periferia y en su superficie: esto es, en las extremidades, en las manos y en los pies. La forma en que los ajustamos repercute en la acción de los *bandhas* y los mantiene.

Si examinamos la acción de las piernas y los brazos en las posturas de pie, descubrimos que es al crear un impulso espiral cuando activamos toda su potencia, al darles la máxima estabilidad. Se consigue oponiendo la parte alta de las extremidades con la baja, al girar cada una de ellas en direcciones opuestas. Es como retorcer las fibras de una cuerda para aumentar su resistencia. En el caso de los brazos este proceso no sólo los alarga, sino también los estabiliza de forma muy sencilla. Para sentirlo, extienda lateralmente un brazo tanto como pueda, con la palma hacia arriba.

Sienta la rotación hacia arriba de la parte

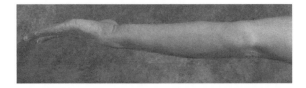

delantera interior del hombro, y el ensanchamiento del músculo pectoral y el pecho. Manteniendo esta situación en el hombro y en el pecho, gire con cuidado la muñeca para que la palma de la mano mire hacia abajo, sin que gire también hacia abajo el brazo propiamente dicho, desde el codo hasta el hombro.

Ahora el brazo no sólo está más alargado y tiene más potencia, sino que está enormemente cargado de energía, con el punto de oposición situado en el codo. Su calidad refleja la del tronco, plenamente cargado por los *bandhas*.

Impulsos en espiral similares pueden sentirse en las piernas. En la Postura del Perro (pág. 128), por ejemplo, para mantener las rodillas y las piernas centradas, los huesos de la parte interior del tobillo se atrasan, y también se atrasa la parte exterior de las caderas. Si estas dos acciones no se oponen y equilibran entre sí, las piernas se girarán, desplazándose en la articulación de la cadera y tensando o estirando excesivamente el sacro y las lumbares.

La carga energética de los *bandhas* se reproduce también en las manos y los pies.

Llenos de energía, pero libres de tensión, las manos y los pies reflejan el estado del tronco: cóncavo en el centro, ancho y pleno en la punta, sólido y estable en la base.

Aquí tenemos una expresión del principio de que las partes reflejan el todo. La base de los dedos de las manos y la eminencia plantar reflejan, soportan y resuenan con el pecho. En los pies, los talones, y en las manos, las eminencias tenar e

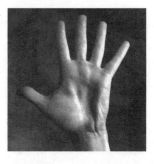

hipotenar, reflejan, soportan y resuenan con la pelvis. El arco del pie y el centro de la palma de la mano reflejan, soportan y resuenan con el abdomen. Cuando se activan las extremidades, los pies y las manos de esta manera, actúan como soportes de los *bandhas* en el tronco, aportando unión energética y armonía estructural al conjunto del cuerpo.

Toda la energía se mueve en espirales. Por tanto, no debe sorprendernos que cuando se contemplan desde una perspectiva más amplia que el mero detalle, resulta que el impulso de los ajustes de la alineación corporal correcta tiene forma espiral. Esto significa que, para establecer *Asana*, utilizamos el impulso y el proceso energético de los *bandhas* a través de todo el cuerpo, unificándolo en un todo único estructural y energético: un mandala vivo que transforma nuestra conciencia, haciéndola pasar de dualista y lineal a *samadhi,* estado en el que el sujeto, el objeto y la acción se disuelven, el yo y lo demás se unen, *siva* y *shakti* se disuelven en el éxtasis de la unión: esto es yoga. Desde esta perspectiva podemos ver que los *bandhas* y la alineación corporal correcta son una sola cosa.

Los *bandhas,* como las otras cuatro técnicas, no son sacramentos. Debemos acercarnos a ellas con un espíritu abierto de investigación. Empleándolos podemos ver lo que hacen, y cómo lo hacen. Entonces podemos volvernos creativamente selectivos en el uso que hacemos de ellos. *Jalandhara* y *Uddiyanabandha* no pueden realizarse en todas las *Asanas.* Intentar imponerlos provocaría tensión e incluso lesiones menores. Sea sensible con su cuerpo y esté atento a lo que le pida en todo momento, y sabrá cuándo y cómo emplearlo. A medida que se desarrolle su práctica, descubrirá que es capaz de establecer los *bandhas* con mayor facilidad en más posturas y mantenerlos durante más tiempo.

# 8

# *PRANAYAMA:* LA CUALIDAD DEL RITMO

Una vez que se ha adoptado una postura siguiendo el ritmo de la respiración, que se han establecido los ajustes en espiral en la parte exterior del cuerpo y que se ha provocado la presencia energética de los *bandhas,* ¿qué queda por hacer? Respirar. Respirar libremente. Respirar plenamente. La respiración es la esencia misma de la vida; el oxígeno, nuestro nutriente más vital. ¡Qué rápidamente morimos sin él! ¡Pero qué fácilmente, qué constantemente lo desatendemos! El Hatha Yoga, en cambio, exige justo lo contrario. Sin embargo, respirar libre y plenamente no es tan sencillo como parece.

El potencial natural de nuestra respiración ha estado restringido durante mucho tiempo. Pocos de nosotros han experimentado alguna vez lo que significa usar al máximo la capacidad pulmonar. Aún menos la utilizan libremente, sin esfuerzo, con regularidad. La tensión en la garganta, la tensión en el pecho, la tensión en el diafragma, la tensión en el abdomen, todas estas tensiones conspiran para inhibir nuestra respiración. *Pranayama* es el proceso de liberar nuestra respiración de esas tensiones, de liberarla de las restricciones impuestas por la vida, de permitirle madurar y fructificar en algo muy distinto de lo que estamos acostumbrados. Sólo entonces, cuando ha sido liberada completamente de las sutiles tensiones que la restringen, puede emplearse para generar y aprovechar la energía eficazmente.

Nuestra respiración está íntimamente ligada a nuestra mente: a nuestros sentimientos y nuestros pensamientos. La calidad de nuestra respiración refleja directamente nuestro estado mental. Esta relación también funciona en la dirección contraria. Ajustando la calidad de nuestra respiración, podemos influir en nuestro estado mental; pero sólo si ajustamos la respiración dentro de los parámetros de la capacidad de que dispone, no si intentamos forzar nuestra respiración para que se ajuste a algún patrón preconcebido que está actualmente fuera de su alcance, caso en el que sólo añadimos más tensión a la ya presente en nuestra mente y en nuestro cuerpo.

La libertad de la respiración depende tanto de *asana* como de *bandha*. La primera libera la tensión de las extremidades y de la columna vertebral, lo que brinda estabilidad y sostén para el movimiento de los pulmones; la segunda también sostiene la columna vertebral, mientras que al mismo tiempo ensancha el pecho y estabiliza y carga de energía los pulmones y el diafragma. Debido a que *asana* y *bandha* tienen un efecto tan inmediato y directo en los pulmones, indirectamente provocan una transformación en nuestra respiración. A medida que la columna vertebral se alarga, las costillas se abren y el diafragma y los pulmones se estabilizan, tanto la inspiración como la espiración fluyen, de forma natural, más libre y plenamente. Al concentrar, por medio de *Jalandharabandha*, de forma clara y abierta la atención en el flujo de nuestra respiración, ésta, de forma natural, se ralentiza y se hace más suave, más constante. No hay ninguna necesidad de imponer lentitud, suavidad o plenitud a los pulmones. Si lo hacemos, sólo añadiremos tensión innecesaria a aquella con la que ya tenemos que enfrentarnos.

Durante la práctica, la calidad de nuestra respiración variará inevitablemente. Las posturas en las que somos capaces de establecer los *bandhas* y estabilizar nuestra estructura anatómica producirán una respiración lenta, suave, apacible, pero potente. Aquellas posturas que todavía nos presentan dificultades provocarán una respiración más intensa. Tenderá a ser un poco más rápida, un poco menos suave y un poco más sonora. Esto es normal y no debe preocuparnos. Igual que la postura está poniendo en dificultades al cuerpo, también estará poniendo en dificultades a la respiración. Manteniendo la atención en la calidad de su respiración, descubrirá que incluso en estos casos se ralentizará, haciéndose más suave y tranquila. El problema suele ser, sencillamente, que las dificultades que nos presenta una postura difícil nos distraigan de la respiración. Nos concentramos excesivamente en nuestra actividad anatómica a costa de nuestra actividad fisiológica; pero aquélla depende de ésta: los músculos deben contar con un suministro de oxígeno seguro y constante.

# Respiración *Ujjayi*

Respirar por medio de los *bandhas* es *Ujjayi pranayama*. Es el *pranayama* más sencillo, y se caracteriza por el audible sonido de la respiración. Este sonido proviene de la fricción del aire al pasar por la garganta durante la respiración, lo que puede sentirse a todo lo largo del recorrido hasta los pulmones. La fricción es resultado directo de *Jalandharabandha* combinado con *Uddiyanabandha* y *Mulabandha*. *Jalandhara* crea resistencia en la garganta, de modo que la respiración no sólo se ralentiza, sino que establece mayor contacto con la garganta, lo cual produce sonido. La calidad de ese sonido, su ritmo, su constancia y su potencia se originan en la acción de *Uddiyana* y *Mulabandha*. Cuando los tres *bandhas* están maduros, su efecto combinado es *Ujjayi pranayama*.

No es necesario forzar la respiración al inspirar o al espirar acelerándola o endureciéndola. El áspero sonido que resulta de este proceso es bastante distinto del de *ujjayi*. El sonido de *ujjayi* sirve por sí solo para inducir tranquilidad e interiorización de la conciencia. Un sonido alto y áspero, sencillamente, crea tensión y una pérdida de energía. Que el sonido de *ujjayi* se incremente durante las posturas difíciles es un hecho natural que cesa cuando esa postura ya no nos resulta difícil. El sonido de un *ujjayi* maduro y refinado es suave, constante, calmante y rítmico, con una energía sutil que proviene de estas cualidades. La potencia de *ujjayi* proviene, no de su volumen, sino de su calidad. No de forzar, sino de los *bandhas*. Pensar que el yoga tiene algo que ver con la cantidad, bien como volumen en *pranayama*, o bien como amplitud de movimiento en *asana*, es un impedimento. La calidad de la acción y la conciencia, no su cantidad, es la piedra angular de la práctica del yoga.

## Respiración abdominal

Debido a que tantas personas tienen tensión en el abdomen, la respiración abdominal a menudo se equipara a la relajación. Relativamente hablando, pudiera ser. Sin embargo, el Hatha Yoga va más allá, más profundamente que esa relatividad. Para liberar todo el potencial de nuestro cuerpo, nuestra respiración y nuestra mente, debemos respirar con plenitud, lo cual depende de que nos liberemos de todas las tensiones. Incluso mientras cargamos todavía con tensiones restrictivas, la forma en que respiramos puede servirnos de ayuda en este proceso de liberación. La respiración abdominal, sin embargo, es inadecuada para este proceso. No nos permite afrontar la tensión más sutil y profundamente fijada en los músculos respiratorios altos. Para conseguirlo no podemos dejar que el abdomen sobresalga, ni siquiera que permanezca pasivo.

### La parte baja del abdomen: Mulabandha

La parte baja del abdomen debe emplearse para estabilizar los pulmones y el diafragma, de manera que cuando el tórax ascienda posibilitando la inspiración, los pulmones permanezcan anclados y sean estirados y abiertos por la elevación de las costillas. De otro modo, los pulmones se levantan con las costillas en vez de estirarse, y no pueden abrirse completamente. Activando la parte inferior del abdomen en *Mulabandha,* los pulmones se estabilizan. Durante la inspiración, este proceso ejerce algo de presión en los órganos abdominales, que crean una suave resistencia al movimiento del diafragma. Esta resistencia no sólo pone en dificultades al diafragma para activarlo más completamente, sino que también incrementa la diferencia de presión entre la cavidad abdominal y torácica, lo que estimula más el flujo de aire.

### Inspiración

La inspiración, entonces, se inicia en la parte inferior del abdomen mediante *Mulabandha.* Se continúa por *Uddiyana,* a través del alargamiento del abdomen, el ensanchamiento, la elevación y la carga de energía del tórax que provoca. La inspiración se siente así como una doble hélice que comienza justo por encima del ombligo y se expande a cada lado desde la línea central, alrededor del cuerpo hasta la espalda, a la columna vertebral y de allí volviendo

hacia el esternón, y luego hacia arriba de la misma manera. Esta doble hélice comienza con un ensanchamiento de los bordes costales, a lo largo de todo su recorrido hasta la columna vertebral. A medida que ésta se eleva, sigue subiendo por las costillas fijas, hasta las clavículas, las axilas y la base de la garganta. La base de la garganta, que se abre ligeramente mediante *Jalandhara,* mientras la parte alta de la garganta se estrecha, está absorbiendo el aire en *Jalandharabandha,* lo que sirve de soporte a la acción de *Mulabandha* y *Uddiyanabandha:* así se crea *ujjayi.*

### Espiración

Espirar es un reflejo natural, y no requiere ninguna iniciación consciente. Sucede cuando el cuerpo está preparado. Nuestro papel es casi ofrecerle resistencia. No para evitar que suceda, sino para hacerlo consciente, lo cual tiende a ralentizarlo. Iniciamos este proceso desde la garganta: *Jalandhara.* Usamos el estrechamiento de la parte alta de la garganta para poner dificultades a la espiración. Así se sostiene la actividad de los músculos respiratorios y se les deja que se liberen más lenta, suave y deliberadamente. Lo único que hacemos aparte de esto es dejar que ocurra la espiración. La acción de *Jalandhara, Uddiyana* y *Mulabandha* y la presencia directa y abierta de la atención son suficientes para servir de sostén a una espiración lenta, suave y profunda.

## La calidad de la respiración

La calidad de nuestra respiración durante *Asana* es fundamental. Se trata de un indicador de la calidad de nuestra práctica. Si estamos luchando, nos lo dice. Si nos estamos forzando a nosotros mismos, nos lo dice. Si estamos intentando imponer algo para lo que no estamos preparados, nos lo dice. Si no estamos aquí, nos lo dice. Si estamos tranquilos, centrados, alerta y sensibles, nos lo dice. Por lo tanto, podemos utilizarla como brújula con la que orientarnos en nuestra ruta entre el entusiasmo excesivo y la complacencia, entre la fuerza y la timidez, entre la irreflexión y el exceso de pensamiento. Puede ayudarnos a encontrar la onda de esfuerzo sin esfuerzo, de calma alerta, de vitalidad sutil que nos conduce cada vez a niveles más profundos de nosotros mismos.

Nuestra respiración tiene que ser apacible, suave, sin esfuerzo, vital, rítmica y constante. No debe ser ni áspera, ni vacilante, ni tensa, ni forzada, ni desigual, ni inconstante. Si lo es, concentre menos la atención en los músculos voluntarios y más en los *bandhas*. No intente vaciar ni llenar completamente los pulmones: déjelos que encuentren su propio volumen. No intente hacer su respiración muy lenta: déjela que encuentre su propio ritmo. No intente hacerla potente: déjela que encuentre su propia potencia. El sonido de su respiración debe ser apacible, pero conteniendo una potencia sutil. Más como el rodar de las olas del Mediterráneo sobre la arena que el romper de las olas en la costa atlántica.

Nunca contenga el aliento. Déjelo fluir libremente. A menudo lo contenemos cuando nos enfrentamos con profundas dificultades en una postura. No apoye esto. Espire: profundizará más.

Observe qué es más fácil para usted, ¿la espiración o la inspiración? Variará de postura a postura, de práctica a práctica. Una puede ser más lenta, más larga, más profunda, más fácil que la otra. No trate de forzar la otra para imitarla. Simplemente concédale más atención. Responderá de acuerdo con su capacidad. Su capacidad se desarrollará con la práctica.

Recuerde que la calidad de su respiración es más importante que la cantidad de movimiento. Si su respiración es suave, tranquila, apacible y constante, esas cualidades también colmarán su mente. Deje que la respiración llene su mente de un estado de alerta calma y clara, en vez de permitir que la mente imponga sus ansiedades y tensiones a la respiración.

# III

# Las posturas del Yoga Dinámico

# 9

# CONSIDERACIONES PRÁCTICAS

## 1. LESIONES

Si tiene cualquier lesión previa, procure consultar con un profesional de la medicina familiarizado con el Hatha Yoga. Muchas viejas lesiones no impedirán en absoluto su práctica, e incluso pueden aliviarse con ella; otras requerirán que modifique o acomode su forma de practicar. Si no encuentra a nadie a quien consultar, sea especialmente sensible en todas las posturas que actúen sobre el área afectada.

## 2. ENFERMEDAD

Una práctica de Hatha Yoga sensata puede ayudar a curar muchas enfermedades. En especial, las secuencias pasivas finales estimulan la vitalidad y hacen posible la recuperación. Cuando esté cansado y debilitado por la enfermedad, tenga cuidado con el aspecto más dinámico de la práctica. En cambio, los estados pasajeros, como la resaca, por ejemplo, pueden aliviarse mediante una práctica vigorosa y dinámica.

Si tiene alguno de los síntomas o enfermedades siguientes, consulte a un profesional de la medicina antes de comenzar a practicar Hatha Yoga:

- Esclerosis múltiple
- Epilepsia
- VIH o SIDA
- Enfermedad coronaria
- Cáncer
- Problemas oculares
- Tensión sanguínea alta
- Problemas de cuello
- Problemas de rodilla

Y no porque en estos casos esté contraindicado el Hatha Yoga; al contrario, con la guía adecuada, su práctica puede resultar extremadamente beneficiosa.

## 3. EMBARAZO

El Hatha Yoga puede resultar extremadamente beneficioso durante el embarazo. Si no le es posible encontrar un profesor especializado, no deje de consultar el libro de Janet Balaskas *Yoga, embarazo y nacimiento**.

## 4. COMIDA

Practique siempre con el estómago vacío. Deje pasar tres horas después de una comida normal, y una tras un refrigerio muy ligero. El café o el té negro inmediatamente antes de la práctica pueden perturbar el estómago y los nervios. La leche entorpece la sensibilidad. Son adecuadas las infusiones de hierbas o el té en rama.

## 5. SUPERFICIES

Practique en una superficie antideslizante. Los suelos de piedra y madera proporcionan una adherencia adecuada. Las esterillas especiales de yoga pueden resultar muy útiles. Compruebe que la superficie que esté usando sea plana, sobre todo al aire libre. Esto es especialmente importante para las posturas en pie y las inversiones.

## 6. ROPA

Cuanto más transpire su ropa, mejor. Lleve la menor cantidad de ropa que sea posible. ¡Sujete las partes de su anatomía que lo requieran! Lleve lo que lleve puesto, no debe restringir sus movimientos, ni cortar la circulación sanguínea: nada de cinturones ni tejidos pesados. No se ponga joyas.

## 7. CORRIENTES DE AIRE

Tanto bajo cubierto como al aire libre, no practique en medio de una corriente. Como su cuerpo se calienta desde el interior, lo que le llevará más tiempo, el contraste con el frío de la corriente puede provocar una lesión muscular por contracción repentina. No practique nunca con ventilador ni aire acondicionado.

\* Barcelona, Kairós, 1996 (Biblioteca de la salud), prólogo de Sandra Sabatini y Yehudi Gordon, traducción de Marta Rodríguez Mahou. Para quien prefiera la edición original: *Preparing for Birth with Yoga. Exercises for Pregnancy and Childbirth*, Shaftesbury (Inglaterra), Element, 1994. (N. d. T.)

## 8. CALOR

Si el clima o la estación son fríos, asegúrese de que el lugar de práctica esté caliente. Compruebe que la fuente de calor no consume todo el oxígeno. No caliente demasiado el aire que le rodea: sudará excesivamente, sin necesidad de desarrollar el calor interno. Tenga en cuenta que el sudor representará en este caso una acción de drenaje en vez de purificación. Si está practicando en una habitación caliente y se agota, pruebe bajando la temperatura.

## 9. SUDOR

Sudar un poco regularmente es saludable; demasiado puede ser debilitante. Es la actividad interna, no la calefacción de casa, lo que debe generar el sudor. Éste debe actuar como aislamiento, manteniendo el calor que nuestra actividad produce en nuestro interior. Si le cae a chorros el sudor, baje la calefacción, o practique más lentamente, o las dos cosas a la vez. No se seque el sudor de la cara ni del cuerpo. Aprenda a producir suficiente sudor para que le sirva como aislante, sin ser excesivo.

## 10. DURACIÓN

Las posturas de yoga están pensadas para ser mantenidas durante un cierto tiempo. Al principio probablemente tenga que contar las respiraciones para permanecer el tiempo suficiente y lograr así vencer su inicial resistencia a las posturas. Otro método que puede usarse para las posturas que no son físicamente demasiado exigentes es resistir la salida las primeras dos veces que piense en ello, y salir a la tercera. Cuando se libere en la postura, sabrá cuándo salir. No es cuestión de tiempo, sino de calidad. Cuando llegue el momento aprenderá a "morir" en una postura. Será como volver a nacer.

## 11. INCOMODIDAD, SOBRESALTO Y DOLOR

El dolor ni debe ser evitado, ni debe ser permitido. Es parte de la vida, es parte del yoga. En su práctica, se encontrará con tres clases de dolor.

La primera, más *incomodidad* que dolor, es la dolorosa incomodidad de los tejidos dormidos que se están despertando. Los músculos tensos y el tejido conectivo se quejarán cuando los despierte. Es inevitable. Pero no debe alcanzar un punto de intensidad extraña, lo que significaría que está sobreestirando los tejidos corporales y dañándolos. Más bien debe ser un dolorcillo soportable, incluso agradable, que se halla en proporción directa con el movimiento que esté realizando. Si usted retrocede un poco, este tipo de dolor también se retira; si usted avanza, se intensifica. Debe haber una sensación de alivio dentro de esta clase de dolor, como resultado del hecho de que está liberando tejidos que antes estaban impedidos.

La segunda, más *sobresalto* que dolor, es más repentina. Se trata de un dolor que tiende a ser intenso y sin previo aviso. Las posturas reestructuran las relaciones musculares, desmontando viejos patrones de desequilibrio. Muchos de estos patrones desequilibrados fueron establecidos para amortiguar y esconder lesiones que no se afrontaron. Si tiene lesiones antiguas, o incluso actuales, las posturas pueden avivarlas a medida que su cuerpo se libera de estos patrones compensatorios. Este tipo de dolor no es normalmente sólo repentino, sino momentáneo: se va casi tan rápidamente como viene. Pero puede ser seguido por sensaciones indoloras de tirones, desgarros o incluso roturas. Nuevamente, estas sensaciones traen consigo una sensación de alivio, pues un patrón antiguo, restrictivo, desaparece. Si no se desanima con el repentino sobresalto, no encontrará dificultad en seguir con su práctica. No es raro que experiencias de esta clase ocurran en una zona particular del cuerpo en unas cuantas sesiones seguidas. Cuando los patrones musculares restrictivos se disuelvan completamente, esto cesará. Entonces descubrirá que su capacidad de movimiento se ha ampliado y que ahora le resulta más fácil lo que antes le costaba.

La tercera es claramente *dolor*. Si la sensación de alivio no está presente, entonces debe tener cuidado, porque está experimentando un dolor añadido. Quizá el movimiento que esté haciendo se esté sumando a un problema ya existente, o tal vez se esté creando uno nuevo. Con suerte, si practica con sensibilidad, no experimentará una lesión en la que incurra por abusar de su cuerpo. Sin embargo, si es inconsciente, cicatero o superficial en su práctica, puede sucederle. Si experimenta de verdad un dolor repentino, intenso, que perdura o se intensifica, detenga el movimiento o la acción que esté realizando en ese momento: hágalo lenta y cuidadosamente, asegurándose de que su cuerpo permanezca estable y su mente se encuentre absolutamente concentrada en lo que está haciendo. No se retire impulsivamente: podría empeorar la situación. Asegúrese de que el resto del cuerpo lo sostiene adecuadamente mientras usted deshace la postura. Debería poder continuar con otras posturas; pero, si no puede, acabe dedicando algo de tiempo a sentarse inmóvil, concentrándose en las sensaciones de la zona afectada, y luego practique *Savasana* (pág. 101). Consulte con alguien con conocimientos de corrección postural y yoga para que le aconseje sobre el mejor modo de proceder. Muchos profesionales de la medicina no poseen esta clase de conocimientos; por consiguiente, tienden a jugar sobre seguro y recomiendan reposo absoluto. Pero pocas veces es lo indicado, y a menudo puede empeorar las cosas. La falta de movimiento lo único que consigue es evitar el problema. Lo que hay que hacer es encontrar el movimiento correcto de la manera adecuada. Muy a menudo es el mismo movimiento que nos hace tanto daño el que, si se realiza con el apoyo debido, nos cura.

## 12. ORGULLO

Tenga cuidado de no cultivar el orgullo. El efecto del Hatha Yoga en su cuerpo puede ser tan agradablemente profundo que es fácil que le atrape en el apego a las apariencias. Una vez atrapado, pagará un alto precio de sensibilidad y sinceridad. El orgullo sin fundamento de un practicante avanzado que practique yoga sólo a nivel físico es el resultado triste y degradante de una práctica superficial.

### 13. AMBICIÓN

Tenga igualmente cuidado con no dejarse llevar por la ambición. También disminuirá su sensibilidad y su sinceridad. Podría creerse que, si puede mantener el equilibrio sobre la cabeza durante una hora, o sobre un solo dedo de la mano durante un minuto, o entrelazar las piernas alrededor del cuello, o colocar la nuca en las nalgas, ya no sufrirá las ansiedades e incertidumbres de las que ansía liberarse. No es así. No hay ninguna forma mágica para escapar de uno mismo. Sus miedos y dudas, su sensación de incapacidad o infelicidad, no pueden ser borradas por el dominio de técnicas mágicas ni por la repetición ritualista de ceremonias místicas. El yoga no es Babia, ni vivir en las nubes. La única forma de liberarse de sus limitaciones es afrontándolas, no evitándolas. Practique yoga con un corazón sincero y encontrará su recompensa. Practíquelo con el asidero ansioso de una mente cicatera y aún se sentirá más atado.

### 14. ACTITUD

Tan importante es lo que se está haciendo como la manera de hacerlo y el porqué. Nuestras acciones y sus efectos están teñidos por nuestras intenciones, actitudes y sentimientos. Esto vale también tanto para los que son inconscientes como para los que son conscientes. Si se enfoca la práctica con la única intención de alcanzar determinada meta, se corre un enorme riesgo: ignorarse a uno mismo, los propios sentimientos, capacidades, límites, necesidades, exactamente como se es. Todo sacrificado en el altar santificado de sus deseos. Pero al final no hay nada que encontrar salvo a uno mismo. No importa la cantidad de tiempo que se pierda en la búsqueda inútil de nobles aspiraciones, si no forman parte de quien uno es y lo que se es, se perderá en la búsqueda. Pero, si uno sencillamente se pone en marcha para descubrir, exhaustivamente, quién es y lo que es, puede que descubra que es algo más brillante y maravilloso que ninguna otra cosa de la que haya oído hablar o que haya soñado.

### 15. DESCARGA EMOCIONAL

Si se profundiza lo suficiente en los patrones físicos, se descubrirán bloqueos emocionales de fondo. Al hacerlo, los alterará: los sacará de sus madrigueras. Entonces tendrá la oportunidad de resolverlos y liberarse de ellos: iluminándolos estable, abierta, plena y directamente con la conciencia. Esto es lo que se necesita si se comienza a sentir alguna molestia emocional cuando se entra en el "tha", la parte final de la práctica. Especialmente cuando se está sentado inmóvil, o echado en *Savasana* (pág. 101), cualquier liberación emocional emergerá a la superficie. Déjela salir. No luche con ella. No desplace la conciencia hacia la fantasía. Esté presente, y déjela que se resuelva sola a la luz de la atención. Estos sentimientos pueden incluir la ira, la pena, la lujuria, la vergüenza, el remordimiento, el miedo, la ansiedad, la pena, la desesperación... No atribuya estos sentimientos directamente a la práctica misma: ella sólo los está colocando en el primer plano. No crea que no debe sentirlos. Ya lo está haciendo. No son equivocados. Son parte de usted en este momento.

No obstante, sea consciente de que la práctica desequilibrada puede crear sus propias molestias innecesarias. Puede ser el resultado de forzar los músculos en una postura, cuando nos obligamos a continuar más allá de nuestra verdadera capacidad, adoptando demasiado deprisa las posturas o saliendo de ellas sin cuidado, o cambiando de postura demasiado rápido, sometiendo la respiración o al cuerpo o a la mente, a la insensibilidad, a la ambición, al miedo o al orgullo. El sentimiento más habitual que esto crea es ira y sus derivados: impaciencia, intolerancia, hipercrítica, cinismo y nihilismo. Es el resultado de su insensibilidad y agresividad para con usted mismo. No caiga en esta trampa.

### 16. DESCARGA FÍSICA

El Hatha Yoga puede también provocar la descarga física. Es parte de su efecto de purificación y desintoxicación. No se alarme si después de la práctica descubre erupciones cutáneas, sarpullidos, diarrea, moqueo o supuración de oídos. Es sencillamente señal de un estilo de vida o de una dieta desequilibrada que ahora su práctica está compensando. Si persiste, consulte con alguien bien preparado en el cuidado natural del cuerpo como parte del continuo mente-cuerpo.

## 17. REGULARIDAD

"Un poco y a menudo" es más beneficioso que "mucho de vez en cuando". Puede practicar a diario, aunque estableciendo descansos periódicos normalmente conseguirá mayores progresos cuando reanude la práctica. La variedad en la práctica será más beneficiosa que practicar siempre de la misma manera. Esto puede hacerse incluso utilizando la misma secuencia de posturas, dando más importancia a uno u otro aspecto: concentrándose en la alineación corporal correcta, o en *vinyasa,* o en los *bandhas* o en la respiración o en la conciencia, o en cualquier combinación entre ellos. Algunos maestros indios recomiendan no practicar con luna llena; otros aconsejan que tampoco con luna nueva. Debido a los procesos energéticos de estos períodos, debe ponerse especial atención en cualquier práctica que se haga.

## 18. RECOMENDACIONES

Tenga siempre presentes las siguientes precauciones:

- Reparta su peso de manera uniforme sobre la base de la postura.
- Mantenga activos los pies y las manos.
- Use los brazos y las piernas para sostener la energía de los *bandhas.*
- Alinee la pelvis para que conecte las piernas con la columna vertebral.
- Mantenga los *bandhas* de modo que el abdomen esté alargado, cóncavo y pasivo, y el pecho ensanchado, pleno y activo.
- Mantenga la línea del cuello como extensión de la columna vertebral, salvo cuando esté bajando o levantando la barbilla deliberadamente.
- Ajuste el cuerpo y los *bandhas* de modo que su respiración sea tan libre, suave, apacible y rítmica como sea posible.
- Deje que sea su respiración la que guíe a su cuerpo, y permita que su cuerpo se acomode a su respiración.
- Permanezca consciente de lo que está haciendo exactamente y de cómo afecta a todo su cuerpo.
- Perciba todas las cambiantes sensaciones interiores según se vayan produciendo, sin juzgarlas.
- Utilice constantemente su conciencia de las sensaciones cambiantes para guiarle en el proceso de profundización progresiva en su cuerpo y en su mente.
- Disfrute de su práctica, diviértase.

# 10

# LA PRÁCTICA DE *SURYANAMASKAR* Y *VINYASA*

Tradicionalmente la práctica del Hatha Yoga comienza con una secuencia conocida como el Saludo o la Salutación al Sol, que sirve para calentar el cuerpo, estimular la respiración, iniciar la sincronización entre la respiración y el cuerpo, concentrar la mente y preparar la práctica de las posturas. Donde se indique en las series de Base y Preparatoria, repita hasta que esté caliente, concentrado, relajado y preparado para las posturas de pie. No es preciso contar. Puede descansar en la Postura del Perro durante las Salutaciones al Sol si lo desea, pero no es obligatorio.

Para asegurar la compensación y la preparación muscular, para mantener el ritmo libre de nuestra respiración, para dejar que el cuerpo, la mente y la energía se vuelvan a centrar, para generar calor, concentración y profunda interiorización, las posturas están conectadas por una secuencia de *vinyasa.* Esto se hace siempre siguiendo la respiración, para que cada movimiento se sincronice, bien con la espiración, bien con la inspiración. La Postura del Perro a veces se mantiene para descansar y concentrarse. Las *Vinyasas* tradicionales se basan en la Salutación al Sol. Empiece usando *Sukhavinyasa* (ver pág. 88), luego vaya progresando hacia *Vinyasa* (pág. 93). Cuando se sienta cansado, puede usar *Svanavinyasa* (pág. 90) o *Sukhullola* (pág. 91).

*Vinyasa* no tiene que usarse para conectar las posturas de pie, ni las posturas invertidas, pero no se sienta obligado y utilícela si lo desea. Dése a sí mismo la oportunidad de comprender verdaderamente las funciones y beneficios de las *Vinyasas* experimentado con las diferentes prácticas de diversas maneras a horas distintas. Invéntese las suyas propias, recordando siempre la sincronización de cuerpo y respiración, inspirando cuando la parte anterior del cuerpo se abre y espirando cuando se cierra.

En la Serie de Apaciguamiento no se indica ninguna *Vinyasa.* Simplemente descubra la manera más fácil y sencilla para pasar de una postura a la siguiente provocando el mínimo de distracción y uso de la energía. Una vez que se sienta cómodo con una *Vinyasa,* puede insertarla si lo desea.

# Sukhasuryanamaskar

*Sukhasuryanamaskar* se aprende y utiliza en la Serie de Base. Las posturas no deben mantenerse. Cada movimiento de una postura a la siguiente está exactamente sincronizado o con la inspiración o con la espiración, según se indica.

### 1.er paso. Espire en *Tadasana*
De pie, bien erguido, con los pies juntos, cargue de energía el tronco, las piernas, los pies, los brazos y las manos, con la mirada dirigida al frente.

### 2.º paso. Durante la inspiración, adopte *Urdhvahastasana*
Levante los brazos bien pegados a las orejas, con la mirada fija entre las palmas de las manos situadas sobre la cabeza, mientras mantiene la carga de energía en el tronco, las piernas, los pies, los brazos y las manos.

### 3.er paso. Durante la espiración, adopte *Uttanasana*
Bascule la pelvis y, manteniendo la energía en las piernas y los pies, flexione la columna vertebral sobre las piernas, dirigiendo la cabeza hacia los tobillos, mientras mantiene el abdomen alargado, cóncavo y vacío. Las palmas de las manos tocan el suelo, o bien, si no le es posible, se colocan sobre los tobillos o las espinillas.

### 4.º paso. Inspiración: *Ardhuttanasana*
Conservando la energía en los pies, las piernas y el tronco, extienda la columna vertebral y levante la cabeza, mientras mantiene el abdomen alargado, cóncavo y vacío.

### 5.º paso. Espiración: dé un paso/salto para adoptar *Ardhachaturangadandasana*
Lleve las piernas hacia atrás lo más posible, con los pies separados entre sí la anchura de las caderas, y, flexionando los brazos, pose el pecho en el suelo, con los codos en la vertical de las muñecas y las piernas cargadas de energía, mientras mantiene el abdomen, la pelvis y las piernas separados del suelo.

### 6.º paso. Inspiración: *Ardhurdhvamukhasvanasana*

Deslice hacia atrás los dedos de los pies, con los empeines y los muslos sobre el suelo y, con las piernas cargadas de energía, haga presión con las manos y levante el pecho y la cabeza, dirigiendo la vista hacia delante, mientras mantiene el abdomen y la pelvis sobre el suelo, así como, ya desde antes, las piernas y los pies.

### 7.º paso. Espiración: *Adhomukhasvanasana*

Empujando con las manos, ruede sobre los pies y levante las caderas, con la cabeza y el pecho hacia abajo y, manteniendo el empuje hacia arriba, forme con el cuerpo una V, sólo con las manos y los pies en el suelo. Puede mantener esta postura si lo desea.

### 8.º paso. Inspiración: dé un paso/salto para adoptar *Ardhuttanasana*

Adelante las piernas hasta colocar los pies, juntos, entre las manos, con las piernas cargadas de energía. Extienda la columna vertebral, alargándola, mientras dirige la vista hacia arriba, con el abdomen alargado, cóncavo y vacío.

### 9.º paso. Espiración, adopte *Uttanasana*

Con los pies y las piernas cargados de energía, flexione la columna vertebral sobre las piernas, dirigiendo la cabeza hacia los tobillos, mientras mantiene el abdomen alargado, cóncavo y vacío. Las palmas de las manos tocan el suelo, o bien, si no le es posible, se colocan sobre los tobillos o las espinillas.

### 10.º paso. Inspiración: *Utktasana*

Flexione las piernas mientras levanta el tronco y los brazos, con las palmas de las manos juntas, siguiendo los brazos con la mirada.

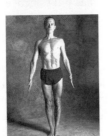

### 11.º paso. Espiración: *Tadasana*

Estire las piernas mientras baja las palmas de las manos, con los brazos todavía estirados y llenos de energía, así como las piernas, los pies y las manos.

# Suryanamaskar

*Suryanamaskar* se utiliza para iniciar la Serie Preparatoria. Las posturas no deben mantenerse. Cada movimiento de una postura a la siguiente está exactamente sincronizado o con la inspiración o con la espiración, según se indica.

### 1.er paso. Espire en *Tadasana*
De pie, bien erguido, con los pies juntos, cargue de energía el tronco, las piernas, los pies, los brazos y las manos, con la mirada dirigida al frente.

### 2.º paso. Durante la inspiración, adopte *Urdhvahastasana*
Levante los brazos bien pegados a la cabeza, con la mirada fija entre las palmas de las manos, mientras mantiene cargados de energía el tronco, las piernas, los pies, los brazos y las manos.

### 3.er paso. Durante la espiración, adopte *Uttanasana*
Bascule la pelvis y, manteniendo la energía en las piernas y los pies, flexione la columna vertebral sobre las piernas, dirigiendo la cabeza hacia los tobillos, mientras mantiene el abdomen alargado, cóncavo y vacío. Las palmas de las manos tocan el suelo, o bien, si no le es posible, se colocan sobre los tobillos o las espinillas.

### 4.º paso. Inspiración: *Ardhuttanasana*
Conservando la energía en los pies, las piernas y el tronco, extienda la columna vertebral y levante la cabeza, mientras mantiene el abdomen alargado, cóncavo y vacío.

### 5.º paso. Espiración: dé un paso/salto para adoptar *Chaturangadandasana*
Lleve las piernas hacia atrás lo más posible, con los pies separados entre sí la anchura de las caderas, y, flexionando los brazos, colóquese con las piernas y el torso paralelos al suelo, con los codos en la vertical de las muñecas y las piernas cargadas de energía. Sólo se hallan en contacto con el suelo las manos y las eminencias plantares.

### 6.º paso. Inspiración: *Urdhvamukhasvanasana*

Ruede hacia delante sobre las puntas de los pies, alargando la parte anterior de los tobillos y, con las piernas fuertes y sin que toquen el suelo, haga presión con las manos y levante el pecho y la cabeza, manteniendo la pelvis cerca del suelo. Los empeines sobre el suelo, y la parte anterior de los tobillos, estirada. Sólo se hallan en contacto con el suelo las manos, los tobillos y los pies.

### 7.º paso. Espiración: *Adhomukhasvanasana*

Empujando con las manos, ruede sobre los pies y levante las caderas, con la cabeza y el pecho hacia abajo, y, manteniendo el empuje hacia arriba, forme con el cuerpo una V, sólo con las manos y los pies en el suelo. Puede mantener esta postura si lo desea.

### 8.º paso. Inspiración: dé un paso/salto para adoptar *Ardhuttanasana*

Adelante las piernas hasta colocar los pies, juntos, entre las manos, con las piernas cargadas de energía. Extienda la columna vertebral, alargándola, mientras dirige la vista hacia arriba, con el abdomen alargado, cóncavo y vacío.

### 9.º paso. Espiración: *Uttanasana*

Con los pies y las piernas cargados de energía, flexione la columna vertebral sobre las piernas, dirigiendo la cabeza hacia los tobillos, mientras mantiene el abdomen alargado, cóncavo y vacío. Las palmas de las manos tocan el suelo, o bien, si no le es posible, se colocan sobre los tobillos o las espinillas.

### 10.º paso. Inspiración: *Utktasana*

Flexione las piernas mientras levanta el tronco y los brazos, con las palmas de las manos juntas, siguiendo los brazos con la mirada.

### 11.º paso. Espiración: *Tadasana*

Estire las piernas mientras baja las palmas de las manos, con los brazos todavía estirados y llenos de energía, así como las piernas, los pies y las manos.

# Sukhavinyasa

*Sukhavinyasa* se utiliza entre las posturas de suelo, o antes y después de realizar una postura de suelo cuando se está practicando la Serie de Base. Las posturas no deben mantenerse. Cada movimiento de una postura a la siguiente está exactamente sincronizado o con la inspiración o con la espiración, según se indica.

### 1.er paso. Durante la espiración, adopte *Sukhasana*
Cruce las piernas frente a usted sencillamente, sin hacer ningún esfuerzo especial, mientras permanece sentado sobre las nalgas.

### 2.º paso. Durante la inspiración, adopte *Urdhvasukhasana*
Mientras mantiene la vista constantemente dirigida al frente, acerque los brazos a los muslos, manteniendo las palmas de las manos en el suelo y trasladando el peso hacia delante, desplazándolo de las nalgas a los pies y a las palmas de las manos.

### 3.er paso. Espiración: dé un paso/salto para adoptar *Ardhachaturangadandasana*
Lleve las piernas hacia atrás lo más posible, con los pies separados entre sí la anchura de las caderas, y, flexionando los brazos, pose el pecho en el suelo, con los codos en la vertical de las muñecas y las piernas cargadas de energía, mientras mantiene el abdomen, la pelvis y las piernas separadas del suelo.

### 4.º paso. Inspiración: *Ardhurdhvamukhasvanasana*

Deslice hacia atrás los dedos de los pies, con los empeines y los muslos sobre el suelo y, con las piernas cargadas de energía, haga presión con las manos y levante el pecho y la cabeza, mientras mantiene el abdomen y la pelvis sobre el suelo, así como, ya desde antes, las piernas y los pies.

### 5.º paso. Espiración: *Adhomukhasvanasana*

Empujando con las manos, ruede sobre los pies y levante las caderas, con la cabeza y el pecho hacia abajo, y, manteniendo el empuje hacia arriba, forme con el cuerpo una V, sólo con las manos y los pies en el suelo. Puede mantener esta postura si lo desea.

### 6.º paso. Inspiración: dando un paso/salto, adopte *Urdhvasukhasana*

Mientras mantiene la vista constantemente dirigida al frente, acerque los brazos a los muslos, manteniendo las palmas de las manos en el suelo y trasladando el peso hacia delante, desplazándolo de las nalgas a los pies y a las palmas de las manos.

### 7.º paso. Espiración: *Sukhasana*

Suavemente, vuelva a posarse sobre las nalgas.

# Svanavinyasa

*Svanavinyasa* se utiliza entre las posturas de suelo, o antes y después de realizar una postura de suelo, cuando se sienta demasiado cansado para hacer otra *vinyasa*. Las posturas no deben mantenerse. Cada movimiento de una postura a la siguiente está exactamente sincronizado o con la inspiración o con la espiración, según se indica.

### 1.er paso. Durante la espiración, adopte *Sukhasana*

Cruce las piernas delante de usted sencillamente, sin hacer ningún esfuerzo especial, mientras permanece sentado sobre las nalgas.

### 2.º paso. Durante la inspiración, adopte *Urdhvasukhasana*

Mientras mantiene la vista constantemente dirigida al frente, acerque los brazos a los muslos, manteniendo las palmas de las manos en el suelo y trasladando el peso hacia delante, desplazándolo de las nalgas a los pies y a las palmas de las manos.

### 3.er paso. Espiración: *Adhomukhasvanasana*

Empujando con las manos, lleve los pies hacia atrás, separados entre sí la anchura de las caderas, levante éstas, con la cabeza y el pecho hacia abajo, y, manteniendo el empuje hacia arriba, forme con el cuerpo una V, sólo con las manos y los pies en el suelo. Puede mantener esta postura si lo desea.

### 4.º paso. Inspiración: dando un paso/salto, adopte Urdhvasukhasana

Mientras mantiene la vista constantemente dirigida al frente, acerque los brazos a los muslos, manteniendo las palmas de las manos en el suelo y trasladando el peso hacia delante, desplazándolo de las nalgas a los pies y a las palmas de las manos.

### 5.º paso. Espiración: *Sukhasana*

Suavemente, vuelva a posarse sobre las nalgas.

# Sukhullola

*Sukhullola* se utiliza entre las posturas de suelo, o antes y después de una postura de suelo, cuando se sienta demasiado cansado para hacer *Svanavinyasa*. Las posturas no deben mantenerse. Cada movimiento de una postura a la siguiente está exactamente sincronizado o con la inspiración o con la espiración, según se indica.

### 1.er paso. Durante la espiración, adopte *Sukhasana*

Cruce las piernas frente a usted sencillamente, sin hacer ningún esfuerzo especial, mientras permanece sentado sobre las nalgas.

### 2.º paso. Durante la inspiración, adopte *Urdhvasukhasana*

Mientras mantiene la vista constantemente dirigida al frente, acerque los brazos a los muslos, manteniendo las palmas de las manos en el suelo y trasladando el peso hacia delante, desplazándolo de las nalgas a los pies y a las palmas de las manos.

### 3.er paso. Espiración: *Sukhasana*

Suavemente, vuelva a posarse sobre las nalgas.

# Svanullola

*Svanullola* se utiliza para conectar dos posturas que se hagan en decúbito prono (boca abajo). Esto sólo ocurre en este libro hacia el final de la Serie de Base, entre *Ardhurdhvamukhasvanasana* (postura núm. 13) y *Urdhvamukhasvanasana* (postura núm. 14); las *vinyasas* no se emplean en la Serie de Apaciguamiento. Las posturas no deben mantenerse. Cada movimiento de una postura a la siguiente está exactamente sincronizado o con la inspiración o con la espiración, según se indica.

### 1.er paso. Inspire

Pose todo el cuerpo sobre el suelo, con los pies apoyados sobre los dedos, las piernas abiertas la anchura de las caderas, las palmas de las manos detrás de las axilas y las muñecas en la vertical de los codos.

### 2.º paso. Durante la espiración, adopte *Chaturangadandasana*

Con los pies separados entre sí la anchura de las caderas, coloque las manos detrás de las axilas con los codos en la vertical de las muñecas, y, haciendo presión con las palmas de las manos, colóquese con las piernas y el torso paralelos al suelo, con las piernas cargadas de energía. Sólo se hallan en contacto con el suelo las manos, los dedos de los pies y las eminencias plantares.

### 3.er paso. Inspiración: *Urdhvamukhasvanasana*

Ruede hacia delante sobre las puntas de los pies, alargando la parte anterior de los tobillos, con las piernas cargadas de energía y sin que toquen el suelo. Presione con las manos y levante el pecho y la cabeza, manteniendo la pelvis cerca del suelo. Los empeines están sobre el suelo y la parte anterior de los tobillos estirada. Sólo se hallan en contacto con el suelo las manos, los tobillos y los pies.

### 4.º paso. Espiración: *Adhomukhasvanasana*

Empujando con las manos, ruede sobre los dedos de los pies para apoyar la planta en el suelo y levante las caderas, con la cabeza y el pecho hacia abajo, y, manteniendo el empuje hacia arriba, forme con el cuerpo una V. Sólo se hallan en contacto con el suelo las manos y los pies. Puede mantener esta postura si lo desea.

### 5.º paso. Inspire

Suavemente, vuelva a posar el cuerpo en el suelo.

# Vinyasa

*Vinyasa* se utiliza para conectar las posturas de suelo en la Serie Preparatoria, lo cual no incluye las posturas de pie e invertidas. No sólo se realiza entre las posturas, sino también entre los dos lados de la misma postura, una por cada pierna. Las posturas no deben mantenerse. Cada movimiento de una postura a la siguiente está exactamente sincronizado o con la inspiración o con la espiración, según se indica.

**1.er paso. Durante la espiración, adopte *Sukhasana***
Cruce las piernas delante de usted sencillamente, sin hacer ningún esfuerzo especial, mientras permanece sentado sobre las nalgas.

**2.º paso. Durante la inspiración, adopte *Urdhvasukhasana***
Mientras mantiene la vista constantemente dirigida al frente, acerque los brazos a los muslos, manteniendo las palmas de las manos en el suelo y trasladando el peso hacia delante, desplazándolo de las nalgas a los pies y a las palmas de las manos.

**3.er paso. Espiración: dé un paso/salto para adoptar *Chaturangadandasana***
Lleve las piernas hacia atrás lo más posible, con los pies separados entre sí la anchura de las caderas, y, flexionando los brazos, colóquese con las piernas y el torso paralelos al suelo, con los codos en la vertical de las muñecas y las piernas cargadas de energía. Sólo se hallan en contacto con el suelo las manos y las eminencias plantares.

**4.º paso. Inspiración: *Urdhvamukhasvanasana***
Ruede hacia delante sobre las puntas de los pies, alargando la parte anterior de los tobillos, con las piernas cargadas de energía y sin que toquen el suelo. Presione con las manos y levante el pecho y la cabeza, manteniendo la pelvis cerca del suelo, con los empeines sobre el suelo, la parte anterior de los tobillos alargada. Sólo se hallan en contacto con el suelo las manos, los tobillos y los pies.

**5.º paso. Espiración: *Adhomukhasvanasana***
Empujando con las manos, ruede sobre los dedos de los pies para apoyar la planta en el suelo y levante las caderas, con la cabeza y el pecho hacia abajo, y, manteniendo el empuje hacia arriba, forme con el cuerpo una V. Sólo se hallan en contacto con el suelo las manos y los pies. Puede mantener esta postura si lo desea.

**6.º paso. Inspiración: dando un paso/salto, adopte *Urdhvasukhasana***
Mientras mantiene la vista constantemente dirigida al frente, acerque los brazos a los muslos, manteniendo las palmas de las manos en el suelo y trasladando el peso hacia delante, desplazándolo de las nalgas a los pies y a las palmas de las manos.

**7.º paso. Espiración: *Sukhasana***
Suavemente, vuelva a posarse sobre las nalgas.

# Vinyasana

*Vinyasana* es la práctica dinámica de una *asana*, o dos *asanas* combinadas. Hace que el cuerpo y la mente profundicen sin el empleo de la fuerza, a medida que se relajan y abren mediante las repeticiones. Las tres *Vinyasanas* siguientes se emplean al comienzo de la Serie de Base. No obstante, pueden utilizarse en cualquier momento en que sus posturas estén indicadas.

### Urdhvahastullola

Alterne entre los dos movimientos siguientes hasta que estén sincronizados sin esfuerzo con su inspiración y su espiración.

Se parte de *Tadasana*
**Mientras inspira** adopte *Urdvahastasana*
Levante los brazos bien pegados a las orejas, con la mirada fija entre las palmas de las manos situadas sobre la cabeza, mientras mantiene la carga de energía en el tronco, las piernas, los pies, los brazos y las manos. Las palmas, enfrentadas, pueden estar o no en contacto.
**Durante la espiración,** vuelva a *Tadasana*
Baje la cabeza dirigiendo la mirada hacia delante mientras baja las palmas de las manos hasta tocar los muslos. Los pies, las piernas, los brazos, las manos y el tronco permanecen todo el tiempo activos, cargados de energía.

### Utktullola

Alterne entre los dos movimientos siguientes hasta que estén sincronizados sin esfuerzo con su inspiración y su espiración.

Se parte de *Tadasana*
**Mientras inspira** adopte *Utktasana*
Flexione las piernas mientras levanta el tronco y los brazos, con las palmas de las manos juntas, siguiendo los brazos con la mirada.
**Durante la espiración,** vuelva a *Tadasana*
Estire las piernas mientras baja las palmas de las manos hasta los costados, con los brazos todavía estirados y llenos de energía, y las piernas, los pies y las manos activos.

## Uttanullola

Alterne entre los dos movimientos siguientes hasta que estén sincronizados sin esfuerzo con su inspiración y su espiración.

Se parte de *Uttanasana*
**Mientras inspira,** adopte *Ardhuttanasana*
Manteniendo la energía en los pies, las piernas y el tronco, extienda la columna vertebral, alargándola, y levante la cabeza, mientras mantiene el abdomen alargado, cóncavo y vacío.
**Durante la espiración,** vuelva a *Uttanasana*
Manteniendo la energía en las piernas y los pies, flexione la columna vertebral sobre las piernas, dirigiendo la cabeza hacia los tobillos, mientras mantiene el abdomen alargado, cóncavo y vacío, bien con las palmas de las manos en el suelo, o bien sobre los tobillos o las espinillas.

# 11

# LAS POSTURAS

Una postura de yoga es mucho más que una forma en el espacio. Aunque estemos familiarizados con muchas de estas formas gracias a la observación de la gimnasia, los deportes, la danza y los juegos infantiles, esa familiaridad es superficial. El yoga requiere una utilización de los músculos bastante distinta de la que se emplea en esas actividades. Normalmente utilizamos la contracción muscular para provocar una reacción física. Los músculos que se alargan lo hacen para equilibrar esas contracciones. En yoga sucede justo lo contrario. Nuestra intención es alargar los músculos: las contracciones se utilizan para sostener y equilibrar este proceso. Sin embargo, es importante recordar que el Hatha Yoga no es una forma esotérica de estiramiento. Aunque el Hatha Yoga aumente la flexibilidad, ése no es su objetivo, sino una mera consecuencia. Buscar el máximo movimiento en una postura de yoga demuestra no haber entendido nada; el resultado puede ser el debilitamiento de los músculos, las articulaciones y los tendones, y el desequilibrio muscular y nervioso. El estiramiento que tiene lugar en el yoga tiene tres propósitos: uno es compensar los músculos tensos; el segundo crear espacio en las articulaciones y entre ellas; y tercero, y más importante, conseguir que cambie el estado del sistema nervioso.

Nuestros músculos están normalmente en un estado, o de contracción, o de extensión compensatoria, o de tono residual. El tono residual ocurre cuando sentimos que un músculo está relajado; pero aún sigue recibiendo impulsos nerviosos. Estos impulsos aseguran que, cuando llegue una orden de contracción, las fibras musculares responderán inmediatamente. En otras palabras, el músculo no está enteramente relajado. Dado que también tenemos *tensión* residual en muchos de nuestros músculos, no usar un músculo no significa necesariamente que se trate de un estado de reposo. El tono y la tensión residuales suponen que nuestro sistema nervioso sensitivomotor está constantemente bajo presión, incluso cuando estamos dormidos. Una de las funciones del Hatha Yoga es acceder al potencial y a la energía del sistema nervioso central. Cuando el sistema nervioso sensitivomotor se halla verdaderamente en reposo, se incrementan las posibilidades de que esto ocurra. Así pues, las posturas de yoga están diseñadas no sólo para liberar la tensión residual que una vida entera de estrés y tensión ha ido acumulando en los músculos, sino también para reducir el tono residual; es decir, para llevarlos a un estado de relajación más profundo. En el momento en que todos los músculos del cuerpo son capaces de relajarse, de abandonar completamente su actividad, por sutil que sea, es cuando el sistema nervioso sensitivomotor puede descansar. Esto significa que, como nuestros sentidos y nuestros músculos voluntarios forman un solo continuo, también pueden descansar nuestros sentidos. Entonces la atención se aparta de los músculos voluntarios y de los sentidos, y se concentra en el sistema nervioso central. Éste es el comienzo del proceso de retirada sensorial, o interiorización de la conciencia, tan fundamental para los objetivos que persigue el Hatha Yoga.

Las posturas descritas en esta sección se emplean en secuencias. Tradicionalmente cada postura no sólo tiene la forma que le es propia, sino también un modo específico para entrar y salir de ella, y también su lugar en una secuencia de posturas que aseguran que está adecuadamente preparada y compensada por ellas. Las instrucciones para cada postura incluyen cómo entrar y salir de ella, la forma básica y sutiles ajustes de la postura, sus efectos y propósitos. Hasta la postura más básica puede provocar tensión muscular si no se enfoca adecuadamente. Por lo tanto, tenga mucho cuidado si decide realizar una postura por separado, fuera de su secuencia. Asegúrese de que no se fuerza a sí mismo, y de que está atento para recibir la información que le devuelve su cuerpo, en vez de dejarse llevar por su entusiasmo mental y sus deseos e intenciones.

No hay mayor protección en el yoga que la conciencia sensible y sincera. Traspasar los propios límites los reducirá, no los expandirá. Es mejor que vuelva con suavidad a su límite actual y permanezca en él durante un cierto tiempo: entonces sus límites se expandirán fácilmente, de modo natural. Pero recuerde que cada día es un nuevo día y es posible que hoy no pueda disponer de su capacidad de ayer. Quizás no haya dormido bien; tal vez esté preocupado, o tenga prisa. Su mente puede reducir su capacidad casi tan fácilmente como lo hace su cuerpo. Esté atento.

Cada postura tiene un nombre sánscrito. Muchos de ellos son palabras compuestas formadas por otras simples que describen las posturas. Algunas reciben el nombre de antiguos yoguis. El sánscrito es la madre de muchas lenguas contemporáneas. Tiene ciertas cualidades que no posee el español*. Una es ser muy flexible y dinámica. Una palabra no tiene un significado único y fijo. El significado exacto de una palabra sánscrita depende de dónde y cómo se usa: de su contexto. Esto le confiere una enorme gama de posibilidades expresivas. También la hace un poco difícil para que transiten por ella los occidentales con una visión estática del lenguaje. Los nombres de las posturas tienen una resonancia vibratoria con las posturas y su efecto. Por consiguiente, aprenderlos es útil. Muchos estudiantes descubren que decir, sencillamente, el nombre de una postura a veces facilita su realización. Se dan traducciones de las palabras sánscritas en el glosario. La pronunciación es compleja. Lo más importante que debe recordarse es que no hay un sonido /a:/ largo, parecido al de la "a" de "caro". *Asana* se pronuncia /aasʌnʌ/ (el sonido vocálico /ʌ/, del que carecen muchas lenguas, como la española, es el de palabras inglesas como *hug* o *come*). El acento normalmente recae en la penúltima sílaba, como sucede en español**.

El propósito inmediato del Hatha Yoga es conseguir una relajación profunda en cada nivel de nuestro ser. Esto, y sólo esto, permite que madure todo nuestro potencial, que nuestra verdadera

---

* "Inglés" en el original. (N. d. T.)
** Texto adaptado del ofrecido en el original, válido sólo en inglés. (N. d. T.)

naturaleza se exprese sin trabas. No es sólo cuestión de encontrar la línea de menor resistencia, sin hacer esfuerzo alguno. La tensión es tan omnipresente y está tan profundamente arraigada en nuestro interior que ni siquiera notamos la mayor parte de ella. Por tanto, ponernos cómodos no es lo mismo que relajarnos. Si lo fuera, hay muchas formas más sencillas que el yoga para "relajarse": la bebida, las drogas, el sexo, el sol. Sin embargo, la relajación que ofrecen estas otras formas es superficial y momentánea. Quizás nos liberen durante un breve lapso de tiempo de nuestras sensaciones de tensión, pero no son suficiente estímulo para liberarnos de tensiones de manera permanente. Para que esto ocurra, se requiere un poco de esfuerzo sensato.

El esfuerzo puede ser de dos clases: constructivo y energizante, o destructivo y agotador. El yoga permite conseguir una relajación genuina gracias a la aplicación del primero. La relajación misma no puede ser impuesta, por más que se desee, por más drogas que se tomen o por más esfuerzos que se hagan. Al contrario: la relajación es un arte. Un arte profundo y difícil. Para liberarnos permanentemente de la tensión residual, debemos dificultar su presencia en nuestro cuerpo. El esfuerzo debe enfocar las tensiones de tal modo que se disuelvan, dejándonos en un estado genuino de relajación. En el Hatha Yoga, claro está, se consigue mediante *asana, vinyasa, bandha, pranayama* y *drushti*.

Esto significa que, hagamos lo que hagamos, no debemos crear tensión. Nuestra brújula para guiar nuestra práctica de modo que no refuerce o genere tensión es el núcleo del cuerpo. El **núcleo del cuerpo**, que *incluye el suelo pélvico, la parte frontal de la columna vertebral, la garganta, la cara y el cerebro*, debe siempre estar pasivo, relajado, receptivo. Debe tenerse especial cuidado para mantener el ano, el ombligo y la mandíbula completamente relajados. Nuestras acciones deben utilizar el esfuerzo prudentemente, hasta que produzcan un estado de facilidad, de que no cuesta esfuerzo realizarlas. Esto ocurre cuando cada acción individual, sostenida tan sólo por el esfuerzo justo que requiere, se combina

con todas las demás para crear un estado integrado que se siente como algo fácil: completamente estable, y completamente cómodo; o sea, esfuerzo sin esfuerzo. Aprender el significado del esfuerzo sin esfuerzo significa aprender a reconocer y descubrir nuestro límite.

Para sostener este proceso sólo necesitamos aplicar una sensibilidad sincera a lo que estemos haciendo. Algo que no puede ocurrir si estamos intentando alcanzar una meta preestablecida, sin reparar en nuestro estado ni en nuestra capacidad: una sutil forma de violencia que nos agotará y nos frustrará más pronto o más tarde. En vez de eso, debemos intentar enfocar nuestra práctica abiertamente, como una exploración del territorio: nosotros mismos, exactamente como somos. Forma parte de la naturaleza de la vida que lo que llega a ser plenamente cambia y, en este cambio, crece. No tenemos que forzar el cambio en nosotros mismos. Es inevitable. Podemos, sin embargo, favorecerlo u obstaculizarlo. Para que crezca o decaiga. El yoga consiste en aprender a favorecerlo en cada aspecto de nuestras vidas. Por consiguiente, es vital que en nuestra práctica del yoga no lo obstaculicemos, traspasando nuestro límite, o rindiéndonos antes de alcanzarlo.

Cada postura es diferente de todas las demás. Sin embargo, hay también una unidad entre ellas, que consiste en el modo en que las enfocamos y en el efecto que ejercen sobre nuestra energía, nuestro estado mental y nuestra conciencia. Más que enfocarlas desde las diferencias superficiales, intentamos hacerlo desde el núcleo central: desde nuestra conciencia, desde nuestra respiración, desde el núcleo del cuerpo. Aunque estemos utilizando ajustes musculares, los orquestamos con un tema más sutil. Mientras adoptamos la postura, extendemos nuestra conciencia desde nuestro centro más profundo a cada parte del cuerpo. Este proceso crea una dinámica interna, un flujo de atención y energía desde el centro hacia la periferia. De esta dinámica nosotros utilizamos los ajustes musculares. Cuanto más profundo sea el lugar desde el que se comience, más uniforme y plenamente se liberará la energía hacia el exterior, y menos tendremos que considerar los detalles musculares. Enfocando el todo desde el centro, las partes se cuidarán por sí solas. Por supuesto, todo ello depende de que la calidad de la conciencia sea refinada y estable, y de una aguda sensibilidad a lo que esté sucediendo como resultado de lo que se esté haciendo. Esto tarda en florecer. Tenga paciencia. Pero, al mismo tiempo, también permitimos a nuestra conciencia que nos devuelva de la periferia al centro. De modo que, mientras intentamos iniciar desde nuestro centro, siempre hay un flujo de energía y conciencia complementario, de soporte, que se dirige hacia dentro igual que hacia fuera.

La clave para esta dinámica creativa es la energía de los *bandhas*. Cargando de energía todo el cuerpo, desde el núcleo a la periferia, las exigencias estructurales de la forma que estamos adoptando conseguirán establecer los sutiles ajustes de *asana*. Este proceso requiere una espiral de energía en el tronco y las extremidades: la acción de los *bandhas*. Depende de la profundidad de la conciencia. A medida que nuestra conciencia se haga más profunda, se aclare, se abra más, se haga más directa, dependeremos cada vez menos de los conocimientos y de la comprensión de *Asana* y sus técnicas que hemos ido acumulando, porque estaremos experimentándola. Entonces comenzaremos a descubrir que cualquier postura, si incorpora *Asana*, es suficiente, es yoga.

Cuánto tiempo hay que permanecer en una postura lo determina uno mismo, y varía de día en día. Tómese su tiempo entrando en postura con claridad, precisión y sensibilidad. Luego tómese tiempo para quedarse quieto en la postura, afrontando su tensión y sus límites con cuidado y conscientemente. Luego deshaga la postura deliberadamente, con la misma claridad, precisión y sensibilidad con la que entró en ella. Al comienzo, a lo mejor le gusta contar respiraciones en una postura, para establecer un ritmo. Cuántas depende de su capacidad respiratoria, que variará cada día y con cada postura. Sin embargo, no se haga dependiente de contar como forma de medición. Puede convertirse fácilmente en un modo de evitar

el afrontar sus límites con sinceridad. Deje que sea su cuerpo, y no su mente, quien le diga cuándo se ha hecho en la postura el trabajo que usted es actualmente capaz de hacer. El cuerpo lo sabe.

Las posturas no deben mantenerse más tiempo si se empieza a temblar y no se puede encontrar ningún ajuste que lo calme. Ni deben mantenerse si en cualquier parte del cuerpo se presenta una tensión irresistible. Las posturas de suelo, incluyendo las inversiones, serán mucho más beneficiosas si se queda en ellas más tiempo del que sienta que es suficiente. La primera vez que crea que debe dejarlo, continúe. Y la segunda. Salga de la postura a la tercera. De este modo es menos probable que salga corriendo ante las dificultades o retos que la postura les está presentando a sus tensiones estructurales y a sus limitaciones impuestas.

Las posturas de yoga de este libro mantienen relaciones muy exactas entre ellas. Depende en gran medida de la secuencia de posturas dentro de la cual se practican. Si las posturas se practican en las secuencias descritas, no sólo serán más fáciles de asimilar, sino que, al combinarse, reforzarán, mejorarán y profundizarán sus respectivos efectos. Exactamente por la misma razón, todas las posturas, con la excepción de las de pie e invertidas, deben estar vinculadas con una *vinyasa*, tanto en la Serie de Base como en la Preparatoria. Hay diversas opciones, que se destacan en la Parte IV. Sin embargo, descubrirá que, en un momento dado, una *vinyasa* funcionará, para usted, mejor que otra.

Por tanto, obviamente, es importante que se familiarice con las opciones de *vinyasa* antes de practicar las Series de Base y Preparatoria. Después del Resumen y al final de las instrucciones detalladas para cada postura, se indica cuál es la siguiente. El número es el de la Postura, no el de la página. Cuando se usa una postura en más de una Serie, las distintas opciones para la siguiente postura se indican mediante símbolos diferentes: ✳ para la Serie de Apaciguamiento, ■ para la Serie de Base, y ● para la Serie Preparatoria.

# El arte de la relajación

Siempre que acabamos una sesión, terminamos en la misma postura: *Savasana*. Es la postura más difícil de todas. Sencillamente nos tumbamos inmóviles y relajados. Pero ya no podemos usar las técnicas de *asana, vinyasa, bandha, pranayama;* sólo nos queda *drushti* para ayudarnos en nuestra relajación. Esto hace extremadamente difícil abandonarnos, y nos dejamos arrastrar a una confusión de fantasías y recuerdos que nos distrae. Debemos resistirnos a que esto ocurra, firme pero suavemente. Debe darse tiempo a *Savasana* para que nos facilite una transición suave de la práctica a la vida. Los efectos de la práctica son profundos y nos afectan a todos los niveles. Deje tiempo para que todo se asiente y encuentre su nuevo lugar, el latido cardíaco, la respiración, las hormonas... Vaya recorriendo lentamente el cuerpo según se relaja, sintiendo las cambiantes sensaciones interiores. Concediendo especial atención al núcleo del cuerpo (ver pág. 98), deje que cada parte del organismo se relaje a su debido tiempo y en su propia secuencia.

Esto no siempre coincidirá. Deje que esas partes se liberen fácil y rápidamente para estimular y sostener la liberación de las que no lo hacen. Sienta todo lo que ocurre dentro de usted mientras su cuerpo se suelta, dejando que la conciencia se sintonice con sensaciones y energías cada vez más sutiles. Sienta cómo se relajan los músculos, cómo se alargan las fibras, cómo se abren los tejidos. Sienta el aliento en las fosas nasales, en la garganta, en los pulmones; al respirar, sienta el movimiento del abdomen, del tórax, de las vértebras, de las axilas, de las clavículas, del esternón, de las ingles, del suelo pélvico. Sienta el flujo sanguíneo; las sensaciones de movimiento; la presión, la temperatura; un cambio de cualquier tipo. Deje que su conciencia sea absorbida completamente por las infinitas sensaciones de su cuerpo que se abandona. Deje que su conciencia impregne completamente su cuerpo. Hasta que no haya parte de su conciencia que no esté dentro de su cuerpo, ni parte alguna de su cuerpo que no abarque su conciencia. A medida que aprenda a aplicar esta calidad de conciencia en *Savasana,* será capaz de aplicarla también en las otras *Asanas.*

# Núm. 1 Savasana

## *La postura del muerto*

Esta postura de base, con todo el cuerpo inmóvil y relajado, recuerda la de un cadáver. Se utiliza siempre como última *Asana,* y a veces también en otros momentos. Permite, más que ninguna otra, el apaciguamiento completo del núcleo del cuerpo. A medida que se familiarice con *Savasana,* podrá liberarse de la tensión superficial del cuerpo muy rápidamente y entrar a voluntad en un estado de relajación física. Proporciona un estado de sosiego tranquilo y alerta: pone la mente en contacto directo con el cuerpo, sin la distracción de la actividad, y la enfoca hacia un estado de meditación.

**RESUMEN**
Deje que el cuerpo se hunda sin esfuerzo alguno en sí mismo y en el suelo mientras usted se concentra en todas sus cambiantes sensaciones internas. ✴

1   Échese sobre la espalda, con el cuerpo simétrico, las palmas de las manos vueltas hacia arriba y los brazos ligeramente separados del cuerpo.

2   Desde la parte de atrás del cráneo, alargue con suavidad el cuello y la garganta, y separe los hombros del cráneo.

3   Alargue la cintura separando las nalgas del tronco, dejando que, al relajarla, la parte baja de la espalda se dirija hacia el suelo, sin empujar hacia abajo con la columna vertebral.

4   Imaginando que se hunde en el suelo, relaje todo el cuerpo, sintiendo cómo los huesos se vuelven pesados mientras que los músculos se aligeran.

5   Dirija la conciencia a la superficie del cuerpo, a su contacto con la ropa, el aire y el suelo. Después, diríjala hacia su interior, sintiendo cómo se relaja y funde todo el cuerpo, hasta sentirse ligero, abierto y en calma.

6   Sienta cómo va relajándose todo el cuerpo; conceda un tiempo especial a la relajación de los músculos de la mandíbula, la parte baja de la espalda, el suelo pélvico y el abdomen.

7   Siga dejando que su conciencia fluya blandamente por todo el cuerpo, del núcleo a la periferia, de la periferia al núcleo: desde la superficie a las profundidades, de las profundidades a la superficie. Deje que su conciencia se haga presente en cada parte del cuerpo, animándolo a relajarse, aligerarse, abrirse.

8   Sienta continuamente todas las cambiantes sensaciones interiores mientras la mente se relaja y se abre al unísono con todo el cuerpo. Mantenga este estado el tiempo que desee. ✴

# Núm. 2 Suptahastullola

*Ola de brazos en decúbito supino*

Se trata de una combinación dinámica de *Savasana* y *Suptahastasana* en la cual los brazos se mueven al compás de la respiración, fluyendo libremente y sin esfuerzo como una ola. Estimula los brazos, las manos y las articulaciones de los hombros, e inicia la sincronización entre cuerpo y respiración, armonizando la actividad anatómica y fisiológica. Enseña la relación existente entre el movimiento de los brazos y el pecho y el abdomen, y por tanto, los *bandhas*.

**RESUMEN**

Echado sobre la espalda y manteniendo *Uddiyana* y *Mulabandha* mientras conserva los brazos cargados de energía, levántelos alternativamente por encima de la cabeza al inspirar, y vuélvalos a ambos lados del cuerpo al espirar, exactamente al compás de la respiración.

1   Échese sobre el suelo en *Savasana*.

2   **Durante la inspiración,** ensanche el borde costal y absorba el plexo solar hacia dentro y hacia arriba, de manera que el pecho se active, se ensanche y se llene, mientras el abdomen se mantiene pasivo, alargado y vacío (*Uddiyanabandha*), y aplane su parte púbica, absorbiendo el perineo y el sacro hacia dentro, con el ano relajado (*Mulabandha*).

3   **Durante la espiración,** rotándolas, baje las palmas de las manos hasta el suelo, alargue los brazos, ensanche las palmas y alargue los dedos. Al mismo tiempo, ensanche las eminencias plantares (partes carnosas de los pies), presione entre sí las caras internas de los tobillos y contraiga los músculos de los muslos, de modo que las piernas se carguen y se estiren.

4   Manteniendo la carga energética en las piernas, los pies, las manos y los brazos, **inspire** lentamente y levante los brazos pasando junto a las orejas hasta tocar en el suelo por encima de la cabeza. Sincronice este movimiento exactamente con su **inspiración**.

5   Sin detenerse, **espire** lentamente y, manteniendo la carga en las piernas, los pies, las manos y los brazos, baje los brazos de nuevo a la posición inicial (**2**). Sincronice este movimiento exactamente con la **espiración**.

6   Continúe alternando entre estos dos movimientos, hasta que estén exactamente sincronizados con su respiración, manteniendo la carga energética en las piernas y relajado el núcleo del cuerpo. ✴

# Núm. 3 Suptapadullola

*Ola de piernas en decúbito supino*

Se trata de una combinación dinámica de *Savasana* y *Suptaikapadasana* en la cual las piernas se mueven al compás de la respiración, fluyendo libremente y sin esfuerzo como una ola. Estimula las piernas, los pies y las articulaciones de las caderas, y la sincronización entre cuerpo y respiración, armonizando la actividad anatómica y fisiológica.

### RESUMEN

Echado sobre la espalda, mientras mantiene *Uddiyana* y *Mulabandha*, alternativamente levante (al espirar) y baje (al inspirar) cada pierna bien estirada, exactamente al compás de la respiración. ✳

1   Échese sobre el suelo en *Savasana*.

2   **Durante la espiración,** contraiga los músculos de los muslos y, ensanchando las (partes carnosas de los pies), active los gemelos. Al mismo tiempo, alargue las caras frontal e interna del tobillo y el tendón de Aquiles, de manera que el pie esté activo y la articulación del tobillo uniformemente abierta.

3   **Durante la inspiración,** ensanche el borde costal y absorba el plexo solar hacia dentro y hacia arriba, de manera que el pecho se active, se ensanche y se llene, mientras el abdomen se mantiene pasivo, alargado y vacío (*Uddiyanabandha*), y aplane su parte púbica, absorbiendo el perineo y el sacro hacia dentro, con el ano relajado (*Mulabandha*).

4   **Mientras espira** y sus pulmones se vacían, levante una pierna bien estirada, hasta que llegue exactamente al punto más alto que sienta cómodo.

5   **Mientras inspira,** baje la pierna estirada de nuevo hasta el suelo, de modo que toque el suelo exactamente cuando sus pulmones estén llenos.

6   **Durante la espiración,** levante la otra pierna como en **4**.

7   **Durante la inspiración,** baje la otra pierna como en **5**.

8   Continúe alternando entre estos dos movimientos, hasta que estén exactamente sincronizados con la respiración. Mantenga las dos piernas cargadas de energía y estiradas durante toda la práctica, y el núcleo del cuerpo relajado.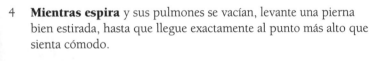

# Núm. 4 Bhujadhanurasana

*El Arco sobre los hombros*

Se trata de una postura dinámica que implica a todo el cuerpo. Trabaja sobre la columna vertebral como una suave extensión de la espalda. Debe ponerse cuidado para conservar relajada la parte baja de la espalda, manteniendo los pies firmes. Establece el uso de la base para elevar y soportar todo el cuerpo; estimula la columna y abre el pecho; sincroniza el movimiento corporal con la respiración, y armoniza la actividad anatómica y fisiológica.

**RESUMEN**

Echado sobre la espalda con los pies recogidos junto a las nalgas, mientras se mantienen *Uddiyana* y *Mulabandha,* alternativamente levante el tronco del suelo mientras inspira y vuelva a bajarlo mientras espira. Mantenga las manos y los pies presionando firmemente contra el suelo durante toda la práctica, con el núcleo del cuerpo relajado.

1    Échese sobre el suelo en *Savasana*.

2    **Durante la espiración,** acerque los talones a las nalgas, manteniendo los pies paralelos y los talones en línea con los isquiones.

3    **Durante la inspiración,** ensanche el borde costal y absorba el plexo solar hacia dentro y hacia arriba, de manera que el pecho se active, se ensanche y se llene, mientras el abdomen se mantiene pasivo, alargado y vacío (*Uddiyanabandha*), y aplane su parte púbica, absorbiendo el perineo y el sacro hacia dentro, con el ano relajado (*Mulabandha*).

4    **Espiración:** presione la base formada por los pies, las manos y los hombros contra el suelo, mientras mantiene *Uddiyanabandha* y *Mulabandha*.

5    **Inspiración:** manteniendo activa la base, *Uddiyanabandha* y *Mulabandha,* levante las nalgas y la columna vertebral separándolas lentamente del suelo al compás de la inspiración.

6    **Espiración:** manteniendo activa la base, *Uddiyanabandha* y *Mulabandha,* baje primero la columna vertebral y luego las nalgas hasta el suelo al compás de la espiración.

7    Continúe alternando entre la elevación del cuerpo **mientras inspira** y el descenso **mientras espira** hasta que el movimiento del cuerpo esté sincronizado exactamente con su respiración. Mantenga las manos y los pies presionando firmemente contra el suelo durante todo el ejercicio, con el núcleo del cuerpo relajado.

Una vez que se haya establecido la sincronización, puede permanecer un cierto tiempo en la posición elevada, respirando libremente con los *bandhas*. Aprovechando una **espiración,** relaje la postura bajando el cuerpo hasta el suelo.

# Núm. 5 Suptaikapadaparivrttasana

*Torsión en decúbito supino*

Esta postura proporciona una suave torsión de la columna vertebral y los músculos de la espalda, al mismo tiempo que los relaja. Es contrapostura de *Bhujadhanurasana* y de todas las extensiones de la columna vertebral y sirve de preparación para la torsión en posición de sentado y para las flexiones. Enseña con claridad el papel de la oposición en la relación entre la rodilla flexionada y su hombro respectivo.

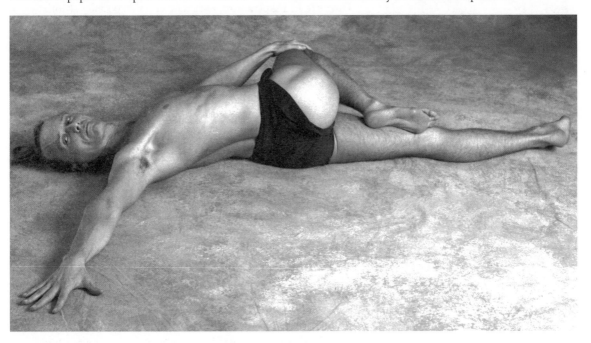

**RESUMEN**

Echado sobre la espalda, reflexione una pierna colocando el pie junto a la otra rodilla y gire la columna vertebral y la rodilla levantada hacia la pierna estirada, haciendo torsión con la columna vertebral.

Aumente la torsión con la mano sobre la rodilla flexionada, mientras dirige la mirada en la dirección contraria. ✳️64

1   Échese sobre el suelo en *Savasana*.

2   **Durante la inspiración,** ensanche el borde costal y absorba el plexo solar hacia dentro y hacia arriba, de manera que el pecho se active, se ensanche y se llene, mientras el abdomen se mantiene pasivo, alargado y vacío (*Uddiyanabandha*), y aplane su parte púbica, absorbiendo el perineo hacia dentro, con el ano relajado (*Mulabandha*).

3   **Durante la espiración,** flexione la pierna derecha y coloque el pie, con toda la planta apoyada en el suelo, de modo que toque el interior de la pierna izquierda.

4   **Inspiración:** extienda los brazos lateralmente con las palmas de las manos hacia abajo, perpendiculares a la columna vertebral.

5   **Espiración:** levante la cadera izquierda ligeramente, separándola del suelo, y cruce con la rodilla derecha la línea del cuerpo hacia el suelo a su izquierda, al mismo tiempo que desplaza la cadera izquierda hacia abajo y hacia atrás.

6   **Inspiración:** aclare los *bandhas* y coloque la mano izquierda con suavidad en la rodilla derecha mientras, simultáneamente, extiende el brazo derecho sintiendo cómo se estira desde la axila, presionando el hombro derecho contra el suelo y dirigiendo la vista a esa mano.

7   **Espiración:** aplique suavemente el peso del brazo izquierdo a la rodilla derecha para que ésta se acerque al suelo. No deje que el hombro derecho se levante o perderá la torsión de la columna.

Después de permanecer en esta posición un cierto tiempo, relaje la postura y repita por el otro lado. ✦

# Núm. 6 Tadasana

*Postura de la montaña*

Se trata de la postura de pie fundamental que se usa para centrarse antes y después de otras posturas de pie. Revela con claridad el estado actual de nuestra alineación corporal y nuestros desequilibrios. Puede mantenerse todo el tiempo que se desee. Centra el cuerpo, la energía y la mente, y estimula la inteligencia somática, especialmente en los pies, los tobillos y las piernas. Es una de las posturas de *Suryanamaskar.*

**RESUMEN**

De pie, bien erguido, con los pies juntos, activando los *bandhas;* cargue de energía las piernas, los pies, los brazos y las manos. Dirija la mirada hacia delante manteniendo el núcleo del cuerpo relajado, con respiración rítmica *Ujjayi.* **7**

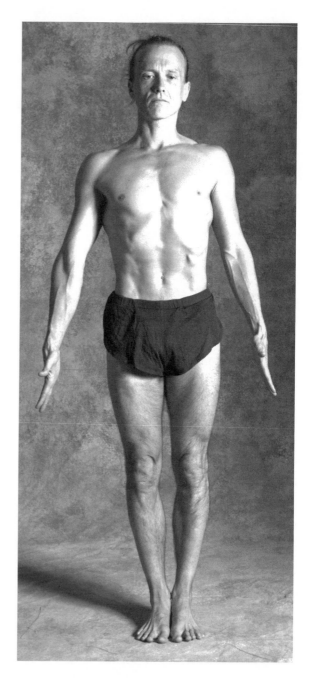

1   Póngase de pie bien erguido con los pies juntos y, si es posible, con la cara interna del tobillo y la base del dedo gordo en contacto. Si no, mantenga los pies paralelos entre sí, tan cerca uno de otro como pueda.

2   Reparta uniformemente el peso del cuerpo entre los dos pies, de modo que las eminencias plantares y los talones, los bordes externos y los arcos plantares soporten el mismo peso. Mantenga en estrecho contacto las caras internas de los tobillos, de manera que no se desplacen ni hacia delante ni hacia atrás. Sienta la presión que ejercen los cuatro extremos de cada pie –yemas de los dedos gordos y de los dedos meñiques y los ángulos internos y externos de los talones– con los arcos plantares elevados.

3   **Durante la espiración,** contraiga los músculos de los muslos, de manera que la parte posterior de las rodillas se abra uniformemente y las rótulas se centren. Así las rótulas se ajustarán automáticamente.

4   **Durante la inspiración,** aleje las axilas de las caderas, ensanche el borde costal y absorba el plexo solar hacia dentro y hacia arriba, de manera que el pecho se active, se ensanche y se llene, mientras el abdomen se mantiene pasivo, alargado y vacío (*Uddiyanabandha*), y, manteniendo relajado el suelo pélvico, levante suavemente los iliones y active la parte inferior del abdomen, de modo que se aplane y ensanche mientras se elevan el sacro y el perineo, con el ano relajado (*Mulabandha*).

5   **Durante la espiración,** alargue el cuello alejándolo de los hombros, relajando éstos al separarlos de las orejas, mientras aparta los brazos de las axilas, con un movimiento de ligera torsión en espiral, de modo que se alarguen y carguen de energía con los bíceps girando hacia fuera y las muñecas frente a los muslos.

Mantenga la carga energética en los pies, las piernas, el abdomen, el pecho, los brazos y las manos, mientras fija la mirada al frente, con el núcleo del cuerpo relajado, con respiración rítmica Ujjayi, hasta que se sienta preparado para relajar la postura aprovechando una **espiración.** **7**

# Núm. 7 Urdhvahastasana

*Postura con los brazos levantados*

Esta postura es una continuación de *Tadasana*. Permite la apertura completa del tórax y estimula la inspiración. Puede usarse junto con *Tadasana* entre las posturas de pie para restablecer la sincronización entre cuerpo y respiración. **Puede combinarse dinámicamente con *Tadasana* para desarrollar la sincronización exacta entre cuerpo y respiración.** Al abrir el pecho, aclara la acción de *Uddiyanabandha*. Enseña la relación existente entre el movimiento de los brazos, y el pecho y el abdomen, y por tanto, los *bandhas*. Es una de las posturas de *Suryanamaskar*.

### RESUMEN

De pie, bien erguido, mirando a lo largo de los brazos elevados por encima de la cabeza, con las palmas de las manos enfrentadas o en contacto. Mantenga los pies juntos, activando los *bandhas,* cargue de energía las piernas y los brazos, manteniendo el núcleo del cuerpo relajado, con respiración rítmica *Ujjayi*.

1   Póngase de pie bien erguido con los pies juntos y, si es posible, con la cara interna del tobillo y la base del dedo gordo en contacto. Si no, mantenga los pies paralelos entre sí, tan cerca uno de otro como pueda.

2   Reparta uniformemente el peso del cuerpo entre los dos pies, de modo que las eminencias plantares y los talones, los bordes externos y los arcos plantares soporten el mismo peso. Mantenga en estrecho contacto las caras internas de los tobillos, de manera que no se desplacen ni hacia delante ni hacia atrás. Sienta la presión que ejercen los cuatro extremos de cada pie –yemas de los dedos gordos y de los dedos meñiques y los ángulos internos y externos de los talones– con los arcos plantares elevados.

3   **Durante la espiración,** contraiga los músculos de los muslos, de manera que la parte posterior de las rodillas se abra uniformemente y las rótulas se centren. Así las rótulas se ajustarán automáticamente.

4   **Durante la inspiración,** aleje las axilas de las caderas, ensanche el borde costal y absorba el plexo solar hacia dentro y hacia arriba, de manera que el pecho se active, se ensanche y se llene, mientras el abdomen se mantiene pasivo, alargado y vacío (*Uddiyanabandha*), y, manteniendo relajado el suelo pélvico, levante suavemente las caderas y active la parte inferior del abdomen, de modo que se aplane y ensanche mientras se elevan el sacro y el perineo, con el ano relajado (*Mulabandha*).

5   **Espiración:** alargue el cuello alejándolo de los hombros, relajando éstos al separarlos de las orejas, mientras aparta los brazos de las axilas con un movimiento de ligera torsión en espiral de modo que se alarguen y carguen de energía con los bíceps girando hacia fuera, y las muñecas frente a los muslos.

6   **Inspiración:** manteniendo su dinámica interna, levante los brazos por encima de la cabeza, junto a las orejas, echando atrás la cabeza para mirar hacia arriba.

Mantenga la posición mientras fija la mirada en las palmas de las manos, conservando los *bandhas* con el núcleo del cuerpo relajado, respire suave y rítmicamente, manteniendo la carga en los brazos y las piernas hasta que se sienta preparado para relajar la posición aprovechando una **espiración** para bajar los brazos y la cabeza.

Si lo combina dinámicamente con *Tadasana*: **mientras espira** adopte *Tadasana*; **mientras inspira,** *Urdhvahastasana*.

# Núm. 8 Utktasana

*Postura de la silla*

Se trata de una postura dinámica y potente que genera calor con gran rapidez. Recuerda la posición que adoptamos al sentarnos en una silla. Desarrolla la fuerza de los músculos anteriores de los muslos y hace que descansen los tendones de las corvas. **Puede combinarse dinámicamente con *Tadasana* o con *Ardhuttanasana* para desarrollar la sincronización exacta entre el cuerpo y la respiración.** Enseña la importancia de utilizar la parte ósea del tobillo para conseguir equilibrio en las piernas. Es una de las posturas de *Suryanamaskar*.

**RESUMEN**

De pie, bien erguido, con los pies juntos, flexione las piernas, manteniendo activos los pies, hasta que los muslos queden paralelos al suelo; al mismo tiempo, levante los brazos por encima de la cabeza, con las palmas de las manos en contacto.

Mantenga los *bandhas,* con el abdomen alargado, cóncavo y vacío, el pecho amplio y pleno, conservando el núcleo del cuerpo relajado, con respiración rítmica *Ujjayi.* **10** **16**

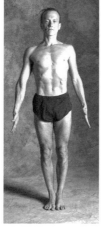

1   Póngase de pie bien erguido con los pies juntos y, si es posible, con la cara interna del tobillo y la base del dedo gordo en contacto. Si no, mantenga los pies paralelos entre sí, tan cerca uno de otro como pueda.

2   Reparta uniformemente el peso del cuerpo entre los dos pies, de modo que las eminencias plantares y los talones, los bordes externos y los arcos plantares soporten el mismo peso. Mantenga en estrecho contacto las caras internas de los tobillos, de manera que no se desplacen ni hacia delante ni hacia atrás. Sienta la presión que ejercen los cuatro extremos de cada pie –yemas de los dedos gordos y de los dedos meñiques y los ángulos internos y externos de los talones– con los arcos plantares elevados.

3   **Durante la inspiración,** ensanche el borde costal y levante los brazos por encima de la cabeza, con las palmas de las manos unidas y siguiéndolas con la mirada, mientras absorbe el plexo solar hacia dentro y hacia arriba, de manera que el pecho se active, se ensanche y se llene, mientras el abdomen se mantiene pasivo, alargado y vacío (*Uddiyanabandha*), y, manteniendo relajado el suelo pélvico, levante suavemente los iliones y active la parte inferior del abdomen, de modo que se aplane y ensanche mientras se elevan el sacro y el perineo (*Mulabandha*).

4   **Durante la espiración,** flexione las piernas, manteniendo juntos los tobillos hasta que los muslos estén tan paralelos al suelo como sea posible.

Mantenga la postura con los tobillos estables, los pies y los *bandhas* activos y el núcleo del cuerpo relajado, hasta que se sienta preparado para relajar la posición aprovechando una **espiración** para adoptar *Tadasana*.

Después de un cierto tiempo, los pasos **3** y **4** pueden combinarse en un solo movimiento durante la **inspiración**.

Si se combina dinámicamente con *Tadasana*: **mientras inspira** adopte *Utktasana*; **mientras espira,** *Tadasana*.  **10**  **16**

# Núm. 9 Ardhuttanasana

*Postura de la mirada fija*

Esta postura es una preparación para la flexión *Uttanasana*. Ayuda a asegurar que la columna vertebral está alargada antes de llegar a las piernas. **Puede combinarse dinámicamente con *Uttanasana* para desarrollar la sincronización exacta entre el cuerpo y la respiración.** Alarga la columna vertebral separándola de la pelvis basculada, estimula la inspiración y aclara la acción ejercida por los pies y las piernas. Es una de las posturas de *Suryanamaskar*.

**RESUMEN**

Con la pelvis basculada sobre la parte superior de los muslos, las manos en el suelo o sobre las espinillas, los pies activos, las piernas fuertes y estiradas, mantenga los *bandhas* y alargue la columna vertebral hacia delante y hacia arriba mientras dirige la mirada hacia delante. Conserve el núcleo del cuerpo relajado, con respiración rítmica *Ujjayi*.

1  Póngase de pie bien erguido con los pies juntos y, si es posible, con la cara interna del tobillo y la base del dedo gordo en contacto. Si no, mantenga los pies paralelos entre sí, tan cerca uno de otro como pueda.

2  Reparta uniformemente el peso del cuerpo entre los dos pies, de modo que las eminencias plantares y los talones, los bordes externos y los arcos plantares soporten el mismo peso. Mantenga un contacto fuerte y claro entre las caras internas de los tobillos, de manera que no se desplacen ni hacia delante ni hacia atrás. Sienta la presión que ejercen los cuatro extremos de cada pie –yemas de los dedos gordos y de los dedos meñiques y los ángulos internos y externos de los talones– con los arcos plantares elevados.

3  **Durante la espiración,** contraiga los músculos de los muslos, de manera que la parte posterior de las rodillas se abra uniformemente y las rótulas se centren. Así las rótulas se ajustarán automáticamente.

4  **Durante la inspiración,** aleje las axilas de las caderas, ensanche el borde costal y absorba el plexo solar hacia dentro y hacia arriba, de manera que el pecho se active, se ensanche y se llene, mientras el abdomen se mantiene pasivo, alargado y vacío (*Uddiyanabandha*), y, manteniendo relajado el suelo pélvico, levante suavemente los iliones y active la parte inferior del abdomen, de modo que se aplane y ensanche mientras se elevan el sacro y el perineo, con el ano relajado (*Mulabandha*).

5  **Espiración:** manteniendo los pies activos y las piernas estiradas y fuertes, bascule la pelvis sobre la parte superior de los muslos llevando las palmas de las manos hasta el suelo a ambos lados de los pies, o sobre las espinillas.

6  **Inspiración:** levante la cabeza para fijar la mirada hacia delante, y, aclarando los *bandhas,* alargue la columna vertebral y levante y abra el pecho.

Mantenga la posición con el pecho amplio y pleno, el abdomen alargado, cóncavo y vacío, el núcleo del cuerpo relajado, los pies activos, las piernas fuertes, la columna y el pecho elevados. Cuando se sienta preparado para relajar la posición, **mientras inspira** adopte *Utktasana* flexionando las piernas y elevando los brazos, con las palmas de las manos juntas, por encima de la cabeza.

**Durante la espiración,** estire las piernas y baje los brazos para adoptar *Tadasana.*

Si la utiliza dinámicamente con *Uttanasana:* **mientras inspira** adopte *Ardhuttanasana;* **durante la espiración,** *Uttanasana.*

Si la utiliza dinámicamente con *Utktasana:* **mientras inspira** adopte *Ardhuttanasana;* **durante la espiración,** *Utktasana.*

# Núm. 10 Uttanasana

*Postura de estiramiento intenso*

Esta postura es una flexión del torso muy intensa.
**Puede combinarse dinámicamente con**
***Tadasana* o con *Ardhuttanasana* para**
**desarrollar la sincronización exacta entre el**
**cuerpo y la respiración.** Libera la columna
vertebral y la pelvis, y estimula las piernas y los
tobillos, desarrolla el equilibrio y fomenta la
interiorización. Hace difícil mantener
*Uddiyanabandha.* Enseña el crucial papel de las
piernas en las flexiones del torso y la importancia
que tienen los tobillos en esa función. Sirve de
preparación para *Sirsasana.* Es una de las posturas
de *Suryanamaskar.*

### RESUMEN

Con la pelvis basculada sobre la parte superior de
los muslos, los pies activos, las piernas fuertes y
estiradas, mantenga los *bandhas* con el abdomen
alargado, cóncavo y vacío, el pecho amplio y pleno,
y estire la columna vertebral a lo largo de las piernas.
Mantenga el núcleo del cuerpo relajado, con
respiración rítmica *Ujjayi.* **12** **8**

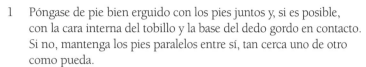

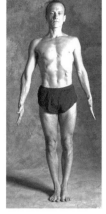

1   Póngase de pie bien erguido con los pies juntos y, si es posible, con la cara interna del tobillo y la base del dedo gordo en contacto. Si no, mantenga los pies paralelos entre sí, tan cerca uno de otro como pueda.

2   Reparta uniformemente el peso del cuerpo entre los dos pies, de modo que las eminencias plantares y los talones, los bordes externos y los arcos plantares soporten el mismo peso. Mantenga en estrecho contacto las caras internas de los tobillos, de manera que no se desplacen ni hacia delante ni hacia atrás. Sienta la presión que ejercen los cuatro extremos de cada pie –yemas de los dedos gordos y de los dedos meñiques y los ángulos internos y externos de los talones– con los arcos plantares elevados.

3   **Durante la espiración,** contraiga los músculos de los muslos, de manera que la parte posterior de las rodillas se abra uniformemente y las rótulas se centren. Así las rótulas se ajustarán automáticamente.

4   **Durante la inspiración,** aleje las axilas de los huesos de las caderas, ensanche el borde costal y absorba el plexo solar hacia dentro y hacia arriba, de manera que el pecho se active, se ensanche y se llene, mientras el abdomen se conserva pasivo, alargado y vacío (*Uddiyanabandha*), y, manteniendo relajado el suelo pélvico, levante suavemente las caderas y active la parte inferior del abdomen, de modo que se aplane y ensanche mientras se elevan el sacro y el perineo, con el ano relajado (*Mulabandha*).

5   **Espiración:** manteniendo los pies activos, y las piernas estiradas y fuertes, bascule la pelvis sobre la parte superior de los muslos y lleve las palmas de las manos hasta el suelo a ambos lados de los pies, o sobre las espinillas.

6   **Inspiración:** levante la cabeza para fijar la mirada hacia delante y, aclarando los *bandhas,* alargue la columna vertebral y levante y abra el pecho.

7   **Espiración:** flexione los brazos y estire la columna vertebral a lo largo de las piernas, dirigiendo la barbilla hacia los pies.

Mantenga la postura con el pecho amplio y pleno, el abdomen alargado, cóncavo y vacío, los pies activos, las piernas fuertes, la columna y el pecho elevados. Para relajar la posición, **mientras inspira** adopte *Utktasana* flexionando las rodillas y levantando los brazos por encima de la cabeza, con las palmas de las manos juntas, y luego, **durante la espiración,** estire las piernas, bajando los brazos para adoptar *Tadasana*.

Si la utiliza dinámicamente con *Ardhuttanasana:* **mientras inspira** adopte *Ardhuttanasana,* y **durante la espiración,** *Uttanasana*.

Si la utiliza dinámicamente con *Utktasana:* **mientras inspira** adopte *Utktasana,* y **durante la espiración,** *Uttanasana*.

# Núm. 11 Ardhachaturangadandasana

*Medio cocodrilo*

Esta postura recuerda la forma del cocodrilo. Estimula las piernas y enseña el uso correcto de las manos cuando deben soportar peso. Mantenga el tórax sobre el suelo. Sirve de preparación para *Chaturangadandasana*. Es una de las posturas de *Sukhasuryanamaskar*.

**RESUMEN**

En decúbito prono, contraiga los músculos de los muslos, de manera que las piernas se estiren y se alcen del suelo. Al mismo tiempo, active las manos y levante la pelvis y el ombligo separándolos del suelo. Mantenga el tórax en contacto con el suelo y la acción de los *bandhas*, conservando el núcleo del cuerpo relajado, con respiración rítmica *Ujjayi*.

1   Echado boca abajo, con las piernas rectas y los pies separados entre sí la anchura de las caderas y apoyados sobre las yemas de los dedos, la cabeza centrada, las manos detrás de las axilas, cerca de los costados para que los antebrazos queden perpendiculares al suelo, con las muñecas directamente bajo los codos.

2   **Durante la inspiración,** ensanche el borde costal y absorba el plexo solar hacia dentro y hacia arriba, de manera que el pecho se active, se ensanche y se llene, mientras el abdomen se mantiene pasivo, alargado y vacío (*Uddiyanabandha*), y aplane su parte púbica, absorbiendo hacia dentro el perineo y el sacro, con el ano relajado (*Mulabandha*).

3   **Durante la espiración,** active las manos para que entren plenamente en contacto con el suelo, las palmas bien anchas, los dedos alargados, presionando con la base del dedo índice.

4   **Inspiración:** aclare los *bandhas* y relaje el núcleo del cuerpo.

5   **Espiración:** active completamente las piernas sintiendo la contracción de los músculos, de manera que la parte posterior de las rodillas se abra y la parte anterior de los muslos y las espinillas se alcen, separándose del suelo, y levante las caderas y el ombligo, que deben quedar a pocos centímetros del suelo.

Tórax en el suelo.

El abdomen y las caderas paralelas al suelo mientras mantiene la acción de los *bandhas,* las manos y las piernas. Mantenga el núcleo del cuerpo relajado, con suave respiración rítmica *Ujjayi.* Relaje la posición mientras **inspira,** conservando la acción de los *bandhas,* las manos y las piernas hasta que esté completamente relajado sobre el suelo.

# Núm. 12 Chaturangadandasana

*El Cocodrilo*

Esta postura requiere y desarrolla la fuerza equilibrada en la parte superior del cuerpo. La clave es la posición y uso de las manos, y la utilización de toda la potencia de las piernas, para que el resultado sea una distribución uniforme del peso y un empleo equilibrado de los músculos. Despierta las piernas y desarrolla la estabilidad y la fuerza en las extremidades y en el tronco. Sirve de preparación para *Urdhvamukhasvanasana*. Es una de las posturas de *Suryanamaskar*.

**RESUMEN**

En decúbito prono, contraiga los músculos de los muslos, de manera que las piernas se estiren y se alcen del suelo. Al mismo tiempo, implique las manos y levante la parte superior del cuerpo separándola ligeramente del suelo.

Mantenga todo el cuerpo paralelo al suelo, soportado por las manos y los pies y mantenga la acción de los *bandhas,* conservando el núcleo del cuerpo relajado, con respiración rítmica *Ujjayi.* **15**

1  Echado boca abajo, con las piernas rectas y los pies separados entre sí la anchura de las caderas y apoyados sobre las yemas de los dedos, la cabeza centrada, las manos detrás de las axilas, cerca de los costados para que los antebrazos queden perpendiculares al suelo, con las muñecas directamente bajo los codos.

2  **Durante la inspiración,** ensanche el borde costal y absorba el plexo solar hacia dentro y hacia arriba, de manera que el pecho se active, se ensanche y se llene, mientras el abdomen se mantiene pasivo, alargado y vacío (*Uddiyanabandha*), y aplane su parte púbica, absorbiendo hacia dentro el perineo y el sacro, con el ano relajado (*Mulabandha*).

3  **Durante la espiración,** active las manos para que entren plenamente en contacto con el suelo, las palmas bien anchas, los dedos alargados, presionando con la base del dedo índice.

4  **Inspiración:** aclare los *bandhas* y relaje el núcleo del cuerpo.

5  **Espiración:** active completamente las piernas sintiendo la contracción de los músculos, de manera que la cara posterior de las rodillas se abra y la parte anterior de los muslos y las espinillas se alcen, separándose del suelo; al mismo tiempo, levante ligeramente del suelo la pelvis, el abdomen y el tórax.

Mantenga todo el cuerpo paralelo al suelo, mientras conserva la acción de los *bandhas,* las manos y las piernas, manteniendo el núcleo del cuerpo relajado, con suave respiración rítmica *Ujjayi.* Relaje la posición mientras **espira,** conservando la acción de los *bandhas,* las manos y las piernas hasta que esté completamente relajado sobre el suelo.  **15**

# Núm. 13 Ardhurdhvamukhasvanasana

*Medio perro mirando hacia arriba*

Esta postura se parece a un perro que estira suavemente la parte superior de la espalda. Es una versión fácil, preparatoria de la postura completa que se muestra a continuación. Fortalece las piernas y enseña a usar correctamente las manos. Abre los espacios intervertebrales de la parte superior de la columna; abre el pecho; relaja la tensión de los hombros y moviliza el cuello. Sirve de preparación para *Urdhvamukhasvanasana* y las extensiones de columna. Es una de las posturas de *Sukhasuryanamaskar*.

**RESUMEN**

En decúbito prono, manteniendo las piernas rectas y fuertes, con los empeines sobre el suelo, estirados y separados entre sí la anchura de las caderas, use las manos, colocadas detrás de las axilas, para levantar el pecho y la cabeza separándolos del suelo, mientras mantiene la acción de los *bandhas,* las manos y las piernas, conservando el núcleo del cuerpo relajado, con respiración rítmica *Ujjayi.*

64   14

1 Echado boca abajo, con las piernas y los dedos de los pies estirados, alargando la parte anterior de los tobillos. Mantenga la cabeza centrada y las manos cerca de las caderas, con los dedos apuntando hacia delante.

2 **Durante la inspiración,** ensanche el borde costal y absorba el plexo solar hacia dentro y hacia arriba, de manera que el pecho se active, se ensanche y se llene, mientras el abdomen se mantiene pasivo, alargado y vacío (*Uddiyanabandha*), y aplane su parte púbica, absorbiendo hacia dentro el perineo y el sacro, con el ano relajado (*Mulabandha*).

3 **Durante la espiración,** active las manos para que entren plenamente en contacto con el suelo, las palmas bien anchas, los dedos alargados, presionando con la base del dedo índice.

4 **Inspiración:** aclare los *bandhas* y relaje el núcleo del cuerpo.

5 **Espiración:** active completamente las piernas sintiendo la contracción de los músculos, de manera que la parte posterior de las rodillas se abra, manteniendo la parte frontal de las piernas en contacto con el suelo y presionando contra él.

6 **Inspiración:** active completamente las manos y, presionando desde la base del dedo índice, levante la barbilla y el pecho del suelo, pero mantenga el borde costal en contacto con el pavimento.

7 **Espiración:** aclare la acción de los *bandhas,* las manos y las piernas.

8 **Inspiración:** levante la cabeza y fije la mirada hacia delante.

Mantenga la posición mientras conserva la acción de los *bandhas,* las manos y las piernas, manteniendo el núcleo del cuerpo relajado, con suave respiración rítmica *Ujjayi*. Relaje la posición mientras **espira,** conservando la acción de los *bandhas,* las manos y las piernas hasta que todo su peso haya vuelto al suelo y luego haga que su respiración fluya a través de una de las secuencias de *vinyasa* hasta la postura abajo indicada, para la Serie que esté practicando. ✳ 64 ◼ 14

# Núm. 14 Urdhvamukhasvanasana

*Postura del perro mirando hacia arriba*

Esta postura es una extensión de la columna vertebral potente y muy intensa. Las piernas deben mantenerse fuertes, sin tensión en las nalgas ni el suelo pélvico, para proteger las vértebras lumbares de posibles pinzamientos. Abre el pecho, moviliza la columna vertebral y desarrolla los brazos y las piernas. Sirve de contrapostura para flexiones de torso. Enseña el papel de las piernas y los *bandhas* para sostener las lumbares durante las extensiones. Es una de las posturas de *Suryanamaskar.*

**RESUMEN**

En decúbito prono, con los empeines en el suelo estirados y separados entre sí la anchura de las caderas, manteniendo las piernas estiradas y fuertes, levántelas presionando con los empeines contra el suelo y, adelantando las caderas mientras se separan del pavimento, use las manos para levantar el pecho y la cabeza, separándolos del suelo lo más posible, mientras mantiene la acción de los *bandhas,* las manos y las piernas, conservando el núcleo del cuerpo relajado, con respiración rítmica *Ujjayi.* **65**

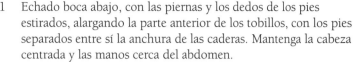

1   Echado boca abajo, con las piernas y los dedos de los pies estirados, alargando la parte anterior de los tobillos, con los pies separados entre sí la anchura de las caderas. Mantenga la cabeza centrada y las manos cerca del abdomen.

2   **Durante la inspiración,** ensanche el borde costal y absorba el plexo solar hacia dentro y hacia arriba, de manera que el pecho se active, se ensanche y se llene, mientras el abdomen se mantiene pasivo, alargado y vacío (*Uddiyanabandha*), y aplane su parte púbica, absorbiendo hacia dentro el perineo y el sacro, con el ano relajado (*Mulabandha*).

3   **Durante la espiración,** active las manos para que entren plenamente en contacto con el suelo, las palmas bien anchas, los dedos alargados, presionando con la base del dedo índice.

4   **Inspiración:** aclare los *bandhas* y relaje el núcleo del cuerpo.

5   **Espiración:** active completamente las piernas sintiendo la contracción de los músculos, de manera que la parte posterior de las rodillas se abra.

6   **Inspiración:** active completamente las manos y, presionando desde la base del dedo índice, arquee la espalda y levante la barbilla, el pecho y el ombligo del suelo, mientras desplaza las caderas hacia delante, separa los muslos del suelo, y presiona hacia abajo con los empeines y el pubis. Mantenga todo el cuerpo alejado del suelo excepto las manos y los empeines desde los dedos hasta la parte delantera del tobillo, mientras mantiene la acción de los *bandhas,* las manos y las piernas, conservando el núcleo del cuerpo relajado, con suave respiración rítmica *Ujjayi*. Relaje la posición mientras **espira,** manteniendo la acción de los *bandhas,* las manos y las piernas hasta que todo su peso haya vuelto al suelo.

En *Suryanamaskar,* **mientras espira** adopte *Adhomukhasvanasana* (**15**). En la Serie de Base siga la respiración para pasar por *Svanavinyasa* y llegar a *Ardhasarvangasana* (**65**).

También puede adoptarse *Urdhvamukhasvanasana* desde *Chaturangadandasana*. **Mientras espira,** adopte *Chaturangadandasana* (**12**) y después, **al inspirar,** adelante las caderas mientras se eleva para adoptar *Urdhvamukhasvanasana*.

# Núm. 15 Adhomukhasvanasana

*El Perro*

Esta postura se parece a un perro que estira todo el cuerpo. Es una postura importante para estimular las extremidades y, cuando se domina, como posición de descanso. Alivia el corazón, estimula todo el cuerpo y relaja la tensión del tronco. Sirve de preparación para *Sirsasana*. Enseña la relación recíproca de cada parte con todas las demás y con el conjunto, y facilita el despertar de la inteligencia somática. Es una de las posturas de *Suryanamaskar*.

**RESUMEN**

En decúbito prono, con los pies alargados y separados entre sí la anchura de las caderas, separe el tronco del suelo empujando con las manos y los pies y estirando los brazos y las piernas (o, desde la postura a gatas, estire las piernas), de manera que las caderas se levanten mientras la cabeza desciende y permanece baja. Mantenga los *bandhas* con el abdomen alargado, cóncavo y vacío, y el pecho amplio y pleno. Conserve la espiral energética de los brazos y las piernas, con las manos y los pies activos y equilibrados. El cuello debe estar relajado en todo momento, al igual que el núcleo del cuerpo, con suave respiración rítmica *Ujjayi*.

✳ *Sukhasuryanamaskar*

1   Echado boca abajo, con las piernas rectas y los pies separados entre sí la anchura de las caderas y apoyados sobre las yemas de los dedos, la cabeza centrada, las manos detrás de las axilas, cerca de los costados para que los antebrazos estén perpendiculares al suelo, con las muñecas directamente bajo los codos.

2   **Durante la espiración,** active las manos para que entren plenamente en contacto con el suelo, las palmas bien anchas, los dedos alargados, presionando con la base del dedo índice.

3   **Durante la inspiración,** ensanche el borde costal y absorba el plexo solar hacia dentro y hacia arriba, de manera que el pecho se active, se ensanche y se llene, mientras el abdomen se mantiene pasivo, alargado y vacío (*Uddiyanabandha*), y aplane su parte púbica, absorbiendo hacia dentro el perineo y el sacro, con el ano relajado (*Mulabandha*).

4   **Espiración:** empuje desde la base del dedo índice y, contrayendo los músculos, estire las piernas, de manera que se levanten las caderas y baje la cabeza para mirar hacia atrás entre las piernas, con el cuello completamente relajado.

5   **Inspiración:** aclare los *bandhas* y la acción en espiral de los brazos y las piernas. Levante la parte superior de los hombros hacia fuera y hacia arriba, mientras presiona con la parte interior de las muñecas hacia abajo para que la energía suba en espiral por los brazos. De forma parecida, eche hacia atrás la cara interna del tobillo y la cara externa de la cadera, con las rótulas bien centradas.

Mantenga la posición todo el tiempo que desee. El cuello debe permanecer constantemente relajado, con los brazos y las piernas cargados de energía para servir de firme apoyo; suave respiración rítmica *Ujjayi* y núcleo del cuerpo relajado. **Aproveche una inspiración** para relajar la postura y volver al suelo.

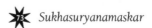 *Sukhasuryanamaskar*

# Núm. 16 Trikonasana

*Postura del triángulo*

Esta sencilla postura activa y fortalece todo el cuerpo. Estimula los pies y las piernas. Enseña la relación existente entre el empleo de las piernas y la calidad del suelo pélvico. Sirve de preparación para posturas de pie asimétricas y como compensación para posturas de pie con las piernas flexionadas.

**RESUMEN**

Con los pies muy separados, los arcos plantares bien levantados y los cuatro extremos del pie presionando por igual, manténgase ergido, fuerte y estable con el peso repartido uniformemente entre los pies, las piernas estiradas y bien abiertas, las manos llenas de energía y los brazos paralelos al suelo, los *bandhas* activados, el núcleo del cuerpo relajado y disfrutando de una respiración rítmica *Ujjayi* realizada sin esfuerzo alguno.

22　17

1 Empiece en *Tadasana*. **Durante la inspiración,** gire a la derecha y, dando un paso, separe bien las piernas, con las manos sobre las caderas.

2 **Durante la espiración,** reparta uniformemente el peso del cuerpo entre los dos pies, de modo que soporten el mismo peso las eminencias plantares y los tobillos, los bordes externos y los arcos plantares. Mantenga en estrecho contacto las caras internas de los tobillos, de manera que no se desplacen ni hacia delante ni hacia atrás. Sienta la presión que ejercen los cuatro extremos de cada pie –yemas del dedo gordo y del meñique y ángulos interno y externo del talón– con los arcos plantares elevados. Si necesita más tiempo, respire libremente.

3 **Inspiración:** contraiga los músculos de los muslos, de manera que la parte posterior de las rodillas se abra uniformemente y las rótulas se centren. Así las rótulas se ajustarán automáticamente.

4 **Espiración:** refuerce los planos internos de las piernas separándolas, creando espacio a través del suelo pélvico y sintiendo cómo se contraen las caras externas de las rodillas y de las caderas.

5 **Inspiración:** manteniendo relajado el suelo pélvico, levante suavemente las caderas mientras activa la parte inferior del abdomen, para que se aplane y ensanche mientras el sacro se eleva hacia dentro y hacia arriba (*Mulabandha*) y ensanche el borde costal, absorbiendo el plexo solar hacia dentro y hacia arriba, de manera que el pecho se active, se ensanche y se llene, mientras el abdomen se mantiene pasivo, alargado y vacío (*Uddiyanabandha*). Aleje las axilas de las caderas.

6 **Espiración:** alargue el cuello alejándolo de los hombros, y relaje éstos sintiendo cómo se separan de las orejas.

7 **Inspiración:** aparte los brazos de las axilas con un movimiento de ligera torsión en espiral, manteniéndolos paralelos al suelo, de modo que se alarguen y carguen de energía con los bíceps girando hacia fuera, mientras las muñecas mantienen planas las palmas de las manos.

Mantenga la carga energética en las piernas, los brazos, los pies, las manos, el abdomen y el pecho, con respiración rítmica *Ujjayi,* y el núcleo del cuerpo relajado, mientras dirige la vista hacia delante, hasta que se sienta preparado para relajar la posición y volver a *Tadasana* aprovechando una **espiración.** 22 17

# Núm. 17 Utthitatrikonasana

*Postura del triángulo con extensión*

Ésta es la postura más importante para despertar la inteligencia somática en todo el cuerpo. Aunque su forma es sencilla, acaba resultando compleja por la sutileza que requiere. Proporciona una base firme e indispensable para posturas más enérgicas, refuerza las piernas, fortalece los pies, relaja la pelvis, abre el pecho, relaja el cuello. Sirve de preparación para *Parsvakonasana* y *Parsvavirabhadrasana*. Enseña la relación recíproca existente entre cada parte con todas las demás y con el conjunto.

**RESUMEN**

Con los pies bien separados, gire el pie adelantado 90 grados, y el pie atrasado entre 15 y 25 grados, con los arcos plantares bien levantados, los cuatro extremos del pie presionando por igual y las piernas estiradas y fuertes. Meta la cadera adelantada mientras extiende el tronco siguiendo la línea de la pierna adelantada, luego, sin bajar la axila, ponga esa mano en el suelo, con la columna vertebral paralela al suelo. Girando la cabeza y siguiéndolo con la mirada, levante el brazo libre estirándolo. Mantenga los *bandhas* con el abdomen alargado, cóncavo y vacío, el pecho amplio y pleno y la carga energética en las manos, los pies, los brazos y las piernas, con suave respiración rítmica *Ujjayi*. **18**

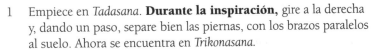

1   Empiece en *Tadasana*. **Durante la inspiración,** gire a la derecha y, dando un paso, separe bien las piernas, con los brazos paralelos al suelo. Ahora se encuentra en *Trikonasana*.

2   **Durante la espiración,** gire el pie derecho hacia fuera 90 grados, y el pie izquierdo hacia dentro entre 15 y 25 grados sin dejar que la rodilla se desplace hacia dentro. Alinee el talón del pie derecho con el tobillo del pie izquierdo.

3   **Inspiración:** ensanche el borde costal absorbiendo el plexo solar hacia dentro y hacia arriba, de manera que el pecho se active, se ensanche y se llene, mientras el abdomen se mantiene pasivo, alargado y vacío (*Uddiyanabandha*), y aplane su parte púbica, absorbiendo hacia dentro el perineo y el sacro, con el ano relajado (*Mulabandha*), manteniendo los brazos y las piernas fuertes, bien cargados de energía.

4   **Espiración:** mantenga las caderas sobre el plano definido por el talón del pie derecho y el arco del pie izquierdo, a base de tirar hacia atrás del borde exterior de la rodilla izquierda, rotar hacia atrás la cadera izquierda y empujar la nalga derecha hacia dentro.

5   **Inspiración:** desplace la cadera derecha hacia dentro a base de rotar el hueso púbico sobre su centro, de manera que la cadera derecha descienda mientras la izquierda se eleva, y extienda el brazo derecho hacia delante tanto como le sea posible, para que todo el costado derecho se alargue separándose de la pelvis rotada. Los pasos **4** y **5** combinados bajarán el hombro derecho hacia el nivel de la cadera derecha, sin que la cintura se flexione lo más mínimo. Al mismo tiempo coloque el brazo izquierdo detrás de la cintura.

6   **Espiración:** alargue el brazo derecho y coloque la mano derecha en el suelo, o, si no alcanza, en el tobillo o en la espinilla.

7   **Inspiración:** alargue el brazo izquierdo verticalmente alejándolo de la axila y, girando todo el tronco hacia arriba, dirija la mirada a la mano izquierda.

Mantenga la carga energética en las piernas, los brazos, los pies, las manos, el abdomen y el pecho, con respiración rítmica *Ujjayi*, y el núcleo del cuerpo relajado, hasta que se sienta preparado para relajar la posición y, aprovechando una **inspiración,** irguiendo de nuevo el torso, volver a *Trikonasana*.

Repita los pasos **2 a 8** por la izquierda. Luego, mientras espira, gire y, dando un paso, vuelva a *Tadasana*. **18**

# Núm. 18 Parivrttatrikonasana

*Postura del triángulo en torsión*

Esta postura somete a una ligera torsión a la columna vertebral y a los músculos de la espalda. Las piernas deben mantenerse fuertes y la pelvis paralela al suelo. Fortalece las piernas, abre la pelvis y relaja la columna vertebral y el cuello. Sirve de preparación y compensación para las extensiones de la columna vertebral, y *Virabhadrasana*. Enseña la relación existente entre los pies, las piernas, la pelvis y la columna vertebral.

**RESUMEN**

Con los pies bien separados, gire el pie adelantado 90 grados, y el pie atrasado 75 grados, y alinee la cadera atrasada con la adelantada, de modo que todo el tronco mire hacia delante. Mantenga los arcos plantares bien levantados con los cuatro extremos del pie presionando por igual. Conserve las piernas fuertes, bascule la pelvis, gire el tronco y rote la columna vertebral de modo que la mano atrasada descienda hasta la cara externa del pie adelantado, con el brazo correspondiente extendido hacia arriba. Dirija la mirada hacia la mano levantada. Mantenga los *bandhas* con el abdomen alargado, cóncavo y vacío, el pecho amplio y pleno, con suave respiración rítmica *Ujjayi,* y el núcleo del cuerpo relajado. Mantenga fuertes las piernas y los brazos, y activos los pies y las manos.

**20**

1 Empiece en *Tadasana*. **Durante la inspiración,** gire a la derecha y, dando un paso, separe bien las piernas, con los brazos paralelos al suelo. Ahora se encuentra en *Trikonasana*.

2 **Durante la espiración,** gire el pie derecho hacia fuera 90 grados, y el pie izquierdo hacia dentro 75 grados, girando con él toda la pierna. Alinee el talón del pie derecho con el tobillo del pie izquierdo. Gire el tronco con las piernas para adelantar la cadera izquierda y alinearla con la cadera derecha, manteniendo los brazos extendidos paralelos al suelo.

3 **Inspiración:** ensanche el borde costal absorbiendo el plexo solar hacia dentro y hacia arriba, de manera que el pecho se active, se ensanche y se llene, mientras el abdomen se mantiene pasivo, alargado y vacío (*Uddiyanabandha*), y aplane su parte púbica, absorbiendo hacia dentro el perineo y el sacro, con el ano relajado (*Mulabandha*), manteniendo los brazos y las piernas fuertes, bien cargados de energía.

4 **Espiración:** gire la columna vertebral manteniéndola alargada y recta mientras traza un arco con la mano izquierda hasta el suelo, para colocarla junto a la cara exterior del pie derecho (o sobre la espinilla), mientras el brazo derecho alcanza la vertical.

5 **Inspiración:** alargue los brazos y gire la cabeza para fijar la mirada en la mano derecha estirada por encima de su hombro correspondiente, manteniendo alargado el lado derecho del torso.

Mantenga la carga energética en las piernas, los brazos, los pies, las manos, el abdomen y el pecho, con respiración rítmica *Ujjayi*, y el núcleo del cuerpo relajado, hasta que se sienta preparado para relajar la posición y, aprovechando una **inspiración,** irguiendo de nuevo el torso volver a *Trikonasana*.

Repita los pasos **2 a 5** por la izquierda. Luego, gire y, dando un paso, vuelva a *Tadasana*. **20**

# Núm. 19 Salambaparsvakonasana

*Estiramiento lateral intenso con apoyo*

Esta postura sirve para estirar intensamente los costados. Abre la pelvis, alarga la columna vertebral, libera el pecho y fortalece los pies y las piernas. Somete a una suave torsión a la columna vertebral. Sirve de preparación para *Parsvakonasana* y *Parsvavirabhadrasana*. Enseña cómo alargar los costados sin flexionar la cintura.

**RESUMEN**

Con los pies bien separados, gire el pie adelantado 90 grados, y el pie atrasado entre 15 y 25 grados, y flexione la pierna adelantada en ángulo recto, resistiendo con la pierna atrasada. Mantenga los arcos plantares bien levantados con los cuatro extremos del pie presionando por igual. Extienda la columna vertebral separándola de la pelvis sobre la pierna adelantada, con el brazo atrasado detrás de la cintura. Presione con el codo adelantado sobre el muslo correspondiente mientras usted se estira y gira, mirando por encima del hombro izquierdo. Mantenga los *bandhas* con el abdomen alargado, cóncavo y vacío, el pecho amplio y pleno, el núcleo del cuerpo relajado, las piernas y los brazos fuertes, las manos y los pies activos, con suave respiración rítmica *Ujjayi*. **24**

1   Empiece en *Tadasana*. **Durante la inspiración,** gire a la derecha y, dando un paso, separe bien las piernas, con los brazos paralelos al suelo. Ahora se encuentra en *Trikonasana*.

2   **Durante la espiración,** gire el pie derecho hacia fuera 90 grados, y el pie izquierdo hacia dentro entre 15 y 25 grados sin dejar que la rodilla se desplace hacia dentro. Alinee el talón del pie derecho con el tobillo del pie izquierdo.

3   **Inspiración:** ensanche el borde costal absorbiendo el plexo solar hacia dentro y hacia arriba, de manera que el pecho se active, se ensanche y se llene, mientras el abdomen se mantiene pasivo, alargado y vacío (*Uddiyanabandha*), y aplane su parte púbica, absorbiendo hacia dentro el perineo y el sacro, con el ano relajado (*Mulabandha*), manteniendo los brazos y las piernas fuertes, bien cargados de energía.

4   **Espiración:** contrayendo los músculos del muslo, empuje hacia atrás la cara externa de la rodilla izquierda y gire la cadera izquierda también hacia atrás.

5   **Inspiración:** alargue la columna vertebral y abra el pecho.

6   **Espiración:** resista con la pierna izquierda a base de girar hacia fuera la cara interna de la rodilla y la cara externa hacia atrás, y flexione la pierna derecha hasta que forme ángulo recto, con la rodilla en la vertical del tobillo, la tibia perpendicular y el fémur paralelo al suelo.

7   **Inspiración:** con el brazo izquierdo detrás de la cintura, extienda el brazo derecho y el costado hacia delante, alejándolos de la pelvis. Mantenga alineadas la cadera izquierda y la nalga derecha.

8   **Espiración:** coloque el codo derecho sobre el muslo correspondiente, junto a la rodilla.

9   **Inspiración:** gire el tronco y la cabeza para fijar la mirada por encima del hombro izquierdo mientras alarga la columna vertebral, presionando con el brazo derecho sobre el muslo derecho, y agarrando la parte superior de ese muslo con la mano izquierda.

Mantenga la carga energética en las piernas, los brazos, los pies, las manos, el abdomen y el pecho con suave respiración rítmica *Ujjayi*, y el núcleo del cuerpo relajado, hasta que se sienta preparado para relajar la posición, aprovechando una **inspiración** para volver a *Trikonasana*.

Repita los pasos **2 a 9** por la izquierda. Luego, gire y, dando un paso, vuelva a *Tadasana* **mientras espira**. 24

# Núm. 20 Parsvakonasana

*Estiramiento lateral intenso*

Esta postura sirve para estirar intensamente los costados. Mantenga la pelvis alineada sobre el plano de los pies. *Parsvakonasana* abre la pelvis, alarga la columna vertebral, libera el pecho y fortalece los pies y las piernas. Enseña la importancia del uso de las piernas y la pelvis para sostener la actividad de la columna vertebral.

### RESUMEN

Con los pies bien separados, gire el pie adelantado 90 grados y el pie atrasado entre 15 y 25 grados, y flexione la pierna adelantada en ángulo recto, resistiendo con la pierna atrasada. Mantenga los arcos plantares bien levantados con los cuatro extremos del pie presionando por igual. Extienda la columna vertebral alejándola de la pelvis sobre la pierna adelantada, con el brazo atrasado extendido hacia delante bien pegado a la oreja, y la mano adelantada tocando el suelo por fuera de la rodilla adelantada. Presione la rodilla contra la axila y dirija la mirada a lo largo del brazo levantado. Mantenga los *bandhas* con el abdomen alargado, cóncavo y vacío, el pecho amplio y pleno, el núcleo del cuerpo relajado, las piernas y los brazos fuertes, las manos y los pies activos, con suave respiración rítmica *Ujjayi*.

**21**

1  Empiece en *Tadasana*. **Durante la inspiración,** gire a la derecha y, dando un paso, separe bien las piernas, con los brazos paralelos al suelo. Ahora se encuentra en *Trikonasana*.

2  **Durante la espiración,** gire el pie derecho hacia fuera 90 grados y el pie izquierdo hacia dentro entre 15 y 25 grados sin dejar que la rodilla se desplace hacia dentro. Alinee el talón del pie derecho con el tobillo del pie izquierdo.

3  **Inspiración:** ensanche el borde costal absorbiendo el plexo solar hacia dentro y hacia arriba, de manera que el pecho se active, se ensanche y se llene, mientras el abdomen se mantiene pasivo, alargado y vacío (*Uddiyanabandha*), y aplane su parte púbica, absorbiendo hacia dentro el perineo y el sacro, con el ano relajado (*Mulabandha*), manteniendo los brazos y las piernas fuertes, bien cargados de energía.

4  **Espiración:** contrayendo los músculos del muslo, gire hacia atrás la cadera izquierda y la cara externa de la rodilla.

5  **Inspiración:** alargue la columna vertebral y abra el pecho.

6  **Espiración:** resista con la pierna izquierda a base de girar hacia fuera la cara interna de la rodilla y la cara externa hacia atrás, y flexione la pierna derecha hasta que forme ángulo recto, con la rodilla en la vertical del tobillo, la tibia perpendicular y el fémur paralelo al suelo.

7  **Inspiración:** con el brazo izquierdo detrás de la cintura, extienda hacia delante el brazo derecho y el costado, alejándolos de la pelvis. Mantenga alineadas la cadera izquierda y la nalga derecha.

8  **Espiración:** baje la mano derecha al suelo por fuera del pie derecho. Presione con la rodilla derecha sobre la axila derecha y remeta la nalga de ese lado.

9  **Inspiración:** gire el tronco y la cabeza para fijar la mirada por encima del hombro izquierdo al mismo tiempo que alarga la columna vertebral.

10  **Espiración:** adelante el brazo izquierdo bien pegado a la oreja y dirija la vista a lo largo de él, manteniéndolo, respecto al suelo, en el mismo ángulo que la pierna izquierda. Gire suavemente la columna vertebral y el pecho hacia arriba.

Mantenga la carga energética en las piernas, los brazos, los pies, las manos, el abdomen y el pecho, con suave respiración rítmica *Ujjayi,* y el núcleo del cuerpo relajado, hasta que se sienta preparado para relajar la posición, aprovechando una **inspiración** para volver a *Trikonasana*.

Repita los pasos **2 a 10** por la izquierda. Luego, gire y, dando un paso, vuelva a *Tadasana* mientras **espira**. **21**

# Núm. 21 Namaskarparvritaparsvakonasana

*Extensión lateral intensa con torsión*

Esta postura permite un preciso control visual del alineamiento del muslo adelantado y la nalga cuando la pierna se flexiona en ángulo recto a la altura de la rodilla. Fortalece las piernas y los pies, relaja los tobillos, moviliza la pelvis, relaja la columna vertebral, distiende la espalda y libera el cuello. Sirve de preparación y contrapostura para las extensiones de la columna vertebral y *Virabhadrasana.*

**RESUMEN**

Con los pies bien separados, gire el pie adelantado hacia fuera 90 grados y el pie atrasado 75 grados, y alinee la cadera atrasada con la adelantada. Mantenga los arcos plantares bien levantados con los cuatro extremos del pie presionando por igual. Flexione la pierna adelantada, formando un ángulo recto a la altura de la rodilla y, girando la columna vertebral hacia la pierna flexionada, extiéndala hacia delante y coloque el codo de abajo en la cara exterior de la rodilla. Presione con la palma de la mano elevada sobre la otra palma con los antebrazos en línea recta y dirija la mirada por encima del codo alzado. Mantenga los *bandhas* con el abdomen alargado, cóncavo y vacío, el pecho amplio y pleno, suave respiración rítmica *Ujjayi* y el núcleo del cuerpo relajado. Conserve fuertes las piernas y los brazos; las manos y los pies, activos.

**23**

1    Empiece en *Tadasana*. **Durante la inspiración,** gire a la derecha y, dando un paso, separe bien las piernas, con los brazos paralelos al suelo. Ahora se encuentra en *Trikonasana*.

2    **Durante la espiración,** gire el pie derecho hacia fuera 90 grados y el pie izquierdo hacia dentro 75 grados, girando con él toda la pierna. Alinee el talón del pie derecho con el tobillo del pie izquierdo. Gire el tronco con las piernas para adelantar la cadera izquierda y alinearla con la derecha, poniendo las manos en jarras sobre las caderas.

3    **Inspiración:** ensanche el borde costal absorbiendo el plexo solar hacia dentro y hacia arriba, de manera que el pecho se active, se ensanche y se llene, mientras el abdomen se mantiene pasivo, alargado y vacío (*Uddiyanabandha*), y aplane su parte púbica, absorbiendo hacia dentro el perineo y el sacro, con el ano relajado (*Mulabandha*), manteniendo los brazos y las piernas fuertes, bien cargados de energía.

4    **Espiración:** manteniendo la pierna izquierda estirada y fuerte, flexione la pierna derecha hasta que forme un ángulo recto a la altura de la rodilla, con el fémur paralelo y la tibia perpendicular al suelo.

5    **Inspiración:** gire y extienda el tronco hacia delante, dirigiendo el movimiento con el codo para que alcance la cara exterior de la rodilla derecha.

6    **Espiración:** presionando con el codo izquierdo sobre la rodilla derecha, mientras resiste con la rodilla, una las palmas de las manos para que presionen una contra otra y los dos antebrazos formen una línea recta, sesgada hacia arriba.

7    **Inspiración:** gire la columna vertebral a la derecha y dirija la mirada por encima del codo derecho.

Mantenga la posición conservando activos los *bandhas* con las piernas fuertes, hasta que se sienta preparado para relajar la posición, aprovechando una **inspiración** para volver a *Trikonasana*.

Repita los pasos **2 a 7** por la izquierda. Luego, gire y, dando un paso, vuelva a *Tadasana* mientras **espira.** 23

# Núm. 22 Urdhvapadottanasana

*Postura de la mirada fija*

Esta postura estimula los pies y las piernas, que al mismo tiempo alarga la columna vertebral, relaja el cuello y aclara los *bandhas*. Enseña la relación existente entre la actividad de las piernas y la calidad del suelo pélvico.

**RESUMEN**

Con los pies bien separados y paralelos entre sí, y las piernas estiradas y fuertes, bascule la pelvis, lleve las manos al suelo y extienda desde la pelvis la columna vertebral paralela al suelo, fijando la mirada adelante. Mantenga los arcos plantares bien levantados, con los cuatro extremos del pie presionando por igual. Conserve activos los *bandhas*, con el abdomen alargado, cóncavo y vacío, el pecho amplio y pleno, con suave respiración rítmica *Ujjayi,* y el núcleo del cuerpo relajado. Mantenga la carga energética en las piernas, los brazos, los pies y las manos.

23

1   Desde *Tadasana* gire y extienda los pies bien abiertos y paralelos entre sí.

2   **Durante la espiración,** reparta uniformemente el peso del cuerpo entre los dos pies, de modo que las eminencias plantares y los tobillos, los bordes externos y los arcos plantares soporten el mismo peso. Mantenga en estrecho contacto las caras internas de los tobillos, de manera que no se desplacen ni hacia delante ni hacia atrás. Sienta la presión que ejercen los cuatro extremos de cada pie –yemas del dedo gordo y del meñique y los ángulos interno y externo del talón– con los arcos plantares elevados. Si necesita más tiempo, respire libremente.

3   **Durante la inspiración,** contraiga los músculos de los muslos, de manera que la parte posterior de las rodillas se abra uniformemente y las piernas y rótulas se centren. Así las rótulas se ajustarán automáticamente.

4   **Espiración:** separándolas, refuerce los planos internos de las piernas, creando espacio a través del suelo pélvico y sintiendo cómo se contraen las caras externas de las rodillas y de las caderas.

5   **Inspiración:** manteniendo relajado el suelo pélvico, levante suavemente las caderas mientras activa la parte inferior del abdomen, para que se aplane y ensanche mientras el sacro se eleva hacia dentro y hacia arriba (*Mulabandha*) y ensanche el borde costal absorbiendo el plexo solar hacia dentro y hacia arriba, de manera que el pecho se active, se ensanche y se llene, mientras el abdomen se mantiene pasivo, alargado y vacío (*Uddiyanabandha*). Levante las axilas alejándolas de las caderas y extienda lateralmente los brazos paralelos al suelo.

6   **Espiración:** bascule la pelvis y, a medida que desciende la columna vertebral hasta quedar paralela al suelo, coloque las manos sobre el suelo en la vertical de los hombros.

7   **Inspiración:** levante la cabeza y dirija la mirada hacia delante.

Mantenga la carga energética en las piernas, los brazos, los pies, las manos, el abdomen y el pecho, con respiración rítmica *Ujjayi,* y el núcleo del cuerpo relajado, hasta que se sienta preparado para relajar la postura y volver a *Trikonasana* aprovechando una **inspiración,** luego gire y, dando un paso, vuelva a *Tadasana.* **23**

# Núm. 23 Padottanasana

*Postura de estiramiento de piernas*

Esta postura es la más sencillas de las que estimulan los pies y las piernas. Hace difícil mantener los *bandhas*. Es una posición de descanso para el tronco y el corazón. Enseña la relación existente entre el empleo de las piernas y la calidad del suelo pélvico.

### RESUMEN

Con los pies bien separados y las piernas estiradas y fuertes, lleve las palmas de las manos al suelo en la vertical de los hombros, relajando el cuello y la columna vertebral. Mantenga los arcos plantares bien elevados con los cuatro extremos del pie presionando por igual. Conserve activos los *bandhas*, con el abdomen alargado, cóncavo y vacío, y el pecho amplio y pleno. Mantenga la carga energética en las piernas, los brazos, los pies y las manos, con suave respiración rítmica *Ujjayi,* y el núcleo del cuerpo relajado.

19   25

1    Desde *Tadasana* gire y extienda los pies bien abiertos y paralelos entre sí.

2    **Durante la espiración,** reparta uniformemente el peso del cuerpo entre los dos pies, de modo que las enminencias plantares y los tobillos, los bordes exterrnos y los arcos plantares soporten el mismo peso. Mantenga en estrecho contacto las caras internas de los tobillos, de manera que no se desplacen ni hacia delante ni hacia atrás. Sienta la presión que ejercen los cuatro extremos de cada pie –yemas del dedo gordo y del meñique y los ángulos interno y externo del talón– con los arcos plantares elevados. Si necesita más tiempo, respire libremente.

3    **Durante la inspiración,** contraiga los músculos de los muslos, de manera que la parte posterior de las rodillas se abra uniformemente y las piernas y rótulas se centren. Así las rótulas se ajustarán automáticamente.

4    **Espiración:** alejándolas, refuerce los planos internos de las piernas creando espacio a través del suelo pélvico y sintiendo cómo se contraen las caras externas de las rodillas y de las caderas.

5    **Inspiración:** manteniendo relajado el suelo pélvico, levante suavemente las caderas mientras activa la parte inferior del abdomen, para que se aplane y ensanche al mismo tiempo que el sacro se eleva hacia dentro y hacia arriba (*Mulabandha*) y ensanche el borde costal absorbiendo el plexo solar hacia dentro y hacia arriba, de manera que el pecho se active, se ensanche y se llene, mientras el abdomen se mantiene pasivo, alargado y vacío (*Uddiyanabandha*). Levante las axilas alejándolas de las caderas y extienda lateralmente los brazos paralelos al suelo.

6    **Espiración:** bascule la pelvis y coloque las manos sobre el suelo.

7    **Inspiración:** levante la cabeza y dirija la mirada hacia delante.

8    **Espiración:** sin separar las palmas del suelo, atrase las manos lo más que pueda, alineadas con los hombros. Mantenga verticales los antebrazos. Relaje los hombros, el cuello y la columna vertebral.

Mantenga la carga energética en las piernas, los brazos, los pies, las manos, el abdomen y el pecho, con respiración rítmica *Ujjayi*, y el núcleo del cuerpo relajado, hasta que se sienta preparado para relajar la postura y volver a *Trikonasana* aprovechando una **inspiración**, luego gire y, dando un paso, vuelva a *Tadasana*. **19** **25**

# Núm. 24 Ardhaparsvottanasana

*Postura del espía*

Esta postura estira intensamente las piernas y estimula los pies. Al mismo tiempo alarga la columna vertebral, libera el cuello y aclara los *bandhas*. Desarrolla conciencia de la relación existente entre la actividad de las piernas y la calidad y posición de la pelvis. Sirve de preparación para *Parsvottanasana*.

**RESUMEN**

Con los pies bien separados, gire el pie adelantado hacia fuera 90 grados y el pie atrasado 75 grados, y alinee la cadera atrasada con la adelantada, de modo que todo el tronco quede mirando hacia delante. Con las piernas estiradas, bascule la pelvis para colocar las manos en el suelo a ambos lados del pie adelantado y extienda la columna vertebral hacia delante mientras fija la mirada al frente. Mantenga los arcos plantares bien elevados con los cuatro extremos del pie presionando por igual, las piernas fuertes, la pelvis uniforme, los *bandhas* activos y el núcleo del cuerpo relajado con suave respiración rítmica *Ujjayi*. **28**

1   Empiece en *Tadasana*. **Durante la inspiración,** gire a la derecha y, dando un paso, separe bien las piernas, con los brazos paralelos al suelo. Ahora se encuentra en *Trikonasana*.

2   **Durante la espiración,** gire el pie derecho hacia fuera 90 grados y el pie izquierdo hacia dentro 75 grados, girando con él toda la pierna. Alinee el talón del pie derecho con el tobillo del pie izquierdo.

3   **Inspiración:** gire el tronco con las piernas para adelantar la cadera izquierda y alinearla con la derecha, manteniendo los brazos extendidos paralelos al suelo.

4   **Espiración:** active las piernas completamente, girando hacia atrás la cara externa de la rodilla derecha y la cara interna de la rodilla izquierda. Con la espinilla izquierda empuje el gemelo, y con el gemelo derecho empuje la espinilla hacia delante, con el peso bien repartido entre las plantas de los pies y entre los puntos de apoyo de cada pie.

5   **Inspiración:** ensanche el borde costal, absorbiendo el plexo solar hacia dentro y hacia arriba, de manera que el pecho se active, se ensanche y se llene, mientras el abdomen se mantiene pasivo, alargado y vacío (*Uddiyanabandha*), y aplane su parte púbica, absorbiendo hacia dentro el perineo y el sacro, con el ano relajado (*Mulabandha*), manteniendo los brazos y las piernas fuertes, bien cargados de energía.

6   **Espiración:** bascule la pelvis y mantenga la columna vertebral y el tronco alargados mientras lleva los dedos de las manos hasta el suelo a cada lado del pie derecho.

7   **Inspiración:** extienda el tronco y la columna vertebral alejándolos de la pelvis, abriendo el pecho mientras dirige la mirada hacia delante.

Mantenga la posición con los pies bien presentes, las piernas fuertes, la pelvis uniforme, los *bandhas* activos y el núcleo del cuerpo relajado con suave respiración rítmica *Ujjayi*. Relaje la postura, aprovechando una **inspiración** para volver a *Trikonasana*.

Repita los pasos **2 a 7** por la izquierda. Luego, gire y, dando un paso, vuelva a *Tadasana* mientras **espira**. **28**

# Núm. 25 Parsvottanasana

*La reverencia del guerrero*

Esta postura estira intensamente las piernas y estimula los pies. Al mismo tiempo hace difícil mantener los *bandhas*. Desarrolla conciencia de la relación existente entre la actividad de las piernas y la calidad y posición de la pelvis. Es, a la vez, preparación y contrapostura de *Virabhadrasana*.

**RESUMEN**

Con los pies bien separados, gire el pie adelantado hacia fuera 90 grados y el pie atrasado 75 grados, y alinee la cadera atrasada con la adelantada, de modo que todo el tronco quede mirando hacia delante. Con las piernas rectas, bascule la pelvis para llevar las manos hasta el suelo justo en la vertical de la pelvis y extienda la columna vertebral a lo largo de la pierna adelantada, llevando la barbilla a la espinilla. Mantenga los arcos plantares bien elevados con los cuatro extremos del pie presionando por igual, las piernas fuertes, la pelvis uniforme, los *bandhas* activos y el núcleo del cuerpo relajado con suave respiración rítmica *Ujjayi*. **26**

1   Empiece en *Tadasana*. **Durante la inspiración,** gire a la derecha y, dando un paso, separe bien las piernas, con los brazos paralelos al suelo. Ahora se encuentra en *Trikonasana*.

2   **Durante la espiración,** gire el pie derecho hacia fuera 90 grados y el pie izquierdo hacia dentro 75 grados, girando con él toda la pierna. Alinee el talón del pie derecho con el tobillo del pie izquierdo.

3   **Inspiración:** gire el tronco con las piernas para adelantar la cadera izquierda y alinearla con la derecha, manteniendo los brazos extendidos paralelos al suelo.

4   **Espiración:** active las piernas completamente, empujando hacia atrás la cara externa de la rodilla derecha y la cara interna de la rodilla izquierda. Con la espinilla izquierda empuje el gemelo, y con el gemelo derecho empuje la espinilla hacia delante, con el peso equilibrado entre las plantas de los pies y entre los puntos de apoyo de cada pie.

5   **Inspiración:** ensanche el borde costal, absorbiendo el plexo solar hacia dentro y hacia arriba, de manera que el pecho se active, se ensanche y se llene, mientras el abdomen se mantiene pasivo, alargado y vacío (*Uddiyanabandha*), y aplane su parte púbica, absorbiendo hacia dentro el perineo y el sacro, con el ano relajado (*Mulabandha*), manteniendo los brazos y las piernas fuertes, bien cargados de energía.

6   **Espiración:** bascule la pelvis y mantenga la columna vertebral y el tronco alargados mientras lleva los dedos de las manos hasta el suelo a cada lado del pie derecho.

7   **Inspiración:** extienda el tronco y la columna vertebral alejándolos de la pelvis, y abra el pecho.

8   **Espiración:** mantenga fuertes las piernas y la columna vertebral alargada mientras estira el tronco a lo largo de la pierna derecha. Sin separar las palmas del suelo, lleve las manos hacia atrás y la barbilla a la espinilla.

Mantenga la posición con los pies bien presentes, las piernas fuertes, la pelvis uniforme, los *bandhas* activos, el núcleo del cuerpo relajado con suave respiración rítmica *Ujjayi*. Relaje la postura, aprovechando una **inspiración** para volver a *Trikonasana*.

Repita los pasos **2 a 8** por la izquierda. Luego, gire y, dando un paso, vuelva a *Tadasana* mientras **espira**. **26**

# Núm. 26 Virabhadrasana

*Postura del guerrero*

Se trata de una postura intensa. Libera la pelvis. Resulta difícil mantener en posición la pierna y el pie atrasados. Quienes tengan problemas de corazón deben quedarse en el Paso **6**, sin levantar los brazos. Actúa sobre la columna vertebral como una extensión, razón por la que debe ponerse mucho cuidado para proteger las vértebras lumbares, lo cual se consigue con los *bandhas* y manteniendo la pierna atrasada completamente recta.

**RESUMEN**

Con los pies bien separados, gire las piernas y el tronco a un lado y levante los brazos fijando la mirada a lo largo de los dedos. Flexione la pierna adelantada 90 grados, manteniendo las caderas alineadas y fuerte la pierna atrasada. Conserve los arcos plantares bien elevados con los cuatro extremos del pie presionando por igual, los *bandhas* activos, con el abdomen alargado, cóncavo y vacío, el pecho amplio y pleno, y el núcleo del cuerpo relajado, con suave respiración rítmica *Ujjayi*.

**27**

1   Empiece en *Tadasana*. **Durante la inspiración,** gire a la derecha y, dando un paso, separe bien las piernas, con los brazos paralelos al suelo. Ahora se encuentra en *Trikonasana*.

2   **Durante la espiración,** gire el pie derecho hacia fuera 90 grados, y el pie izquierdo hacia dentro 75 grados, girando con él toda la pierna. Alinee el talón del pie derecho con el tobillo del pie izquierdo.

3   **Inspiración:** gire el tronco con las piernas para adelantar la cadera izquierda y alinearla con la derecha, poniendo las manos sobre las caderas.

4   **Espiración:** contraiga la pierna izquierda, desplazando hacia atrás la cara interna de la rodilla y haciendo presión con la tibia en los gemelos para mantener abierta la parte posterior de la rodilla.

5   **Inspiración:** ensanche el borde costal, absorbiendo el plexo solar hacia dentro y hacia arriba, de manera que el pecho se active, se ensanche y se llene, mientras el abdomen se mantiene pasivo, alargado y vacío (*Uddiyanabandha*), aplane su parte púbica, absorbiendo hacia dentro el perineo y el sacro, con el ano relajado (*Mulabandha*), y extienda los brazos por encima de la cabeza, manteniéndolos rectos, con las palmas de las manos, si es posible, unidas.

6   **Espiración:** flexione la pierna derecha hasta que quede en ángulo recto, con el muslo paralelo al suelo y la espinilla perpendicular, al mismo tiempo que mantiene la pierna izquierda estirada y fuerte.

7   **Inspiración:** levante la cadera derecha separándola del muslo y absorba el plexo solar hacia dentro y hacia arriba, de modo que el pecho se active, se ensanche y se llene, mientras usted alarga la columna vertebral y estira los brazos hacia arriba, dirigiendo la mirada a lo largo de los dedos de las manos.

Mantenga la posición con la pierna izquierda fuerte y girada para mantener adelantada la cadera, el peso uniformemente repartido entre los pies, los *bandhas* activos, el núcleo del cuerpo relajado, con suave respiración rítmica *Ujjayi*. Relaje la postura, aprovechando una **inspiración** para volver a *Trikonasana*.

Repita los pasos **2 a 7** por la izquierda. Luego, gire y, dando un paso, vuelva a *Tadasana* mientras **espira.** 27

# Núm. 27 Parsvavirabhadrasana

*Postura lateral del guerrero*

Esta postura aclara la importancia de la pelvis y la naturaleza espiral de la línea de fuerza que sostiene *Asana*. Esta línea de fuerza puede sentirse en los brazos, las piernas y las articulaciones sacroilíacas. Enseña el uso de la pierna atrasada para resistir y sostener la actividad de la pierna adelantada que se encuentra en flexión.

**RESUMEN**

Con los pies bien separados, extienda lateralmente los brazos bien estirados, paralelos al suelo y gire el pie adelantado hacia fuera 90 grados y el atrasado hacia dentro entre 15 y 25 grados. Flexione la pierna adelantada hasta que forme ángulo recto, resistiendo con la pierna atrasada. Mantenga los arcos plantares bien elevados con los cuatro extremos del pie presionando por igual. Dirija la mirada a lo largo del brazo adelantado. Mantenga la carga energética en las piernas, los brazos, los pies, las manos, el abdomen y el pecho con suave respiración rítmica *Ujjayi*, y el núcleo del cuerpo relajado.

**29**

1   Empiece en *Tadasana*. **Durante la inspiración,** gire a la derecha y, dando un paso, separe bien las piernas, con los brazos paralelos al suelo. Ahora se encuentra en *Trikonasana*.

2   **Durante la espiración,** gire el pie derecho hacia fuera 90 grados, y el pie izquierdo hacia dentro entre 15 y 25 grados, sin dejar que la rodilla se desplace hacia dentro. Alinee el talón del pie derecho con el tobillo del pie izquierdo.

3   **Inspiración:** ensanche el borde costal, absorbiendo el plexo solar hacia dentro y hacia arriba, de manera que el pecho se active, se ensanche y se llene, mientras el abdomen se mantiene pasivo, alargado y vacío (*Uddiyanabandha*), y aplane su parte púbica, absorbiendo hacia dentro el perineo y el sacro, con el ano relajado (*Mulabandha*), manteniendo una fuerte carga en brazos y piernas.

4   **Espiración:** contraiga los músculos del muslo y gire hacia atrás la cadera izquierda y la cara externa de la rodilla, al mismo tiempo que sigue empujando con la nalga derecha.

6   **Inspiración:** alargue la columna vertebral y abra el pecho.

7   **Espiración:** resista con la pierna izquierda girando hacia fuera la cara interna de la rodilla y hacia atrás la cara externa, y flexione la pierna derecha hasta que forme ángulo recto, con la rodilla en la vertical del tobillo, la tibia perpendicular y el fémur paralelo al suelo. Mantenga los brazos cargados de energía y extendidos paralelos al suelo, dirigiendo la mirada a lo largo de la mano derecha.

Mantenga la carga energética en las piernas, los brazos, los pies, las manos, el abdomen y el pecho con suave respiración rítmica *Ujjayi,* y el núcleo del cuerpo relajado, hasta que se sienta preparado para volver a *Trikonasana* aprovechando una **inspiración.**

Repita los pasos **2 a 6** hacia la izquierda. Luego, gire y, dando un paso, vuelva a *Tadasana* **mientras espira.** **29**

# Núm. 28 Ekapadasana

*Postura de la grulla*

Esta postura desarrolla equilibrio y estabilidad, y sirve de preparación para otras posturas más complejas de equilibrio sobre las piernas. Enseña la importancia que tienen los tobillos para mantener el equilibrio.

### RESUMEN

De pie sobre una pierna, bien fuerte y estirada, mantenga alargada la columna vertebral y levante la rodilla de la otra pierna por encima de la cadera y alineada con ella. Mantenga el arco plantar del pie apoyado bien elevado, con los cuatro estremos del pie presionando por igual. Mantenga los *bandhas* activos, el abdomen alargado, cóncavo y vacío, el pecho amplio y pleno, el núcleo del cuerpo relajado, con suave respiración rítmica *Ujjayi*. 32

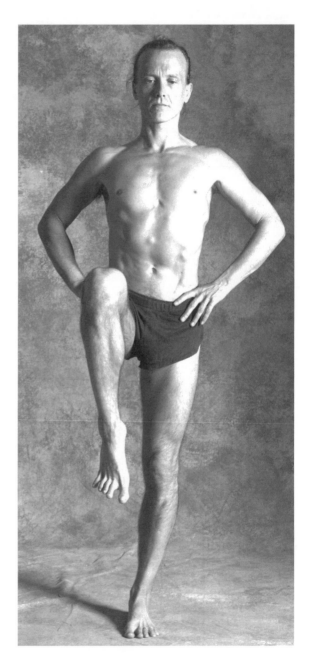

1   De pie, bien erguido, con los pies juntos y, si es posible, con la cara interna del tobillo y la base del dedo gordo en contacto. Si no, mantenga los pies paralelos entre sí tan cerca uno de otro como pueda.

2   Reparta uniformemente el peso del cuerpo entre los dos pies. El peso que sostiene cada pie debe quedar repartido, por un lado, entre el tobillo y la eminencia plantar, y por otro, entre el borde externo y el arco del pie. Mantenga en estrecho contacto las caras internas de los tobillos, de manera que no se desplacen ni hacia delante ni hacia atrás. Sienta la presión que ejercen los cuatro extremos de cada pie –yemas del dedo gordo y del meñique y ángulos interno y externo del talón– con los arcos plantares elevados.

3   **Durante la espiración,** contraiga los músculos de los muslos, de manera que la parte posterior de las rodillas se abra uniformemente y las rótulas se centren. Así las rótulas se ajustarán automáticamente.

4   **Durante la inspiración,** alzándolas, aleje las axilas de las caderas, ensanche el borde costal y absorba el plexo solar hacia dentro y hacia arriba, de manera que el pecho se active, se ensanche y se llene, mientras el abdomen se mantiene pasivo, alargado y vacío (*Uddiyanabandha*), y aplane su parte púbica, absorbiendo el perineo y el sacro hacia dentro con el ano relajado (*Mulabandha*).

5   **Espiración:** desplace todo el peso corporal sobre el pie izquierdo, al mismo tiempo que sigue manteniendo el pie derecho en posición sobre el suelo.

6   **Inspiración:** levante la rodilla derecha tan alta como pueda sin que resulte incómodo, manteniendo la rodilla y el pie alineados con la cadera.

Mantenga la posición con la pierna izquierda fuerte, la columna vertebral alargada, los *bandhas* activos, el núcleo del cuerpo relajado, con suave respiración rítmica *Ujjayi,* hasta que se sienta preparado para relajar la posición volviendo a *Tadasana* **mientras espira.**

Repita los pasos **2 a 6** manteniéndose sobre la pierna derecha. Luego, vuelva a *Tadasana*.   **32**

# Núm. 29 Ekapadangustasana

*Postura de equilibrio*

Esta postura utiliza la dinámica del triángulo para estirar la columna vertebral y la pierna elevada. Desarrolla equilibrio y estabilidad al mismo tiempo que fortalece las piernas y los pies, equilibrando la pelvis y alargando la columna vertebral y los brazos. Enseña la importancia que tienen los tobillos para mantener el equilibrio y la conveniencia de estirar bien las piernas para sostener la columna vertebral.

**RESUMEN**

De pie sobre una pierna, bien fuerte y estirada, mantenga levantado el arco plantar del pie apoyado, con los cuatro extremos del pie presionando por igual. Conserve la columna vertebral alargada y levante y estire la otra pierna de frente a usted, sujetando el dedo gordo. Mantenga los *bandhas* activos, el abdomen alargado, cóncavo y vacío, el pecho amplio y pleno, y el núcleo del cuerpo relajado, con suave respiración rítmica *Ujjayi*.

**30**

1   De pie, bien erguido, con los pies juntos, y, si es posible, con la cara interna del tobillo y la base del dedo gordo en contacto. Si no, mantenga los pies paralelos entre sí tan cerca uno de otro como pueda.

2   Reparta uniformemente el peso del cuerpo entre los dos pies. El peso que sostiene cada pie debe quedar repartido, por un lado, entre el tobillo y la eminencia plantar, y por otro, entre el borde externo y el arco del pie. Mantenga en estrecho contacto las caras internas de los tobillos, de manera que no se desplacen ni hacia delante ni hacia atrás. Sienta la presión que ejercen los cuatro extremos de cada pie –yemas del dedo gordo y del meñique y ángulos interno y externo del talón– con los arcos plantares elevados.

3   **Durante la espiración,** contraiga los músculos de los muslos, de manera que la parte posterior de las rodillas se abra uniformemente y las rótulas se centren. Así las rótulas se ajustarán automáticamente.

4   **Durante la inspiración,** alzándolas, aleje las axilas de las caderas, ensanche el borde costal y absorba el plexo solar hacia dentro y hacia arriba, de manera que el pecho se active, se ensanche y se llene, mientras el abdomen se mantiene pasivo, alargado y vacío (*Uddiyanabandha*), y aplane su parte púbica, absorbiendo el perineo y el sacro hacia dentro, con el ano relajado (*Mulabandha*).

5   **Espiración:** desplace todo el peso corporal sobre el pie derecho, al mismo tiempo que sigue manteniendo el pie izquierdo en posición sobre el suelo.

6   **Inspiración:** levante la rodilla izquierda y coja el dedo gordo del pie con el pulgar y dos dedos de la mano izquierda.

7   **Espiración:** estire la pierna izquierda hacia delante al mismo tiempo que mantiene la pierna derecha bien recta y fuerte (es posible que tenga que ayudarse con la mano colocada sobre la espinilla para mantener la pierna recta).

Mantenga la posición con la pierna derecha fuerte, la columna vertebral alargada, los *bandhas* activos y el núcleo del cuerpo relajado, con suave respiración rítmica *Ujjayi*, hasta que se sienta preparado para relajar la posición volviendo a *Tadasana* **mientras espira** y repita los pasos **2 a 7** manteniéndose sobre la pierna izquierda, para acabar en *Tadasana*.

**30**

# Núm. 30 Parsvaikapadangustasana

*Postura lateral del equilibrio*

Esta postura utiliza la dinámica del triángulo para estirar la columna vertebral y la pierna elevada. Desarrolla equilibrio y estabilidad al mismo tiempo que fortalece las piernas y los pies, equilibrando la pelvis, abriendo las articulaciones de la cadera y alargando la columna vertebral. Enseña la importancia que tienen los tobillos para mantener el equilibrio, y la conveniencia de estirar bien las piernas para sostener la columna vertebral.

**RESUMEN**

De pie sobre una pierna, bien fuerte y estirada, mantenga levantado el arco plantar del pie apoyado con los cuatro extremos del pie presionando por igual. Conserve la columna vertebral alargada y levante y estire la otra pierna lateralmente, sujetando el dedo gordo y volviendo la cabeza en la dirección contraria. Mantenga los *bandhas* activos, el abdomen alargado, cóncavo y vacío, el pecho amplio y pleno, el núcleo del cuerpo relajado, con suave respiración rítmica *Ujjayi*.

**31**

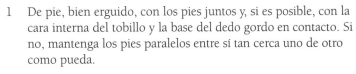

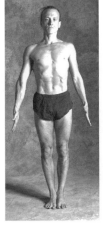

1   De pie, bien erguido, con los pies juntos y, si es posible, con la cara interna del tobillo y la base del dedo gordo en contacto. Si no, mantenga los pies paralelos entre sí tan cerca uno de otro como pueda.

2   Reparta uniformemente el peso del cuerpo entre los dos pies. El peso que sostiene cada pie debe quedar repartido, por un lado, entre el tobillo y la eminencia plantar, y por otro, entre el borde externo y el arco del pie. Mantenga en estrecho contacto las caras internas de los tobillos, de manera que no se desplacen ni hacia delante ni hacia atrás. Sienta la presión que ejercen los cuatro extremos de cada pie –yemas del dedo gordo y del meñique y ángulos interno y externo del talón– con los arcos plantares elevados.

3   **Durante la espiración,** contraiga los músculos de los muslos, de manera que la parte posterior de las rodillas se abra uniformemente y las rótulas se centren. Así las rótulas se ajustarán automáticamente.

4   **Durante la inspiración,** alzándolas, aleje las axilas de las caderas, ensanche el borde costal y absorba el plexo solar hacia dentro y hacia arriba, de manera que el pecho se active, se ensanche y se llene, mientras el abdomen se mantiene pasivo, alargado y vacío (*Uddiyanabandha*), y aplane su parte púbica, absorbiendo el perineo y el sacro hacia dentro, con el ano relajado (*Mulabandha*).

5   **Espiración:** desplace todo el peso corporal sobre el pie derecho, al mismo tiempo que sigue manteniendo el pie izquierdo en posición sobre el suelo.

6   **Inspiración:** levante la rodilla izquierda y coja el dedo gordo del pie con el pulgar y dos dedos de la mano izquierda.

7   **Espiración:** estire la pierna izquierda lateralmente al mismo tiempo que mantiene la pierna derecha bien recta y fuerte (es posible que tenga que ayudarse con la mano colocada sobre la espinilla para mantener la pierna recta). Gire la cabeza hacia la derecha.

Mantenga la posición con la pierna derecha fuerte, la columna vertebral alargada, los *bandhas* activos y el núcleo del cuerpo relajado, con suave respiración rítmica *Ujjayi*, hasta que se sienta preparado para relajar la posición volviendo a *Tadasana* **mientras espira,** y repita los pasos **2 a 7** manteniéndose sobre la pierna izquierda. Luego, vuelva a *Tadasana*.

**31**

# Núm. 31 Vriksasana

*Postura del árbol*

Esta postura desarrolla estabilidad y equilibrio al mismo tiempo que abre la articulación de la cadera y estabiliza el sacro. Aquieta la mente, generando silencio interior.

**RESUMEN**

De pie sobre una pierna, bien fuerte y estirada, mantenga levantado el arco plantar del pie apoyado, con los cuatro extremos del pie presionando por igual. Conserve la columna vertebral alargada y coloque el otro pie lo más alto que pueda sobre el centro del muslo de la pierna estirada, manteniendo atrasada la rodilla, y extienda los brazos paralelos al suelo. Mantenga los *bandhas* activos, el abdomen alargado, cóncavo y vacío, el pecho amplio y pleno, y el núcleo del cuerpo relajado, con suave respiración rítmica *Ujjayi*. **32**

1 De pie, bien erguido, con los pies juntos y, si es posible, con la cara interna del tobillo y la base del dedo gordo en contacto. Si no, mantenga los pies paralelos entre sí tan cerca uno de otro como pueda.

2 Reparta uniformemente el peso del cuerpo entre los dos pies. El peso que sostiene cada pie debe quedar repartido, por un lado, entre el tobillo y la eminencia plantar, y por otro, entre el borde externo y el arco del pie. Mantenga en estrecho contacto las caras internas de los tobillos, de manera que no se desplacen ni hacia delante ni hacia atrás. Sienta la presión que ejercen los cuatro extremos de cada pie –yemas del dedo gordo y del meñique y ángulos interno y externo del talón– con los arcos plantares elevados.

3 **Durante la espiración,** contraiga los músculos de los muslos, de manera que la parte posterior de las rodillas se abra uniformemente y las rótulas se centren. Así las rótulas se ajustarán automáticamente.

4 **Durante la inspiración,** alzándolas, aleje las axilas de las caderas, ensanche el borde costal y absorba el plexo solar hacia dentro y hacia arriba, de manera que el pecho se active, se ensanche y se llene, mientras el abdomen se mantiene pasivo, alargado y vacío (*Uddiyanabandha*), y aplane su parte púbica, absorbiendo el perineo y el sacro hacia dentro, con el ano relajado (*Mulabandha*).

5 **Espiración:** desplace todo el peso corporal sobre el pie izquierdo, al mismo tiempo que sigue manteniendo el pie derecho en posición sobre el suelo.

6 **Inspiración:** levante la rodilla derecha y coja el tobillo.

7 **Espiración:** flexione la pierna derecha y coloque el pie lo más alto que pueda sobre el centro de la cara interna del muslo izquierdo, mientras mantiene la pierna izquierda estirada y fuerte.

8 **Inspiración:** extienda los brazos paralelos al suelo.

9 **Espiración:** presione con fuerza el pie derecho contra la pierna izquierda y, sin girar la pelvis ni la columna vertebral, desplace hacia atrás la rodilla derecha y el sacro hacia delante.

Mantenga la posición con la pierna izquierda fuerte, la columna vertebral alargada, los *bandhas* activos, el núcleo del cuerpo relajado, con suave respiración rítmica *Ujjayi*, hasta que se sienta preparado para relajar la posición volviendo a *Tadasana* **mientras espira,** y repita los pasos **2 a 9** manteniéndose sobre la pierna derecha; luego, vuelva a *Tadasana*.

**32**

# Núm. 32 Dandasana

## *El Báculo*

Se trata de la postura sentada básica. Sencilla pero difícil. Cuando esté cansado puede mantenerla durante unas cuantas respiraciones entre las posturas, en vez de una activa *vinyasa*. Estimula el cuerpo entero, desarrolla las piernas, libera la pelvis y la columna vertebral. Sirve de preparación para las flexiones de torso. Prepara también la columna vertebral para la meditación. Enseña el significado de la quietud dinámica.

**RESUMEN**

Sentado con las piernas juntas bien extendidas, rectas y fuertes, active los *bandhas* para elevar la columna vertebral bien asentada en la pelvis mientras presiona con las palmas de las manos colocadas junto a las nalgas; el abdomen se mantiene alargado, cóncavo y vacío, y el pecho amplio y pleno. Mantenga los pies, las manos, las piernas y los brazos activos con suave respiración rítmica *Ujjayi*, y el núcleo del cuerpo relajado. ✴ 33 38

1   Siéntese en el suelo con las piernas bien extendidas frente a usted, pero relajadas. Compruebe que la pelvis y el tronco no estén girados, y alinee las caras internas de los tobillos colocándolas una contra otra.

2   Girándolas, junte las caras internas de los tobillos y una las caras internas de los pies de modo que se toquen las bases de los dedos gordos.

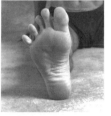

3   Alargue desde la cara interna del tobillo hasta la cara interna del talón y ensanche la eminencia plantar para que los gemelos se empotren en la tibia.

4   Alargue la parte anterior del tobillo sin acortar el tendón de Aquiles, y extienda los dedos de los pies hacia el techo. Mantenga la eminencia plantar lo más alejada que pueda de la columna vertebral.

5   **Durante la espiración,** contrayendo los músculos de los muslos, como si los absorbieran los fémures, acerque lo más posible al suelo la cara posterior de las rodillas. Al mismo tiempo, adelante ligeramente los iliones respecto a los isquiones.

6   **Durante la inspiración,** ensanche el borde costal y absorba el plexo solar hacia dentro y hacia arriba, de manera que el pecho se active, se ensanche y se llene, mientras el abdomen se mantiene pasivo, alargado y vacío (*Uddiyanabandha*), y se aplana su parte púbica, absorbiendo el perineo y el sacro hacia dentro, con el ano relajado (*Mulabandha*). Mantenga el núcleo del cuerpo relajado mientras la columna vertebral se alarga bien asentada en de la pelvis.

7   **Durante la espiración,** presione con las palmas de las manos colocadas en el suelo junto a las nalgas, con los brazos bien rectos. Relaje los hombros y desplace los omóplatos hacia dentro. Dirija la vista al frente.

Mantenga la postura hasta que se sienta preparado para relajar la posición aprovechando una **inspiración,** y siga el ritmo de la respiración a través de una de las secuencias de *vinyasa* para adoptar una de las siguientes posturas indicadas más abajo, dependiendo de la Serie que esté practicando. ✴ 33 38

# Núm. 33 Urdhvaikapadasana

*Postura de la pierna levantada*

Tenga cuidado con la rodilla de la pierna flexionada. Esta postura hace difícil mantener *Uddiyanabandha*. Estimula los pies y las piernas, fortaleciendo la columna vertebral y los músculos de la espalda, al mismo tiempo que moviliza las articulaciones de las caderas. Enseña la relación existente entre la actividad de las extremidades y la calidad de la columna vertebral. Esta postura puede hacerse por separado o como parte de una sola serie que va fluyendo por *Urdhvaikapadasana* (*33*), *Parsvaikapadasana* (*34*), *Parivrttaikapadasana* (*35*), *Ekapadanavasana* (*36*) y *Sukhapascimottanasana* (*37*), todas ellas realizadas con la pierna izquierda; luego se hace una *vinyasa* y se pasa a repetir la serie con la pierna derecha. Espere hasta que se sienta cómodo con cada postura por separado antes de practicarlas de este modo.

**RESUMEN**

Sentado sobre las nalgas, flexione una pierna acercando el pie lo más posible al cuerpo y luego coja con las dos manos el talón de la otra pierna y levántela estirándola directamente por delante de usted. Mantenga la columna vertebral alargada, la pierna recta, el pie activo y el núcleo del cuerpo relajado, mientras mantiene los *bandhas* con el abdomen alargado, cóncavo y vacío, y el pecho amplio y pleno con suave respiración rítmica *Ujjayi*.

1 Siéntese en el suelo con las piernas estiradas hacia delante, rectas y fuertes, los pies juntos y activos, con la columna vertebral erguida bien asentada en la pelvis (*Dandasana*).

2 **Durante la espiración,** flexione la pierna derecha de modo que el pie derecho toque la parte superior de la cara interna del muslo izquierdo.

3 **Durante la inspiración,** flexione la pierna izquierda y agarre con las dos manos el talón, manteniéndolo alineado con la nalga.

4 **Espiración:** levante la pierna izquierda estirándola directamente de frente.

5 **Inspiración:** levante y ensanche el borde costal y absorba el plexo solar hacia dentro y hacia arriba, de manera que el pecho se active, se ensanche y se llene, mientras el abdomen se mantiene pasivo, alargado y vacío (*Uddiyanabandha*), y aplane su parte púbica, con el ano relajado mientras absorbe el perineo y el sacro hacia dentro (*Mulabandha*).

6 **Espiración:** use las manos para levantar y alargar el tronco un poco más aprovechando la estabilidad de la pierna izquierda estirada, mientras fija la mirada al frente.

Mantenga la posición con la pierna izquierda fuerte, el pie activo, el núcleo del cuerpo relajado, manteniendo los *bandhas* con suave respiración rítmica *Ujjayi,* hasta que se sienta preparado para, aprovechando una **espiración,** mover la pierna lateralmente a la derecha de la cadera y adoptar *Parsvaikapadasana* (**34**), pasos **4 a 6.**

SI LA POSTURA SE REALIZA POR SEPARADO, aprovechando una **inspiración**, adopte *Dandasana,* y siguiendo el ritmo de la respiración realice una de las secuencias cortas de *vinyasa;* luego repita los pasos **2 a 6** por el otro lado. Cuando ya haya realizado la postura por ambos lados siga la respiración a través de cualquiera de las secuencias de *vinyasa* para acabar adoptando *Parsvaikapadasana* (**34**).

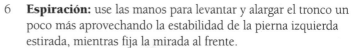

# Núm. 34 Parsvaikapadasana

*Postura lateral de la pierna levantada*

Tenga cuidado con la rodilla de la pierna flexionada. Esta postura estimula los pies y las piernas, al mismo tiempo que moviliza las articulaciones de las caderas y refina los *bandhas*. Puede hacerse por separado o como parte de una sola serie que va fluyendo por *Urdhvaikapadasana* (**33**), *Parsvaikapadasana* (**34**), *Parivrttaikapadasana* (**35**), *Ekapadanavasana* (**36**) y *Sukhapascimottanasana* (**37**), todas ellas realizadas con la pierna izquierda; luego se hace una *vinyasa* y se pasa a repetir la serie con la pierna derecha. Espere hasta que se sienta cómodo con cada postura por separado antes de practicarlas de este modo.

**RESUMEN**

Sentado sobre las nalgas, flexione una pierna acercando el pie lo más posible al cuerpo; coja con la mano correspondiente la otra pierna y estírela lo más posible lateralmente, mientras dirige la mirada por encima del hombro contrario. Mantenga la columna vertebral alargada, la pierna recta, el pie activo y el núcleo del cuerpo relajado, mientras mantiene los *bandhas* con el abdomen alargado, cóncavo y vacío, y el pecho amplio y pleno con suave respiración rítmica *Ujjayi*.

1   Siéntese en el suelo con las piernas estiradas hacia delante, rectas y fuertes, los pies juntos y activos, con la columna vertebral erguida bien asentada en la pelvis (*Dandasana*).

2   **Durante la espiración,** flexione la pierna derecha de modo que el pie derecho toque la parte superior de la cara interna del muslo izquierdo.

3   **Durante la inspiración,** flexione la pierna izquierda, agarre la cara interna del talón con la mano izquierda y ponga la mano derecha sobre la cadera derecha, o sobre el suelo junto a la nalga derecha.

4   **Espiración:** levante lateralmente la pierna izquierda estirada, lo más ampliamente que pueda.

5   **Inspiración:** levante y ensanche el borde costal y absorba el plexo solar hacia dentro y hacia arriba, de manera que el pecho se active, se ensanche y se llene, mientras el abdomen se mantiene pasivo, alargado y vacío (*Uddiyanabandha*), y aplane su parte púbica, con el ano relajado mientras absorbe el perineo y el sacro hacia dentro (*Mulabandha*).

6   **Espiración:** use la mano izquierda para levantar y alargar el tronco un poco más aprovechando la estabilidad de la pierna izquierda estirada, mientras fija la mirada a la derecha.

Mantenga la posición con la pierna izquierda fuerte, el pie activo, el núcleo del cuerpo relajado, manteniendo los *bandhas* con suave respiración rítmica *Ujjayi,* hasta que se sienta preparado para, aprovechando una **espiración,** cruzar la pierna sobre el cuerpo hasta la otra mano, con la mano libre sobre la cadera, pasando de este modo a *Parivrttaikapadasana* (*35*), pasos **4 a 6.**

SI LA POSTURA SE REALIZA POR SEPARADO, aprovechando una **inspiración**, adopte *Dandasana,* y siguiendo el ritmo de la respiración realice una de las secuencias cortas de *vinyasa;* luego repita los pasos **2 a 6** por el otro lado. Cuando ya haya hecho ambos lados, siga la respiración a través de cualquiera de las secuencias de *vinyasa* para acabar adoptando *Parivrttaikapadasana* (*35*).

35   35

# Núm. 35 Parivrttaikapadasana

*Postura de la pierna levantada en torsión*

Tenga cuidado con la rodilla de la pierna flexionada. Esta postura estimula los pies y las piernas, relaja la columna vertebral y los músculos de la espalda, al mismo tiempo que moviliza las articulaciones de las caderas, del sacro y sacroilíaca. Puede hacerse por separado o como parte de una sola serie que va fluyendo por *Urdhvaikapadasana* (**33**), *Parsvaikapadasana* (**34**), *Parivrttaikapadasana* (**35**), *Ekapadanavasana* (**36**) y *Sukhapascimottanasana* (**37**), todas ellas realizadas con la pierna izquierda; luego se hace una *vinyasa* y se pasa a repetir la serie con la pierna derecha. Espere hasta que se sienta cómodo con cada postura por separado antes de practicarlas de este modo.

**RESUMEN**

Sentado sobre las nalgas, flexione una pierna acercando el pie lo más posible a la nalga contraria; coja con la mano del lado contrario la cara exterior del talón de la otra pierna y levántela, estirándola lo más posible y cruzando con ella la línea central del cuerpo, mientras dirige la mirada en la dirección contraria. Mantenga la columna vertebral alargada, la pierna recta, el pie activo y el núcleo del cuerpo relajado, mientras mantiene los *bandhas* con el abdomen alargado, cóncavo y vacío, y el pecho amplio y pleno con suave respiración rítmica *Ujjayi*.

1   Siéntese en el suelo con las piernas estiradas hacia delante, rectas y fuertes, los pies juntos y activos, con la columna vertebral erguida bien asentada en la pelvis (*Dandasana*).

2   **Durante la espiración,** flexione la pierna derecha de modo que el pie derecho toque la parte superior de la cara interna del muslo izquierdo.

3   **Durante la inspiración,** flexione la pierna izquierda, agarre la cara externa del talón con la mano derecha y ponga la mano izquierda sobre la cadera izquierda, o sobre el suelo junto a la nalga izquierda.

4   **Espiración:** levante la pierna izquierda estirada, lo más ampliamente que pueda cruzando la línea del cuerpo, mientras gira la cabeza en la dirección contraria, hacia la izquierda, y rota el hombro izquierdo hacia atrás.

5   **Inspiración:** levante y ensanche el borde costal y absorba el plexo solar hacia dentro y hacia arriba, de manera que el pecho se active, se ensanche y se llene, mientras el abdomen se mantiene pasivo, alargado y vacío (*Uddiyanabandha*), y aplane su parte púbica, con el ano relajado mientras absorbe el perineo y el sacro hacia dentro (*Mulabandha*).

6   **Espiración:** use la mano derecha para levantar y alargar el tronco un poco más aprovechando la estabilidad de la pierna izquierda estirada, mientras fija la mirada a la izquierda.

Mantenga la posición con la pierna izquierda fuerte, el pie activo, el núcleo del cuerpo relajado, manteniendo los *bandhas* con suave respiración rítmica *Ujjayi*, hasta que se sienta preparado para, aprovechando una **espiración**, llevar la pierna al centro y, en la Serie de Base, poniendo las manos en jarras sobre las caderas, adoptar *Ekapadanavasana* (**36**) paso **7**, o, en la Serie de Apaciguamiento, bajar el muslo izquierdo sobre el arco del pie derecho y adoptar *Sukhapascimottanasana* (**37**), pasos **3 a 8.**

SI LA POSTURA SE REALIZA POR SEPARADO, aprovechando una **inspiración**, adopte *Dandasana* y, siguiendo el ritmo de la respiración, realice una de las secuencias cortas de *vinyasa*; luego repita los pasos **2 a 6** por el otro lado. Cuando ya haya hecho la postura por ambos lados, siga la respiración a través de cualquiera de las secuencias de *vinyasa* para acabar adoptando una de las posturas indicadas abajo, dependiendo de la Serie que esté practicando.

✴ **37**   **36**

# Núm. 36 Ekapadanavasana

*La Barca con una sola pierna*

Esta postura fortalece las piernas y la espalda. Sirve de preparación para *Navasana*. Refina el uso de *Uddiyanabandha*. Enseña a mantener la pierna recta y sin sostén sin tensar el abdomen, así como la importancia de los pies para la actividad de las piernas. Esta postura puede hacerse por separado o como parte de una sola serie que va fluyendo por *Urdhvaikapadasana* (*33*), *Parsvaikapadasana* (*34*), *Parivrttaikapadasana* (*35*), *Ekapadanavasana* (*36*) y *Sukhapascimottanasana* (*37*), todas ellas realizadas con la pierna izquierda; luego se hace una *vinyasa* y se pasa a repetir la serie con la pierna derecha. Espere hasta que se sienta cómodo con cada postura por separado antes de practicarlas de este modo.

### RESUMEN

Sentado sobre las nalgas, flexione una pierna acercando el pie lo más posible a la nalga contraria; coja con las dos manos el talón de la otra pierna y estírela hacia arriba directamente delante de usted;
después suelte el talón y extienda los brazos paralelos al suelo a cada lado de la pierna. Mantenga la columna vertebral alargada, la pierna recta, el pie activo y el núcleo del cuerpo relajado, mientras conserva activos los *bandhas* con el abdomen alargado, cóncavo y vacío, y el pecho amplio y pleno con suave respiración rítmica *Ujjayi*. **37**

1   Siéntese en el suelo con las piernas estiradas hacia delante, rectas y fuertes, los pies juntos y activos, con la columna vertebral erguida bien asentada en la pelvis (*Dandasana*).

2   **Durante la espiración,** flexione la pierna derecha de modo que el pie derecho toque la parte superior de la cara interna del muslo izquierdo.

3   **Durante la inspiración,** flexione la pierna izquierda y agarre con las dos manos el talón, manteniéndolo alineado con la nalga.

4   **Espiración:** estire la pierna izquierda hacia arriba directamente de frente.

5   **Inspiración:** levante y ensanche el borde costal y absorba el plexo solar hacia dentro y hacia arriba, de manera que el pecho se active, se ensanche y se llene, mientras el abdomen se mantiene pasivo, alargado y vacío (*Uddiyanabandha*), y aplane su parte púbica, con el ano relajado al mismo tiempo que absorbe el perineo y el sacro hacia dentro (*Mulabandha*).

6   **Espiración:** use las manos para levantar y alargar el tronco un poco más aprovechando la estabilidad de la pierna izquierda estirada, mientras dirige la mirada al frente.

7   **Inspiración:** extienda los brazos paralelos al suelo a cada lado de la pierna izquierda, mientras la mantiene recta y fuerte sin tensar el abdomen.

Mantenga la posición con la pierna izquierda fuerte, el pie activo, el núcleo del cuerpo relajado, conservando activos los *bandhas* con suave respiración rítmica *Ujjayi,* hasta que se sienta preparado para, aprovechando una **espiración,** bajar el muslo izquierdo hasta el arco plantar del pie derecho y adoptar *Sukhapascimottanasana* (**37**).

SI LA POSTURA SE REALIZA POR SEPARADO, aprovechando una **inspiración,** adopte *Dandasana* y, siguiendo el ritmo de la respiración, realice una de las secuencias cortas de *vinyasa;* luego repita los pasos **2 a 7** por el otro lado. Cuando ya haya hecho la postura por ambos lados, siga la respiración a través de cualquiera de las secuencias de *vinyasa* para acabar adoptando *Sukhapascimottanassana* (**37**).   **37**

# Núm. 37 Sukhapascimottanasana

*Flexión sencilla de columna*

Esta postura ejerce sobre la pierna flexionada una acción semejante a la Postura del Loto, sin utilizar la torsión en la rodilla que debe alzarse al adoptar *Padmasana,* que es demasiado soportar para más de una rodilla acostumbrada a la vida sedentaria. No obstante, debe ponerse mucho cuidado de que no duela la rodilla flexionada. Si aparece el mínimo dolor, estire la pierna formando un ángulo recto con la otra, y luego continúe. Fomenta la interiorización y hace difícil mantener *Uddiyanabandha*. Libera la tensión de la columna vertebral y la espalda, y abre las articulaciones de las piernas. Enseña la importancia de los pies para la actividad de las piernas. Esta postura puede hacerse por separado o como parte de una sola serie que va fluyendo por *Urdhvaikapadasana* (**33**), *Parsvaikapadasana* (**34**), *Parivrttaikapadasana* (**35**), *Ekapadanavasana* (**36**) y *Sukhapascimottanasana* (**37**), todas ellas realizadas con la pierna izquierda; luego se hace una *vinyasa* y se pasa a repetir la serie con la pierna derecha. Espere hasta que se sienta cómodo con cada postura por separado antes de practicarlas de este modo.

**RESUMEN**

Con una pierna estirada y la otra flexionada con el pie bajo el otro muslo y el talón contra el pubis, alargue y flexione la columna vertebral sobre la pierna estirada. Relajando la columna vertebral y el cuello, cargue de energía la pierna estirada y el pie. El núcleo del cuerpo debe mantenerse relajado. Conserve activos los *bandhas* con el abdomen alargado, cóncavo y vacío, y el pecho amplio y pleno, con suave respiración rítmica *Ujjayi*. 🟌 43

1   Siéntese en el suelo con las piernas estiradas hacia delante, rectas y fuertes, los pies juntos y activos, con la columna vertebral erguida bien asentada en la pelvis (*Dandasana*).

2   Flexionando la pierna derecha, levante ligeramente el muslo izquierdo y deslice el pie derecho por debajo, de modo que el muslo izquierdo descanse sobre el arco del pie derecho, mientras el talón derecho toca el centro del hueso púbico. Relaje la pierna derecha completamente.

3   **Durante la espiración,** extienda la pierna izquierda, ensanche la eminencia plantar, alargue la cara interna del talón y la cara anterior del tobillo y contraiga los músculos del muslo, de modo que la parte posterior de la rodilla descienda mientras la pierna se estira.

4   **Durante la inspiración,** levante y ensanche el borde costal y absorba el plexo solar hacia dentro y hacia arriba, de manera que el pecho se active, se ensanche y se llene, mientras el abdomen se mantiene pasivo, alargado y vacío (*Uddiyanabandha*), y aplane su parte púbica, con el ano relajado al mismo tiempo que mete el perineo y el sacro hacia dentro (*Mulabandha*).

5   **Espiración:** bascule la pelvis, estírese hacia delante y coja la espinilla, el tobillo o el pie izquierdos con las dos manos, manteniendo estirada la pierna izquierda. El pie debe estar siempre activo.

6   **Inspiración:** aclare los *bandhas* mientras levanta la barbilla, alargando la parte anterior de la columna vertebral y abra el pecho, manteniendo estirada la pierna izquierda.

7   **Espiración:** flexione los brazos, adelantando los codos y alargue la parte anterior de la columna vertebral hacia delante mientras desciende hacia la pierna y relaje el cuello. Mantenga la pierna izquierda estirada.

8   **Inspiración:** aclare los *bandhas* mientras adelanta la coronilla, alargue la parte anterior de la columna vertebral y abra el pecho, manteniendo estirada la pierna izquierda.

Mantenga la posición, con la pierna izquierda fuerte, el pie activo, el núcleo del cuerpo relajado, manteniendo los *bandhas* con suave respiración rítmica *Ujjayi*, hasta que se sienta preparado para, conservando la carga energética de los *bandhas* y la pierna, aprovechar una **inspiración** para pasar a *Dandasana*. Luego siga el ritmo de la respiración a través de una de las secuencias cortas de *vinyasa,* y después repita los pasos **2 a 8** por el otro lado. Cuando haya realizado la postura por ambos lados, siga el ritmo de la respiración a través de cualquiera de las secuencias de *vinyasa* para adoptar una de las posturas que se indican a continuación, dependiendo de la Serie que esté practicando.

Si se realiza dinámicamente, mediante la repetición de los pasos **6 y 7,** esta postura relaja suavemente la espalda y los tendones de las corvas.

# Núm. 38 Ekapadapascimottanasana

*Flexión de columna sobre una sola pierna*

Esta postura es la flexión más sencilla de la columna vertebral. No obstante, debe ponerse mucho cuidado de que no duela la rodilla flexionada. Si aparece el mínimo dolor, estire la pierna abriéndola para formar un ángulo recto con la otra, y luego continúe. Fomenta la interiorización y hace difícil mantener

*Uddiyanabandha.* Libera la tensión de la columna vertebral y la espalda, y abre las articulaciones de las piernas. Enseña la importancia de los pies para la actividad de las piernas.

**RESUMEN**

Con una pierna estirada y la otra flexionada con el pie sobre la pierna contraria de modo que el talón quede en la ingle, alargue y flexione la columna vertebral sobre la pierna estirada. Relajando la columna vertebral y el cuello, **39** gue de energía la pierna estirada y el pie. El núcleo del cuerpo debe estar relajado. Mantenga los *bandhas* con el abdomen alargado, cóncavo y vacío, y el pecho amplio y pleno, con suave respiración rítmica *Ujjayi*.

1   Siéntese en el suelo con las piernas estiradas hacia delante, rectas y fuertes, los pies juntos y activos, con la columna vertebral erguida bien asentada en la pelvis (*Dandasana*).

2   Flexionando la pierna derecha, coloque el pie derecho contra la parte superior de la cara interna del muslo izquierdo, con el talón en la ingle. Relaje la pierna derecha completamente.

3   **Durante la espiración,** extienda la pierna izquierda, ensanchando la eminencia plantar, alargando la cara interna del talón y la cara anterior del tobillo y contraiga los músculos del muslo, de modo que la parte posterior de la rodilla descienda mientras la pierna se estira.

4   **Durante la inspiración,** levante y ensanche el borde costal y absorba el plexo solar hacia dentro y hacia arriba, de manera que el pecho se active, se ensanche y se llene, mientras el abdomen se mantiene pasivo, alargado y vacío (*Uddiyanabandha*), y aplane su parte púbica, con el ano relajado al mismo tiempo que absorbe el perineo y el sacro hacia dentro (*Mulabandha*).

5   **Espiración:** bascule la pelvis, estírese hacia delante y coja la espinilla, el tobillo o el pie izquierdos con las dos manos, manteniendo estirada la pierna y el pie activo.

6   **Inspiración:** aclare los *bandhas* mientras levanta la barbilla, alargue la parte anterior de la columna vertebral y abra el pecho, manteniendo estirada la pierna izquierda.

7   **Espiración:** flexione los brazos, adelantando los codos, y alargue la parte anterior de la columna vertebral flexionándola mientras desciende hacia la pierna y relaje el cuello. Mantenga la pierna izquierda estirada.

8   **Inspiración:** aclare los *bandhas* mientras adelanta la coronilla, alargue la parte anterior de la columna vertebral y abra el pecho, manteniendo estirada la pierna izquierda.

Mantenga la posición, con la pierna izquierda fuerte, el pie activo, el núcleo del cuerpo relajado, manteniendo los *bandhas* con suave respiración rítmica *Ujjayi,* hasta que se sienta preparado para, conservando la carga energética de los *bandhas* y la pierna, y aprovechando una **inspiración,** pasar a *Dandasana.* Luego siga el ritmo de la respiración a través de una de las secuencias cortas de *vinyasa,* y después repita los pasos **2 a 8** por el otro lado. Cuando haya realizado la postura por ambos lados, siga el ritmo de la respiración a través de cualquiera de las secuencias de *vinyasa* para adoptar *Padmapascimottanasana* (**39**).

Si se realiza dinámicamente, mediante la repetición de los pasos **6 y 7** esta postura relaja suavemente la espalda y los tendones de las corvas. **39**

# Núm. 39 Padmapascimottanasana

*Flexión de columna desde la Postura del Loto*

Esta postura libera la cadera, la rodilla y la articulación del tobillo mientras actúa en profundidad sobre la articulación de la cadera, la articulación sacroilíaca y los ligamentos pélvicos. Enseña la importancia de mantener estiradas las piernas para alargar la columna en las flexiones. Sirve de preparación para *Padmasana*. Debe ponerse mucho cuidado de que no duela la rodilla flexionada. Si aparece el mínimo dolor, estire la pierna formando un ángulo recto con la otra, y luego continúe. Si no le resulta posible adoptar la Postura de Medio Loto (*Ardhapadmasana*), pero no le duele la rodilla, coloque el pie bajo el muslo contrario para que la pierna de este muslo adopte la misma forma y ángulo que si estuviera en Loto. (No deje de consultar la Postura Núm. 37, *Sukhapascimottanasana*.)

## RESUMEN

Con una pierna estirada y la otra en Medio Loto, flexione y alargue la columna vertebral sobre la pierna estirada. Relajando la columna vertebral y el cuello, cargue la pierna recta y el pie. El núcleo del cuerpo debe estar relajado. Mantenga los *bandhas* con el abdomen alargado, cóncavo y vacío, y el pecho amplio y pleno, con suave respiración rítmica *Ujjayi*.

**40**

1  Siéntese en el suelo con las piernas estiradas hacia delante, rectas y fuertes, los pies juntos y activos, con la columna vertebral erguida bien asentada en la pelvis (*Dandasana*).

2  Relaje las piernas y sostenga la pierna derecha por la rodilla y el talón, manteniéndola relajada. Sosteniendo el peso de la pierna por el talón, use la mano derecha para empujar la masa muscular de la pantorrilla y el muslo levantándola y trayéndola hacia usted, de modo que el fémur y la tibia se acerquen entre sí. Use las dos manos para colocar la tibia tan apretada contra el fémur como sea posible, asegurándose de que la espinilla no se gire hacia arriba, hacia la cara.

3  Acerque el muslo derecho al izquierdo y, a medida que el pie derecho se acerca al muslo izquierdo, colóquelo sobre el muslo con el talón cerca del ombligo.

4  **Durante la espiración,** extienda la pierna izquierda, ensanchando la eminencia plantar y alargando la cara interna del talón y la cara anterior del tobillo, y contraiga los músculos del muslo, de modo que la parte posterior de la rodilla descienda mientras la pierna se estira.

5  **Durante la inspiración,** levante y ensanche el borde costal y absorba el plexo solar hacia dentro y hacia arriba, de manera que el pecho se active, se ensanche y se llene, mientras el abdomen se mantiene pasivo, alargado y vacío (*Uddiyanabandha*), y aplane su parte púbica, con el ano relajado mientras absorbe el perineo y el sacro hacia dentro (*Mulabandha*).

6  **Espiración:** bascule la pelvis y flexione la columna vertebral alargándola para cogerse de la pantorrilla, del tobillo o del pie izquierdos con las dos manos, manteniendo estirada la pierna y el pie activo.

7  **Inspiración:** aclare los *bandhas* mientras levanta la barbilla, alargue la parte anterior de la columna vertebral y abra el pecho, manteniendo estirada la pierna izquierda.

8  **Espiración:** flexione los brazos, adelantando los codos, y alargue la parte anterior de la columna vertebral mientras desciende hacia la pierna, con el cuello relajado. Mantenga la pierna izquierda estirada.

9  **Inspiración:** aclare los *bandhas* mientras adelanta la coronilla, alargue la parte anterior de la columna vertebral y abra el pecho, manteniendo estirada la pierna izquierda.

Mantenga la posición con los *bandhas*, la pierna y el pie activos, el núcleo relajado, la respiración suave, hasta que se sienta preparado para salir de la postura y pasar a *Dandasana*. Después siga el ritmo de la respiración a través de una de las secuencias de *vinyasa,* y repita los pasos **2 a 8** por el otro lado. Luego respire siguiendo cualquiera de las secuencias de *vinyasa* para adoptar *Janusirsasana* (**40**).

Si se realiza dinámicamente, mediante la repetición de los pasos **7 y 8,** esta postura relaja suavemente la espalda y los tendones de las corvas.  **40**

# Núm. 40 Janusirsasana

*Postura de intensa flexión*

De las flexiones de la columna vertebral, ésta es la que ofrece al tronco un mayor estiramiento. Al hacerlo, purifica los riñones. Debe ponerse mucho cuidado de que no duela la rodilla flexionada. Si aparece el mínimo dolor, estire la pierna formando un ángulo recto con la otra, y luego continúe. Promueve la interiorización. Hace que resulte difícil mantener *Uddiyanabandha*. Enseña la necesidad de distinguir con claridad, especialmente en la cadera y en la cintura pélvica, entre las acciones de las diversas partes del cuerpo que se compensan y oponen entre sí. Como en todas estas flexiones en las que se alarga la columna, cuando las piernas alcanzan su plena potencia y la pelvis su mayor movilidad, la cabeza desciende a tocar la espinilla casi en el tobillo, no en la rodilla. Actúa en profundidad sobre las articulaciones coxofemorales y sacroilíacas y sobre los ligamentos pélvicos.

**RESUMEN**

Con una pierna estirada y la otra flexionada, manteniendo el talón en la misma ingle de modo que la rodilla quede detrás de la línea de las caderas, alargue y flexione la columna vertebral sobre la pierna estirada. Relajando la columna vertebral y el cuello, cargue de energía la pierna recta y el pie. El núcleo del cuerpo debe estar relajado. Mantenga los *bandhas* con el abdomen alargado, cóncavo y vacío, y el pecho amplio y pleno, con suave respiración rítmica *Ujjayi*. **41**

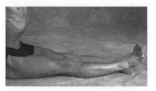

1 Siéntese en el suelo con las piernas estiradas hacia delante, rectas y fuertes, los pies juntos y activos, con la columna vertebral erguida bien asentada en la pelvis (*Dandasana*).

2 Doblando la rodilla derecha, coloque el talón derecho en la ingle, de modo que la rodilla derecha quede tras la línea de las caderas. Mantenga abierta la eminencia plantar del pie derecho y la pierna activa.

3 **Durante la espiración,** extienda la pierna izquierda, ensanchando la eminencia plantar, alargando la cara interna del talón y la cara anterior del tobillo y contraiga los músculos del muslo, de modo que la parte posterior de la rodilla descienda mientras la pierna se estira.

4 **Durante la inspiración,** levante y ensanche el borde costal y absorba el plexo solar hacia dentro y hacia arriba, de manera que el pecho se active, se ensanche y se llene, mientras el abdomen se mantiene pasivo, alargado y vacío (*Uddiyanabandha*), y aplane su parte púbica, con el ano relajado mientras absorbe el perineo y el sacro hacia dentro (*Mulabandha*).

5 **Espiración:** bascule la pelvis y flexione la columna vertebral alargándola para cogerse de la espinilla, del tobillo o del pie izquierdos con las dos manos, manteniendo estirada la pierna izquierda y el pie activo.

6 **Inspiración:** aclare los *bandhas* mientras levanta la barbilla, alargue la parte anterior de la columna vertebral y abra el pecho, manteniendo estirada la pierna izquierda.

7 **Espiración:** flexione los brazos, adelantando los codos, y alargue la parte anterior de la columna vertebral mientras desciende hacia la pierna, con el cuello relajado. Mantenga la pierna izquierda estirada. Compruebe que no arrastra hacia delante la rodilla derecha, sino que gira la parte superior del muslo hacia delante mientras la tibia se mete por debajo y la rodilla se centra. Ofrezca resistencia en la rodilla para que se quede centrada y todo el movimiento ocurra en el tronco y la pelvis. Relaje el cuello.

8 **Inspiración:** aclare los *bandhas* mientras adelanta la coronilla, alargue la parte anterior de la columna vertebral y abra el pecho, manteniendo estirada la pierna izquierda. Observe la posición de la rodilla derecha, que debe quedar detrás de la línea de las caderas.

Mantenga la posición con los *bandhas*, la pierna y el pie activos, el núcleo relajado, la respiración suave, hasta que se sienta preparado para salir de la postura y pasar a *Dandasana*. Después siga el ritmo de la respiración a través de una de las secuencias cortas de *vinyasa,* y repita los pasos **2 a 8** por el otro lado. Luego respire siguiendo cualquiera de las secuencias de *vinyasa* para adoptar *Marichyasana* (**41**).

Si se realiza dinámicamente, mediante la repetición de los pasos **6 y 7,** esta postura relaja suavemente la espalda y los tendones de las corvas.

**41**

# Núm. 41 Marichyasana

*Postura de Marichya*

Esta postura, y todas las demás con un pie recogido y la rodilla alzada, se denominan con el nombre del sabio *Marichya*. Trabaja en profundidad en la articulación de la cadera, los ligamentos pélvicos y la parte baja de la espalda. Hace difícil mantener los *bandhas*. Libera el cuello y fortalece las muñecas. Los brazos se emplean para sostener la espalda.

**RESUMEN**

Sentado con una pierna estirada y la otra flexionada con el pie recogido y la rodilla levantada, rodee con el brazo esta pierna, a la altura de la parte alta de la espinilla y coja la otra mano por detrás de la cintura. Manteniendo alargada la columna vertebral, flexiónela sobre la pierna estirada y relaje la columna, los hombros y el cuello manteniendo los pies y las piernas activos. Mantenga los *bandhas* con el abdomen alargado, cóncavo y vacío, y el pecho amplio y pleno, con suave respiración rítmica *Ujjayi*.

42

1 Siéntese en el suelo con las piernas estiradas hacia delante, rectas y fuertes, los pies juntos y activos, con la columna vertebral erguida bien asentada en la pelvis (*Dandasana*).

2 **Durante la espiración,** flexione la pierna derecha, acercando lo más posible el pie al pubis, manteniendo la rodilla hacia arriba y rodee la pierna derecha con las dos manos. Mantenga la presión del pie derecho contra el suelo firmemente, de modo que se activen los gemelos y el muslo. El pie derecho debe quedar contra el muslo izquierdo.

3 **Durante la inspiración:** levante y ensanche el borde costal y absoba el plexo solar hacia dentro y hacia arriba, de manera que el pecho se active, se ensanche y se llene, mientras el abdomen se mantiene pasivo, alargado y vacío (*Uddiyanabandha*), y aplane su parte púbica, con el ano relajado al mismo tiempo que absorbe el perineo y el sacro hacia dentro (*Mulabandha*).

4 **Espiración:** libere la mano derecha y extienda el brazo derecho hacia delante para agarrar el pie o el tobillo derechos mientras, con la mano izquierda, tira hacia abajo de la espinilla derecha.

5 **Inspiración:** enderece y alargue la columna vertebral.

6 **Espiración:** alargue el brazo derecho y, manteniéndolo estirado y alargado, tire de él hacia atrás presionando contra la pantorrilla derecha para que ésta quede en la axila, no bajo el brazo.

7 **Inspiración:** enderece y alargue la columna vertebral.

8 **Espiración:** flexione el brazo derecho hacia atrás rodeando la pierna para coger la mano izquierda por detrás de la cintura.

9 **Inspiración:** enderece y alargue la columna vertebral.

10 **Espiración:** flexione el tronco sobre la pierna izquierda, usando el brazo derecho contra la tibia como palanca para impulsar la columna vertebral hacia delante a medida que desciende hacia la pierna. Relaje el cuello.

Mantenga la postura con la pierna izquierda fuerte, el pie derecho presionando en el suelo, el cuello, los hombros, la columna vertebral y el núcleo del cuerpo relajados y los *bandhas* activos, con suave respiración rítmica *Ujjayi*, hasta que se sienta preparado para salir de la postura y, aprovechando una **inspiración,** volver a *Dandasana*, manteniendo los *bandhas*; después siga el ritmo de la respiración a través de una de las secuencias cortas de *vinyasa*, y repita los pasos **2 a 10** por el otro lado. Cuando haya realizado la postura por ambos lados, siga la respiración a través de cualquiera de las secuencias de *vinyasa* para adoptar *Sukhamarichyasana* (**42**).

**42**

# Núm. 42 Sukhamarichyasana

*Postura de Marichya sencilla*

Esta postura puede también hacerse con la pierna que queda más baja en *Padmasana,* cuando sea posible. En ese caso actúa en profundidad sobre la articulación de la cadera, los ligamentos pélvicos y la parte baja de la espalda. Hace difícil mantener los *bandhas.* Libera el cuello y fortalece las muñecas. Promueve una profunda interiorización y es extraordinariamente descansada. Los brazos se usan para sostener la espalda.

**RESUMEN**

Siéntese con las dos piernas flexionadas, con una rodilla arriba (la "rodilla alta") y la otra abajo (la "rodilla baja") y el talón de la rodilla alta contra el tobillo de la rodilla baja, que se encuentra sobre el isquion opuesto. Rodee con el brazo de ese lado la parte superior de la espinilla y coja la otra mano por detrás de la cintura. Haga presión hacia abajo con el pie de la rodilla alta. Manteniendo la columna vertebral alargada, flexiónela, relajándola así como, los hombros y el cuello, y conservando los pies y las piernas activos. Mantenga los *bandhas* con el abdomen alargado, cóncavo y vacío, el pecho amplio y pleno, y el núcleo del cuerpo relajado, con suave respiración rítmica *Ujjayi.*

43

1  Siéntese en el suelo con las piernas estiradas hacia delante, rectas y fuertes, los pies juntos y activos, con la columna vertebral erguida bien asentada en la pelvis (*Dandasana*).

2  **Durante la espiración,** flexione las piernas de modo que la rodilla izquierda baje y se abra hacia fuera con el talón contra el isquion derecho, y el talón derecho se coloque contra el tobillo izquierdo con el pie plano y la rodilla levantada. Sujete la espinilla derecha. Mantenga la presión del pie derecho firmemente contra el suelo, de modo que se activen los gemelos y el muslo.

3  **Durante la inspiración,** levante y ensanche el borde costal y absorba el plexo solar hacia dentro y hacia arriba, de manera que el pecho se active, se ensanche y se llene, mientras el abdomen se mantiene pasivo, alargado y vacío (*Uddiyanabandha*), y aplane su parte púbica, con el ano relajado al mismo tiempo que absorbe el perineo y el sacro hacia dentro (*Mulabandha*).

4  **Espiración:** libere la mano derecha y extienda el brazo derecho hacia delante mientras tira hacia abajo de la pierna derecha con la mano izquierda.

5  **Inspiración:** enderece y alargue la columna vertebral.

6  **Espiración:** alargue el brazo derecho y, manteniéndolo estirado y alargado, tire de él hacia atrás contra la pierna derecha para que ésta quede en la axila, no bajo el brazo.

7  **Inspiración:** enderece y alargue la columna vertebral.

8  **Espiración:** flexione el brazo derecho hacia atrás rodeando la espinilla para coger la mano izquierda por detrás de la cintura.

9  **Inspiración:** levante y alargue la columna vertebral.

10  **Espiración:** alargue el tronco al flexionarlo hacia la rodilla izquierda, usando el brazo derecho sobre la tibia como palanca para impulsar la columna vertebral hacia delante a medida que desciende hacia la pierna. Relaje el cuello.

Mantenga la postura con la pierna izquierda fuerte, el pie derecho presionando en el suelo, el cuello, los hombros, la columna vertebral y el núcleo del cuerpo relajados y los *bandhas* activos, con suave respiración rítmica *Ujjayi*, hasta que se sienta preparado para salir de la postura y, aprovechando una **inspiración,** volver a *Dandasana*, manteniendo los *bandhas*. Luego siga el ritmo de la respiración a través de una de las secuencias cortas de *vinyasa*, y repita los pasos **2 a 10** por el otro lado. Cuando haya realizado la postura por ambos lados, siga la respiración a través de cualquiera de las secuencias de *vinyasa* para adoptar *Parivrttamarichyasana* (**43**).

**43**

# Núm. 43 Parivrttamarichyasana

*Torsión Marichya*

Esta postura da una suave torsión a la columna vertebral, relajando los músculos de la espalda. Moviliza las articulaciones lumbosacral y sacroilíaca, y la columna vertebral entera (incluyendo el cuello), en la que también estimula la circulación sanguínea. Preparación y contrapostura para las extensiones de la columna vertebral.

## RESUMEN

Sentado con una de las piernas estirada y la otra flexionada con el pie bien recogido junto a la nalga y la rodilla levantada, rodee con el brazo del lado de la pierna estirada la espinilla levantada y gírese para mirar por encima del hombro de la pierna flexionada. Mantenga los pies y las piernas activos, la columna vertebral alargada, el pecho abierto y el núcleo del cuerpo relajado, conservando activos los *bandhas* con el abdomen alargado, cóncavo y vacío, el pecho amplio y pleno, y el núcleo del cuerpo relajado, con suave respiración rítmica *Ujjayi*.  44  44

1  Siéntese en el suelo con las piernas estiradas hacia delante, rectas y fuertes, los pies juntos y activos, con la columna vertebral erguida bien asentada en la pelvis (*Dandasana*).

2  **Durante la espiración,** flexione la pierna derecha colocando el pie lo más cerca posible del pubis y manteniendo la rodilla bien alzada, y coja la espinilla derecha con las dos manos.

3  **Durante la inspiración,** levante y ensanche el borde costal y absorba el plexo solar hacia dentro y hacia arriba, de manera que el pecho se active, se ensanche y se llene, mientras el abdomen se mantiene pasivo, alargado y vacío (*Uddiyanabandha*), aplane su parte pública, con el ano relajado al mismo tiempo que mete el perineo y el sacro hacia dentro (*Mulabandha*), y levante el brazo derecho alargado y recto.

4  **Espiración:** tire de la espinilla con la mano izquierda para mantenerla vertical mientras hace presión hacia abajo con el pie, y gírese hacia la derecha, pasando la mano derecha por abajo y por detrás de usted. Haga presión con la palma de la mano derecha contra el suelo.

5  **Inspiración:** rodee con el codo izquierdo la pierna derecha y levante y alargue la columna vertebral.

6  **Espiración:** gire la cabeza y mire por encima del hombro derecho.

Mantenga la postura con las piernas y los pies activos, la columna vertebral erguida, el cuello relajado, el pecho abierto. Mantenga los *bandhas* con el abdomen alargado, cóncavo y vacío, el pecho amplio y pleno, y el núcleo del cuerpo relajado con suave respiración rítmica *Ujjayi,* hasta que se sienta preparado para salir de la postura y, aprovechando una **inspiración,** volver a *Dandasana;* luego siga la respiración a través de una de las secuencias cortas de *vinyasa,* y repita los pasos **2 a 6** por el otro lado. Cuando haya realizado la postura por ambos lados, siga la respiración a través de cualquiera de las secuencias de *vinyasa* para adoptar *Parivrttasukhamarichyasana* (**44**). 🔲44 ⚫44

# Núm. 44 Parivrttasukhamarichyasana

*Torsión Marichya sencilla*

Esta postura puede realizarse con la pierna que queda baja en *Padmasana*, cuando resulte posible. Da una ligera torsión a la columna vertebral, relajando los músculos de la espalda. Moviliza las articulaciones lumbosacral y sacroilíaca, y la columna vertebral entera (incluyendo el cuello), en la que también estimula la circulación sanguínea. Preparación y contrapostura para las extensiones de la columna vertebral.

**RESUMEN**

Ambas piernas flexionadas, con una rodilla levantada y la otra baja; el talón de la pierna levantada colocado contra el tobillo de la baja, y éste situado contra el isquion de la pierna alta. Abarque con el brazo contrario la parte alta de la pierna levantada y gírese para mirar por encima de ese hombro. Mantenga activo el pie de la pierna levantada, la columna vertebral alargada, el pecho abierto y el núcleo del cuerpo relajado, conservando activos los *bandhas* con el abdomen alargado, cóncavo y vacío, el pecho amplio y pleno, y el núcleo del cuerpo relajado, con suave respiración rítmica *Ujjayi*. **47** **45**

1    Siéntese en el suelo con las piernas estiradas hacia delante, rectas y fuertes, los pies juntos y activos, con la columna vertebral erguida bien asentada en la pelvis (*Dandasana*).

2    **Durante la espiración,** flexione las piernas de modo que la rodilla izquierda baje y se abra hacia fuera con el talón contra el isquion derecho. El talón derecho se coloca contra el tobillo izquierdo con el pie plano y la rodilla levantada. Sujete la pantorrilla derecha con las dos manos.

3    **Durante la inspiración,** levante y ensanche el borde costal; absorba el plexo solar hacia dentro y hacia arriba, de manera que el pecho se active, se ensanche y se llene, mientras el abdomen se mantiene pasivo, alargado y vacío (*Uddiyanabandha*); aplane su parte púbica, con el ano relajado al mismo tiempo que absorbe el perineo y el sacro hacia dentro (*Mulabandha*), y levante el brazo derecho alargado y recto.

4    **Espiración:** tire de la espinilla con la mano izquierda para mantenerla vertical mientras hace presión con el pie hacia abajo, y gírese hacia la derecha, pasando la mano derecha por detrás de usted para apoyarla en el suelo. Haga presión con la palma de la mano derecha contra el suelo.

5    **Inspiración:** rodee con el codo izquierdo la espinilla derecha y enderece y alargue la columna vertebral.

6    **Espiración:** gire la cabeza y mire por encima del hombro derecho.

Mantenga la postura con los pies y las piernas activos, la columna vertebral erguida, el cuello relajado, el pecho abierto. Conserve activos los *bandhas* con el abdomen alargado, cóncavo y vacío, el pecho amplio y pleno, y el núcleo del cuerpo relajado con suave respiración rítmica *Ujjayi*, hasta que se sienta preparado para salir de la postura y, aprovechando una **inspiración,** volver a *Dandasana;* luego siga la respiración a través de una de las secuencias cortas de *vinyasa*, y repita los pasos **2 a 6** por el otro lado. Cuando haya terminado, siga la respiración a través de cualquiera de las secuencias de *vinyasa* para adoptar una de las posturas abajo indicadas, dependiendo de la Serie que esté practicando.  **47**  **45**

# Núm. 45 Dwihastabhujasana

*El Péndulo*

Esta postura debe realizarse a partir de la confianza que aporta la quietud mental, y de una precisa distribución del peso; no mediante la fuerza bruta. Si así se hace, resulta mucho más sencilla de lo que parece a primera vista. Fortalece las manos, las muñecas y los brazos, desarrolla el sentido del equilibrio y la estabilidad, y abre la parte baja de la espalda. Enseña el poder que la quietud tiene para la acción.

**RESUMEN**

Desde la posición en cuclillas, pase los brazos por la parte posterior de las piernas y coloque junto a los pies las manos planas sobre el suelo. Levante los pies y equilibre todo el peso sobre las palmas de las manos. Mantenga activos los *bandhas* y el núcleo del cuerpo relajado, con suave respiración rítmica *Ujjayi*. **46**

1   Colóquese de pie con los pies separados entre sí la anchura de las caderas y flexione las piernas para ponerse en cuclillas con las rodillas contra las axilas. Los brazos deben estar relajados.

2   **Durante la espiración,** deslice los brazos a través de la cara interna de las piernas, hasta rodearlas y llévelas lo más hacia atrás que pueda. Use las manos, una vez colocadas en los tobillos, para ganar algo más de palanca y meter el borde exterior del hombro en el hueco de la parte posterior de la rodilla.

3   **Durante la inspiración,** coloque las palmas de las manos planas sobre el suelo junto a los pies para que los bordes de los tobillos caigan dentro de los espacios entre los pulgares y los dedos índices.

4   **Espiración:** aclare el contacto que tienen las manos con el suelo, manteniendo las palmas anchas y los dedos centrados y alargados mientras presiona hacia abajo firmemente con la base del dedo índice y la eminencia tenar (base del pulgar).

5   **Inspiración:** levante y ensanche el borde costal, absorbiendo el plexo solar hacia dentro y hacia arriba, de manera que el pecho se active, se ensanche y se llene, mientras el abdomen se mantiene pasivo, alargado y vacío (*Uddiyanabandha*), y aplane su parte púbica, con el ano relajado al mismo tiempo que absorbe el perineo y el sacro hacia dentro (*Mulabandha*).

6   **Espiración:** inclínese desplazando el peso del cuerpo hacia atrás, completamente sobre las manos, y levante los pies del suelo.

7   **Inspiración:** acerque las yemas de los dedos gordos entre sí y estire los brazos tanto como pueda.

Mantenga la postura, con las manos activas, ajustando su contacto con el suelo para absorber el movimiento del cuerpo sin perder el equilibrio. Mantenga los *bandhas* con el abdomen alargado, cóncavo y vacío, el pecho amplio y pleno, y el núcleo del cuerpo relajado, con suave respiración rítmica *Ujjayi*. Salga de la postura pasando a *Dandasana;* luego siga la respiración a través de cualquiera de las secuencias de *vinyasa* para adoptar *Bakasana* (**46**).

**46**

# Núm. 46 Bakasana

*La postura del cuervo*

Esta postura debe realizarse a partir de la confianza que aporta la quietud mental, y de un empleo preciso de las manos y los brazos; no mediante la pura fuerza. Si así se hace, resulta mucho más sencilla de lo que parece a primera vista. No sólo desarrolla aplomo y equilibrio al mismo tiempo que fortalece los brazos, sino que, en su forma completa, con las rodillas clavadas en las axilas, proporciona un estiramiento profundo y muy satisfactorio de la parte baja de la espalda.

## RESUMEN

Partiendo de la posición en cuclillas, equilíbrese sobre las manos con las rodillas clavadas en las axilas y los brazos estirados. Mantenga activos los *bandhas* y el núcleo del cuerpo relajado, con suave respiración rítmica *Ujjayi*.

**48**

1 Colóquese de pie con los pies separados entre sí la anchura de las caderas y flexione las piernas hasta que se encuentre en cuclillas con las rodillas contra las axilas y los brazos relajados.

2 Ponga las manos planas sobre el suelo delante de los pies, pero alineadas con ellos.

3 **Durante la espiración,** inclínese echando el peso del cuerpo hacia delante sobre las palmas de las manos, presionando con las tibias en la parte superior de los brazos mientras levanta los talones tan alto como pueda manteniendo el peso sobre todo en las manos, pero también en parte sobre las eminencias plantares.

4 **Durante la inspiración,** levante y ensanche el borde costal, absorbiendo el plexo solar hacia dentro y hacia arriba, de manera que el pecho se active, se ensanche y se llene, mientras el abdomen se mantiene pasivo, alargado y vacío (*Uddiyanabandha*), y aplane su parte púbica, con el ano relajado al mismo tiempo que absorbe el perineo y el sacro hacia dentro (*Mulabandha*).

5 **Espiración:** levante con cuidado un pie separándolo del suelo tanto como le sea posible.

6 **Inspiración:** estabilice la postura.

7 **Espiración:** levante con cuidado el otro pie separándolo del suelo tanto como le sea posible.

8 **Inspiración:** tire de las rodillas clavándolas en las axilas y estire los brazos.

Mantenga la postura, con las manos activas, ajustando su contacto con el suelo para absorber el movimiento del cuerpo sin perder el equilibrio. Conserve activos los *bandhas* con el abdomen alargado, cóncavo y vacío, el pecho amplio y pleno, y el núcleo del cuerpo relajado, con suave respiración rítmica *Ujjayi*. Salga de la postura pasando a *Dandasana*, y luego siga la respiración a través de cualquiera de las secuencias de *vinyasa* para adoptar *Baddhakonasana* (**48**). **48**

# Núm. 47 Urdhvabaddhakonasana

*El Zapatero*

Esta postura refleja la forma en que se sientan habitualmente los zapateros en la India. No fuerce las rodillas para que bajen: bajarán por sí solas cuando se abran las caderas. Abre las articulaciones de las caderas, estira la cara interna de los muslos, moviliza los tobillos y las rodillas. Aclara el uso de los *bandhas* para erguir la columna vertebral. Sirve de preparación para *Baddhakonasana* y *Padmasana*.

**RESUMEN**

Siéntese con los pies juntos delante de usted, usando los dedos de la mano y los pulgares para abrir los pies como un libro y empleando el agarre de las manos y los brazos para alargar la columna vertebral. Aclare los *bandhas* con el abdomen alargado, cóncavo y vacío, y el pecho amplio y pleno, y relaje el núcleo del cuerpo con suave respiración rítmica *Ujjayi*.   ✴52  50

1 Siéntese en el suelo con los pies y las piernas relajados delante de usted.

2 Sujete cada pie con la mano correspondiente de modo que los empeines descansen en las manos con los pulgares rodeando la parte baja de las yemas de los dedos gordos, y los demás dedos de las manos sujetando el borde externo.

3 **Durante la espiración,** deslice las yemas de los pulgares sobre las yemas de los dedos gordos de los pies; ejerciendo con ellas una fuerte presión, empuje los bordes interiores de los pies hacia fuera y sepárelos entre sí mientras usa los dedos sobre los huesos del empeine para empujarlos hacia dentro y hacia arriba, de modo que los pies se abran como un libro mostrando las plantas. Las rodillas bajarán naturalmente hasta el límite que sean móviles los tobillos y puedan abrirse los pies. No las fuerce a que bajen más.

4 **Durante la inspiración,** levante y ensanche el borde costal, absorbiendo el plexo solar hacia dentro y hacia arriba, de manera que el pecho se active, se ensanche y se llene, mientras el abdomen se mantiene pasivo, alargado y vacío (*Uddiyanabandha*), y aplane su parte púbica, con el ano relajado al mismo tiempo que absorbe el perineo y el sacro hacia dentro (*Mulabandha*). La cintura y la columna vertebral deben alargarse considerablemente. Use las manos y los brazos como palancas para incrementar este efecto.

5 **Durante la espiración,** use las manos y los brazos como palancas para alargar la cintura, erguir la columna y abrir el pecho, mientras junta las plantas de los pies y separa de la pelvis las caras internas de los muslos.

Mantenga la postura mientras actúa sobre los pies para que se abran más, aclare los *bandhas* y relaje el núcleo del cuerpo con suave respiración rítmica *Ujjayi*, hasta que se sienta preparado para salir de la postura pasando a una de las secuencias de *vinyasa* determinadas por la respiración y adoptar una de las posturas abajo indicadas, dependiendo de la Serie que esté practicando.
✳52 ■50

# Núm. 48 Baddhakonasana

*Postura de descanso del zapatero*

Esta postura mejora la flexibilidad en las caderas, las rodillas y los tobillos. Debe ponerse muchísimo cuidado para no lesionarse en la parte baja de la espalda al forzar a bajar la cabeza. Sirve de preparación para *Padmasana*.

**RESUMEN**

Siéntese con los pies juntos delante de usted, usando los dedos de la mano y los pulgares para abrir los pies como un libro y empleando el agarre de las manos y los brazos para alargar la columna vertebral. Adelante el tronco y flexiónelo, poniendo la cabeza en el suelo. Aclare los *bandhas* y relaje el núcleo del cuerpo con suave respiración rítmica *Ujjayi*.

**49**

1   Siéntese en el suelo con los pies y las piernas relajados y flexionados delante de usted.

2   Sujete cada pie con la mano correspondiente de modo que los empeines descansen en el interior de las manos con los pulgares rodeando la parte baja de las yemas de los dedos gordos, y los demás dedos de las manos agarrando el borde externo.

3   **Durante la espiración,** deslice las yemas de los pulgares sobre las yemas de los dedos gordos de los pies; presionando mucho con ellas, empuje los bordes interiores de los pies hacia fuera y sepárelos entre sí mientras usa los dedos sobre los huesos del empeine para empujarlos hacia dentro y hacia arriba, de modo que los pies se abran como un libro mostrando las plantas. Las rodillas bajarán naturalmente hasta el límite que sean móviles los tobillos y puedan abrirse los pies. No las fuerce a que bajen más.

4   **Durante la inspiración,** levante y ensanche el borde costal, absorbiendo el plexo solar hacia dentro y hacia arriba, de manera que el pecho se active, se ensanche y se llene, mientras el abdomen se mantiene pasivo, alargado y vacío (*Uddiyanabandha*), y aplane su parte púbica, con el ano relajado al mismo tiempo que absorbe el perineo y el sacro hacia dentro (*Mulabandha*). La cintura y la columna vertebral deben alargarse considerablemente. Use las manos y los brazos como palancas para incrementar este efecto, mientras, haciendo presión, une las plantas de los pies y separa de la pelvis las caras internas de los muslos. (*Urdhvabaddhakonasana* se mantiene aquí durante un cierto tiempo si no ha hecho usted ya esta postura.)

5   **Durante la espiración,** bascule lentamente la pelvis, rotando los iliones hacia delante, y alargue el tronco flexionándolo hasta el suelo. Relaje el cuello para llegar al suelo. Tenga cuidado de no forzar para bajar.

Mantenga la postura mientras actúa sobre los pies para que se abran más, mantenga la cintura tan alargada como pueda, aclare los *bandhas* y relaje el núcleo del cuerpo con suave respiración rítmica *Ujjayi*, hasta que se sienta preparado para salir de la postura pasando a una de las secuencias de *vinyasa* determinadas por la respiración y adoptar *Merudandasana* (**49**), o vaya directamente, después de mantener el paso **5**, a los pasos **3 a 6** de *Merudandasana* (**49**) sin realizar una *vinyasa*. **49**

# Núm. 49 Merudandasana

*Postura amplia de equilibrio*

Esta postura abre las caderas y tonifica las piernas al mismo tiempo que desarrolla aplomo, equilibrio y quietud mental. Enseña la relación existente entre la actividad de las piernas, los *bandhas* y la elevación de la columna vertebral. En la Serie Preparatoria puede hacerse como continuación directa de *Baddhakonasana*, y/o inmediatamente antes de *Upavistakonasana* sin una *vinyasa* que sirva de conexión.

**RESUMEN**
Equilíbrese sobre los isquiones con las piernas estiradas y bien abiertas sosteniendo los dedos gordos. Mantenga los *bandhas* con el abdomen alargado, cóncavo y vacío, el pecho amplio y pleno, y relaje el núcleo del cuerpo con suave respiración rítmica *Ujjayi*.

**51**

1   Siéntese en el suelo con los pies y las piernas relajados delante de usted.

2   Flexione las piernas y sujete cada dedo gordo del pie con los pulgares y primeros dos dedos de las manos respectivas.

3   Levantando los pies del suelo, equilíbrese sobre las nalgas con las piernas todavía flexionadas.

4   **Durante la inspiración,** levante y ensanche el borde costal, absorbiendo el plexo solar hacia dentro y hacia arriba, de manera que el pecho se active, se ensanche y se llene, mientras el abdomen se mantiene pasivo, alargado y vacío (*Uddiyanabandha*), y aplane su parte púbica, con el ano relajado al mismo tiempo que absorbe el perineo y el sacro hacia dentro (*Mulabandha*).

5   **Durante la espiración:** separe los pies entre sí y del tronco, estirando las piernas tanto como pueda.

6   **Durante la inspiración:** use las manos y los brazos como palancas contra las piernas y alargue la cintura, la columna vertebral y el cuello, dirigiendo la mirada hacia delante.

Mantenga la postura con las piernas rectas y fuertes, y los brazos estirados, aclare los *bandhas* y relaje el núcleo del cuerpo con suave respiración rítmica *Ujjayi,* hasta que se sienta preparado para salir de la postura pasando a *Dandasana;* luego siga la respiración a través de cualquiera de las secuencias de *vinyasa* para adoptar *Upavistakonasana (51),* o bien, aprovechando una **espiración,** pase, después de mantener el paso **6,** directamente al paso **5** de *Upavistakonasana (51),* sin realizar una *vinyasa.* **51**

# Núm. 50 Urdhvakonasana

*Postura sentada con las piernas completamente abiertas*

Esta postura estira suavemente los músculos de la cara interna del muslo, tonifica las piernas, estimula los pies y abre las caderas. Enseña la relación existente entre la calidad de los pies y la actividad de las piernas. Sirve de preparación para *Upavistakonasana.*

### RESUMEN

Siéntese con las piernas bien abiertas y fuertes, y estire hacia arriba la columna vertebral, bien asentada en la pelvis. Mantenga los *bandhas,* con el abdomen alargado, cóncavo y vacío, el pecho amplio y pleno, y el núcleo del cuerpo relajado, con suave respiración rítmica *Ujjayi.* **52**

1 Siéntese en el suelo con las piernas estiradas hacia delante, rectas y fuertes, los pies juntos y activos, con la columna vertebral erguida bien asentada en la pelvis (*Dandasana*).

2 **Durante la espiración,** separe los pies, abriendo las piernas cuanto le sea posible.

3 **Durante la inspiración,** coloque las manos en el suelo detrás de las nalgas y, levantándolas ligeramente, empuje hacia delante la pelvis para abrir un poco más las piernas.

4 **Espiración:** extienda las piernas, ensanchando las eminencias plantares, alargando las caras internas de los talones y la anterior de los tobillos y contrayendo los músculos del muslo, para que la cara posterior de las rodillas descienda a medida que se estiran las piernas.

5 **Inspiración:** levante y ensanche el borde costal, absorbiendo el plexo solar hacia dentro y hacia arriba, de manera que el pecho se active, se ensanche y se llene, mientras el abdomen se mantiene pasivo, alargado y vacío (*Uddiyanabandha*), y aplane su parte púbica, con el ano relajado al mismo tiempo que absorbe el perineo y el sacro hacia dentro (*Mulabandha*).

6 **Espiración:** presione firmemente con las palmas de las manos contra el suelo por detrás de las nalgas y, alargando la cintura, levante la columna vertebral y abra el pecho.

Mantenga la postura, con las piernas fuertes, los pies activos, manteniendo los *bandhas,* y el núcleo del cuerpo relajado, con suave respiración rítmica *Ujjayi*, hasta que esté listo para salir de la postura pasando a *Dandasana*; después, siga la respiración a través de cualquiera de las secuencias de *vinyasa* para adoptar *Supturdhvapadangustasana* (**52**). **52**

# Núm. 51 Upavistakonasana

*Postura de la reverencia sentada con las piernas completamente abiertas*

Esta postura puede realizarse como continuación de *Merudandasana*. Estira intensamente la cara interna de los muslos, tonifica las piernas, estimula los pies y libera las caderas, al mismo tiempo que estira la espalda. Enseña la relación existente entre la calidad de los pies y la actividad de las piernas.

**RESUMEN**

Siéntese con las piernas bien abiertas y flexione frontalmente el tronco bajando hasta el suelo. Mantenga los *bandhas,* con el abdomen alargado, cóncavo y vacío, el pecho amplio y pleno, y el núcleo del cuerpo relajado, con suave respiración rítmica *Ujjayi.*   **52**

1 Siéntese en el suelo con las piernas estiradas hacia delante, rectas y fuertes, los pies juntos y activos, con la columna vertebral erguida bien asentada en la pelvis (*Dandasana*).

2 **Durante la espiración,** separe los pies, abriendo las piernas cuanto le sea posible.

3 **Durante la inspiración,** coloque las manos en el suelo detrás de las nalgas y, levantándolas ligeramente, empuje hacia delante la pelvis para abrir un poco más las piernas.

4 **Espiración:** extienda las piernas, ensanchando las eminencias plantares, alargando las caras internas de los talones y la anterior de los tobillos y contrayendo los músculos del muslo, para que la cara posterior de las rodillas descienda a medida que se estiran las piernas.

5 **Inspiración:** levante y ensanche el borde costal absorbiendo el plexo solar hacia dentro y hacia arriba, de manera que el pecho se active, se ensanche y se llene, mientras el abdomen se mantiene pasivo, alargado y vacío (*Uddiyanabandha*), y aplane su parte púbica, con el ano relajado al mismo tiempo que absorbe el perineo y el sacro hacia dentro (*Mulabandha*). (*Urdhvakonasana* se mantiene aquí durante un cierto tiempo antes de continuar si no ha hecho todavía esta postura.)

6 **Espiración:** bascule la pelvis, rotando hacia delante los iliones, y alargue y flexione el tronco bajando hasta el suelo. Use las manos como ventosas de aspiración por delante de usted, para tirar paso a paso hacia delante y hacia abajo. Relaje el cuello y ponga las manos en los tobillos. Tenga mucho cuidado de no forzar para bajar.

Mantenga la postura, con las piernas fuertes y centradas, los pies activos, conservando los *bandhas,* y el núcleo del cuerpo relajado, con suave respiración rítmica *Ujjayi*, hasta que esté listo para salir de la postura pasando a *Dandasana;* después, siga la respiración a través de cualquiera de las secuencias de *vinyasa* mientras adopta *Supturdhvapadangustasana* (**52**).

# Núm. 52 Supturdhvapadangustasana

*Postura yacente del triángulo*

Esta postura descansa el torso, al mismo tiempo que estira y tonifica las piernas. Aclara la acción de *Uddiyanabandha*. Sirve de preparación para *Suptaparsvapadangustasana*.

**RESUMEN**

En decúbito supino, con las dos piernas estiradas y fuertes, levante y estire una pierna, sujetando el dedo gordo del pie, mientras mantiene los dos pies activos. Conserve los *bandhas* con el abdomen alargado, cóncavo y vacío, el pecho amplio y pleno, y el núcleo del cuerpo relajado, con suave respiración rítmica *Ujjayi*.

1    Echado sobre el suelo en *Savasana*.

2    **Durante la espiración,** contraiga los músculos de los muslos como si el fémur los absorbiera y, ensanchando las eminencias plantares, active los gemelos. Al mismo tiempo, alargue la cara frontal e interior del tobillo y el tendón de Aquiles, de modo que el pie esté activo y la articulación del tobillo uniformemente abierta.

3    **Durante la inspiración,** ensanche el borde costal y absorba el plexo solar hacia dentro y hacia arriba, de manera que el pecho se active, se ensanche y se llene, mientras el abdomen se mantiene pasivo, alargado y vacío (*Uddiyanabandha*), y aplane su parte púbica, con el ano relajado al mismo tiempo que absorbe el perineo y el sacro hacia dentro (*Mulabandha*).

4    **Espiración:** flexione la pierna derecha y levante la rodilla hacia usted, manteniendo la pierna izquierda activa, recta, estirada y fuerte.

5    **Inspiración:** coja el dedo gordo del pie con el pulgar y los primeros dos dedos de la mano.

6    **Espiración:** use el agarre de la mano derecha y estire la pierna derecha; al mismo tiempo, alargue y estire el brazo derecho y abra el hombro, rotándolo hacia el suelo. Mantenga la pierna izquierda recta y fuerte, y los hombros y la cabeza en el suelo mientras concentra la mirada en el pie derecho.

Mantenga la postura con las piernas rectas, estiradas y fuertes, los pies activos, el brazo derecho alargado y recto. Conserve activos los *bandhas* con el abdomen alargado, cóncavo y vacío, el pecho amplio y pleno, y el núcleo del cuerpo relajado con suave respiración rítmica *Ujjayi*, hasta que esté listo para salir de la postura pasando a *Savasana;* después cambie de pierna y repita los pasos **2 a 6** por el otro lado. Cuando haya terminado ambos lados, adopte *Dandasana*, y luego siga la respiración a través de cualquiera de las secuencias de *vinyasa* para adoptar una de las posturas indicadas abajo, dependiendo de la Serie que esté practicando.

# Núm. 53 Suptaparsvapadangustasana

*Postura yacente lateral del triángulo*

Esta postura sirve de descanso al cuerpo, al mismo tiempo que abre las caderas y estira y tonifica las piernas. Aclara la acción de *Uddiyanabandha*. Suele realizarse como continuación de *Suptapadangustasana*.

**RESUMEN**

En decúbito supino, con las dos piernas alargadas y fuertes, extienda y estire lateralmente una pierna y bájela al suelo, sujetando el dedo gordo del pie y manteniendo los dos pies activos, mientras dirige la mirada al lado contrario. Mantenga los *bandhas*, el abdomen alargado, cóncavo y vacío, el pecho amplio y pleno, y el núcleo del cuerpo relajado con suave respiración rítmica *Ujjayi*. 55 54

1  Echado sobre el suelo en *Savasana*.

2  **Durante la espiración,** contraiga los músculos de los muslos como si el fémur los absorbiera y, ensanchando las eminencias plantares, active los gemelos. Al mismo tiempo, alargue la cara frontal e interior del tobillo y el tendón de Aquiles, de modo que el pie esté activo y la articulación del tobillo uniformemente abierta.

3  **Durante la inspiración:** levante y ensanche el borde costal, absorbiendo el plexo solar hacia dentro y hacia arriba, para activar, ensanchar y llenar el pecho, con el abdomen pasivo, alargado y vacío (*Uddiyanabandha*), y aplane su parte púbica, con el ano relajado mientras absorbe el perineo y el sacro hacia dentro (*Mulabandha*).

4  **Espiración:** flexione la pierna derecha y levante la rodilla, manteniendo la pierna izquierda activa, recta, estirada y fuerte.

5  **Inspiración:** coja el dedo gordo del pie con el pulgar y primeros dos dedos de la mano.

6  **Espiración:** use el agarre de la mano derecha y estire esa pierna; al mismo tiempo, alargue y estire el brazo derecho y abra el hombro, rotándolo hacia el suelo. (*Supturdhvapadangustasana* (**52**): manténgase aquí un cierto tiempo antes de continuar si no ha hecho ya esta postura.)

7  **Inspiración:** manteniendo pegados al suelo el muslo, la nalga, la cadera y la parte baja de la espalda del lado izquierdo, abra lateralmente la pierna derecha y bájela al suelo. Gírese y dirija la mirada en la dirección contraria, manteniendo la pierna izquierda fuerte y recta, y la cabeza y los hombros en el suelo. No fuerce la pierna al bajarla si el lado izquierdo del cuerpo se levanta, o la postura no servirá para abrir la cadera.

Mantenga la postura con las dos piernas rectas, estiradas y fuertes, los pies activos, el brazo derecho alargado y recto. Mantenga los *bandhas* con el abdomen alargado, cóncavo y vacío, el pecho amplio y pleno, y el núcleo del cuerpo relajado con suave respiración rítmica *Ujjayi*, hasta que esté listo para salir de la postura pasando a *Savasana;* después cambie de pierna y repita los pasos **2 a 7** por el otro lado. Cuando haya terminado por ambos lados, adopte *Dandasana*, y luego siga la respiración a través de cualquiera de las secuencias de *vinyasa* para adoptar una de las posturas indicadas abajo, dependiendo de la Serie que esté practicando. **55**  **54**

# Núm. 54 Ubbayapadangustasana

*Postura de equilibrio con los dedos de los pies*

Esta postura desarrolla el equilibrio al mismo tiempo que fortalece y tonifica las piernas. Enseña la relación existente entre las piernas estiradas, los *bandhas* y la elevación de la columna vertebral. Sirve de preparación para *Navasana*. Puede hacerse como parte de una sola secuencia que va fluyendo por *Ubbayapadangustasana* (**54**), *Navasana* (**56**), *Ubbayapadahastasana* (**57**), *Navasana* (**56**) y *Pascimottanasana* (**58**), sin *vinyasas* que sirvan de conexión.

## RESUMEN

Equilíbrese sobre las nalgas, con las piernas rectas y en contacto, sosteniendo los dedos gordos, con los pies activos. Mantenga la columna vertebral alargada, el pecho abierto, conservando activos los *bandhas* con el abdomen alargado, cóncavo y vacío, el pecho amplio y pleno, y el núcleo del cuerpo relajado, con suave respiración rítmica *Ujjayi*. **56**

1   Siéntese en el suelo con las piernas estiradas hacia delante, rectas y fuertes, los pies juntos y activos, con la columna vertebral erguida bien asentada en la pelvis (*Dandasana*).

2   Relaje las piernas, flexiónelas y cójase de los dedos gordos de cada pie.

3   **Durante la inspiración,** échese ligeramente hacia atrás equilibrándose sobre las nalgas, con los pies separados del suelo.

4   **Durante la espiración,** separe los pies del tronco de modo que las piernas se estiren tanto como sea posible, y dirija la mirada hacia los pies. Para estirar las piernas es posible que necesite deslizar las manos hasta las pantorrillas.

5   **Durante la inspiración,** levante y ensanche el borde costal, absorbiendo el plexo solar hacia dentro y hacia arriba, para activar, ensanchar y llenar el pecho, con el abdomen pasivo, alargado y vacío (*Uddiyanabandha*), y aplane su parte pública, con el ano relajado mientras absorbe el perineo y el sacro hacia dentro (*Mulabandha*).

Mantenga la postura con las dos piernas rectas, estiradas y fuertes, los pies activos, la columna vertebral alargada, el pecho abierto y suave respiración rítmica *Ujjayi*, hasta que esté listo para, aprovechando una **inspiración**, salir de la postura pasando a *Dandasana*; luego siga la respiración a través de cualquiera de las secuencias de *vinyasa* hasta la siguiente postura, *Navasana* (**56**), que puede adoptar directamente desde el paso **5,** sin una *vinyasa* que sirva de conexión. **56**

# Núm. 55 Sukhanavasana

*Postura sencilla de la barca*

Esta postura desarrolla el equilibrio al mismo tiempo que fortalece y tonifica las piernas. Enseña la relación existente entre la actividad de las piernas, los *bandhas* y la columna vertebral. Sirve de preparación para *Navasana*.

**RESUMEN**

Equilíbrese sobre las nalgas, con las piernas rectas y en contacto formando una V con el tronco, mientras sostiene las piernas con los brazos unidos por detrás de las rodillas; los pies deben estar activos. Mantenga la columna vertebral alargada, el pecho abierto, conservando los *bandhas* con el abdomen alargado, cóncavo y vacío, el pecho amplio y pleno, y el núcleo del cuerpo relajado, con suave respiración rítmica *Ujjayi*.

59

1   Siéntese en el suelo con las piernas estiradas hacia delante, rectas y fuertes, los pies juntos y activos, con la columna vertebral erguida bien asentada en la pelvis (*Dandasana*).

2   Relaje las piernas y recoja los pies, levante las rodillas, y pase los brazos por detrás de ellas, sosteniendo una mano (o la muñeca) con la otra.

3   **Durante la inspiración,** échese ligeramente hacia atrás equilibrándose sobre las nalgas, con los pies separados del suelo.

4   **Durante la espiración,** estire las piernas aprovechando la resistencia de las manos que las sujetan, y dirija la mirada al frente.

5   **Durante la inspiración,** levante y ensanche el borde costal, absorbiendo el plexo solar hacia dentro y hacia arriba, para activar, ensanchar y llenar el pecho, con el abdomen pasivo, alargado y vacío (*Uddiyanabandha*), y aplane su parte púbica, con el ano relajado mientras absorbe el perineo y el sacro hacia dentro (*Mulabandha*).

Mantenga la postura con las piernas estiradas, rectas y fuertes, los pies activos, la columna vertebral alargada, el pecho abierto y suave respiración rítmica *Ujjayi*, hasta que esté listo para, aprovechando una **inspiración,** salir de la postura pasando a *Dandasana;* luego siga la respiración a través de cualquiera de las secuencias de *vinyasa* para adoptar *Ardhapurvottanasana* (**59**).

**59**

# Núm. 56 Navasana

*Postura de la barca*

Esta postura desarrolla los músculos de la espalda y del muslo, y mejora el equilibrio. Es una de las posturas más difíciles para establecer los *bandhas*. Debe ponerse mucho cuidado para no tensar el abdomen ni acortar la columna vertebral. Puede hacerse como parte de una sola secuencia que va fluyendo por *Ubbayapadangustasana* (**54**), *Navasana* (**56**), *Ubbayapadahastasana* (**57**), *Navasana* (**56**) y *Pascimottanasana* (**58**), sin *vinyasas* que sirvan de conexión.

**RESUMEN**

Equilíbrese sobre las nalgas, con las piernas levantadas estiradas y en contacto, de modo que formen una V con el tronco, los pies activos y los brazos paralelos al suelo. Mantenga la columna vertebral alargada, el pecho abierto, conservando los *bandhas* con el abdomen alargado, cóncavo y vacío, el pecho amplio y pleno, y el núcleo del cuerpo relajado, con suave respiración rítmica *Ujjayi*. **57** **58**

1    Siéntese en el suelo con las piernas estiradas hacia delante, rectas y fuertes, los pies juntos y activos, con la columna vertebral erguida bien asentada en la pelvis (*Dandasana*).

2    Relaje las piernas, recoja los pies y levante las rodillas.

3    **Durante la inspiración,** échese ligeramente hacia atrás equilibrándose sobre las nalgas, con los pies separados del suelo.

4    **Durante la espiración,** estire las piernas directamente de frente, manteniéndolas unidas, con el abdomen cóncavo y pasivo, y extienda los brazos paralelos al suelo, dirigiendo la mirada al frente entre las piernas.

5    **Durante la inspiración,** levante y ensanche el borde costal, absorbiendo el plexo solar hacia dentro y hacia arriba, para activar, ensanchar y llenar el pecho, con el abdomen pasivo, alargado y vacío (*Uddiyanabandha*), y aplane su parte púbica, con el ano relajado mientras absorbe el perineo y el sacro hacia dentro (*Mulabandha*).

Mantenga la postura con las piernas estiradas, alargadas y fuertes, los pies activos, la columna vertebral alargada, el pecho abierto y suave respiración rítmica *Ujjayi*, hasta que esté listo para, aprovechando una **espiración,** salir de la postura pasando a *Dandasana;* luego siga la respiración a través de cualquiera de las secuencias de *vinyasa* para adoptar *Ubbayapadahastasana* (**57**) o, simplemente cogiendo con las manos los talones, pase a ella directamente, sin *vinyasa*. **57** **58**

# Núm. 57 Ubbayapadahastasana

*Postura de equilibrio con los talones*

Esta postura desarrolla el equilibrio al mismo tiempo que estira y tonifica las piernas. Enseña la relación existente entre la actividad de las piernas, los *bandhas* y la columna vertebral. Sirve de preparación para *Navasana*. Puede hacerse como parte de una sola secuencia que va fluyendo por *Ubbayapadangustasana* (**54**), *Navasana* (**56**), *Ubbayapadahastasana* (**57**), *Navasana* (**56**) y *Pascimottanasana* (**58**), sin *vinyasas* que sirvan de conexión.

**RESUMEN**

Equilíbrese sobre las nalgas, con las piernas estiradas y juntas, sujetando los talones; los pies deben estar activos. Mantenga la columna vertebral alargada y el pecho abierto, conservando activos los *bandhas* con el abdomen alargado, cóncavo y vacío, el pecho amplio y pleno, y el núcleo del cuerpo relajado, con suave respiración rítmica *Ujjayi*. **56** o **58**

1   Siéntese en el suelo con las piernas estiradas hacia delante, rectas y fuertes, los pies juntos y activos, con la columna vertebral erguida bien asentada en la pelvis (*Dandasana*).

2   Relaje las piernas, flexiónelas y coja los talones de ambos pies con las manos respectivas.

3   **Durante la inspiración,** échese ligeramente hacia atrás equilibrándose sobre las nalgas, con los pies separados del suelo.

4   **Durante la espiración,** separe los pies del tronco de modo que las piernas se estiren lo más posible, manteniéndolas juntas. Dirija la mirada a los pies. Para estirar las piernas es posible que necesite deslizar las manos hasta las pantorrillas.

5   **Durante la inspiración,** levante y ensanche el borde costal, absorbiendo el plexo solar hacia dentro y hacia arriba, para activar, ensanchar y llenar el pecho, con el abdomen pasivo, alargado y vacío (*Uddiyanabandha*), y aplane su parte púbica, con el ano relajado mientras absorbe el perineo y el sacro hacia dentro (*Mulabandha*).

Mantenga la postura con las piernas estiradas y fuertes, los pies activos, la columna vertebral alargada, el pecho abierto y suave respiración rítmica *Ujjayi*, hasta que esté listo para, aprovechando una **espiración,** salir de la postura pasando a *Dandasana;* luego siga la respiración a través de cualquiera de las secuencias de *vinyasa* para adoptar *Pascimottanasana* (**58**) o pase a ella mediante unas cuantas respiraciones en *Navasana* (**56**). **56** o **58**

# Núm. 58 Pascimottanasana

*Postura del torno de banco cerrado*

Esta postura estira y tonifica las piernas, estimula los pies, libera la columna vertebral y promueve la interiorización. Enseña el efecto de los *bandhas* sobre la columna vertebral y la importancia de cargar las piernas y los pies. Puede hacerse como parte de una sola secuencia que va fluyendo por *Ubbayapadangustasana* (**54**), *Navasana* (**56**), *Ubbayapadahastasana* (**57**), *Navasana* (**56**) y *Pascimottanasana* (**58**), sin *vinyasas* que sirvan de contacto.

**RESUMEN**

Con las piernas estiradas y los pies activos, estire la columna vertebral hacia delante y flexiónela sobre las piernas estiradas. Relajando la columna vertebral y el cuello, cargue de energía las piernas y los pies. Con el núcleo del cuerpo relajado, mantenga los *bandhas* con el abdomen alargado, cóncavo y vacío, y el pecho amplio y pleno con suave respiración rítmica *Ujjayi*. **60**

1    Siéntese en el suelo con las piernas estiradas hacia delante, rectas y fuertes, los pies juntos y activos, con la columna vertebral erguida bien asentada en la pelvis (*Dandasana*).

2    **Durante la espiración,** extienda las piernas, ensanchando las eminencias plantares, alargando la cara interna y frontal del tobillo y contrayendo los músculos del muslo, como si los absorbiera el fémur, de modo que la parte posterior de las rodillas descienda a medida que las piernas se alargan.

3    **Durante la inspiración,** levante y ensanche el borde costal, absorbiendo el plexo solar hacia dentro y hacia arriba, para activar, ensanchar y llenar el pecho, con el abdomen pasivo, alargado y vacío (*Uddiyanabandha*), y aplane su parte púbica, con el ano relajado mientras absorbe el perineo y el sacro hacia dentro (*Mulabandha*).

4    **Espiración:** bascule la pelvis, adelante las dos manos y cójase de las espinillas, de los tobillos o de los pies manteniendo las piernas estiradas, con los pies siempre activos.

5    **Inspiración:** aclare los *bandhas* mientras levanta la barbilla, alargue la parte anterior de la columna vertebral y abra el pecho, manteniendo estiradas las piernas.

6    **Espiración:** flexione los brazos, adelantando los codos, alargue la parte anterior de la columna vertebral mientras desciende hacia las piernas y relaje el cuello. Mantenga estiradas las piernas.

7    **Inspiración:** aclare los *bandhas* mientras adelanta la barbilla, alargue la parte anterior de la columna vertebral y abra el pecho, manteniendo estiradas las piernas.

Mantenga la postura, con las piernas fuertes, los pies activos y el núcleo del cuerpo relajado, conservando activos los *bandhas* con suave respiración rítmica *Ujjayi*, hasta que esté listo para, aprovechando una **inspiración,** salir de la postura pasando a *Dandasana;* luego, mientras mantiene la carga energética en las piernas y el tronco, siga la respiración a través de una de las secuencias de *vinyasa* para adoptar *Purvottanasana* (**60**). **60**

# Núm. 59 Ardhapurvottanasana

*Postura medio abierta*

Esta postura estira y tonifica la parte frontal del torso, y desarrolla los brazos y las muñecas. Es una suave contrapostura para el ciclo de *Pascimottanasana*. Sirve de preparación para *Purvottanasana*.

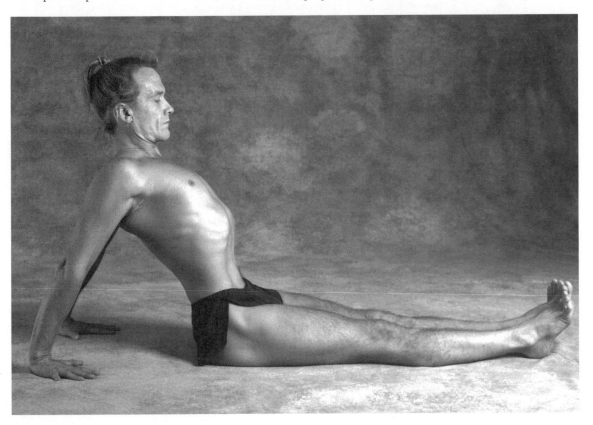

**RESUMEN**

Sentado con las piernas delante del cuerpo, estiradas y fuertes, y los pies activos, échese hacia atrás sobre las palmas de las manos y levante y abra el pecho. Mantenga los *bandhas* con el abdomen alargado, cóncavo y vacío, el pecho amplio y pleno, y el núcleo del cuerpo relajado, con suave respiración rítmica *Ujjayi*. **13**

1    Siéntese en el suelo con las piernas estiras hacia delante, rectas y fuertes, los pies juntos y activos, con la columna vertebral erguida bien asentada en la pelvis (*Dandasana*).

2    **Durante la inspiración,** échese hacia atrás y coloque las manos detrás de usted, con toda la palma sobre el suelo y los dedos hacia delante.

3    **Durante la espiración,** empuje las manos contra el suelo y estire los brazos, ensanchando la base de los dedos de las manos, alargándolos y presionando con la base del índice firmemente contra el suelo. Mantenga las piernas fuertes, contrayendo los músculos de los muslos, y los pies activos.

4    **Durante la inspiración,** arquee suavemente la espalda, levante y ensanche el borde costal, absorbiendo el plexo solar hacia dentro y hacia arriba, para activar, ensanchar y llenar el pecho, con el abdomen pasivo, alargado y vacío (*Uddiyanabandha*), y aplane su parte púbica, con el ano relajado mientras absorbe el perineo y el sacro hacia dentro (*Mulabandha*).

Mantenga la postura, dirigiendo la mirada hacia los dedos de los pies, manteniendo el abdomen alargado, vacío y cóncavo, el pecho elevado, amplio y pleno con las piernas fuertes y los pies activos. Cuando esté listo, salga de la postura pasando a *Dandasana*, y siga la respiración a través de una de las secuencias de *vinyasa* para adoptar *Ardhurdhvamukhasvanasana* (**13**). **13**

# Núm. 60 Purvottanasana

## Postura abierta

Esta postura estira y tonifica la cara frontal de las piernas y del tronco, desarrolla los brazos, fortalece las muñecas y libera y fortalece los tobillos. Sirve de contrapostura para el ciclo de *Pascimottanasana*.

**RESUMEN**

Sentado con las piernas delante del cuerpo, estiradas y fuertes, y los pies activos, échese hacia atrás sobre las palmas de las manos, eleve y abra el pecho, y levante la pelvis del suelo de modo que las plantas de los pies desciendan hasta apoyarse completamente sobre el suelo. Mantenga los *bandhas* con el abdomen alargado, cóncavo y vacío, el pecho amplio y pleno, y el núcleo del cuerpo relajado, con suave respiración rítmica *Ujjayi*.

**64**

1    Siéntese en el suelo con las piernas estiradas hacia delante, rectas y fuertes, los pies juntos y activos, con la columna vertebral erguida bien asentada en la pelvis (*Dandasana*).

2    **Durante la inspiración,** échese hacia atrás y coloque las manos detrás de usted, con toda la palma sobre el suelo y los dedos dirigidos hacia delante.

3    **Durante la espiración,** empuje las palmas contra el suelo y estire los brazos, ensanchando la base de los dedos de las manos, alargándolos y presionando con la base del índice firmemente contra el suelo. Mantenga las piernas fuertes, contrayendo los músculos de los muslos, y los pies activos.

4    **Inspiración:** levante y ensanche el borde costal, absorbiendo el plexo solar hacia dentro y hacia arriba, para activar, ensanchar y llenar el pecho, con el abdomen pasivo, alargado y vacío (*Uddiyanabandha*), y aplane su parte púbica, con el ano relajado mientras absorbe el perineo y el sacro hacia dentro (*Mulabandha*). (*Ardhapurvottanasana;* mantenga la posición aquí un cierto tiempo si no ha hecho todavía esta postura.)

5    **Espiración:** levante las nalgas del suelo tanto como pueda, manteniendo las piernas estiradas y fuertes, y apoye las plantas de los pies completamente en el suelo.

6    **Inspiración:** eche atrás la cabeza levantando la barbilla hacia arriba y hacia atrás, describiendo un amplio arco, mientras mueve la base del cráneo hacia delante, hacia dentro y hacia arriba.

Mantenga la postura, con el abdomen alargado, vacío y cóncavo, el pecho elevado, amplio y pleno, con las piernas fuertes y los pies activos. Cuando esté listo para salir de la postura, pase a *Dandasana*, y siga la respiración a través de una de las secuencias de *vinyasa* para adoptar *Ardhapindasana* (**64**).  **64**

# Núm. 61 Setubhujasana

*Postura del puente sobre los hombros*

Esta postura es una extensión de la columna vertebral y, por tanto, puede dañar la zona lumbar si no se afronta con cuidado. La clave es utilizar correctamente los pies, manteniendo relajados los músculos de la espalda, usando los *bandhas* y activando toda la columna vertebral. Tonifica la parte anterior del cuerpo, alarga la cara anterior de los muslos y abre el pecho.

## RESUMEN

En decúbito supino, flexione las piernas y mantenga los pies en el suelo, estables, activos y equilibrados, con los hombros y la cabeza en el suelo, levante la pelvis y arquee la espalda, colocando las palmas de las manos debajo como apoyo mientras levanta la columna vertebral lo más posible, como metiéndola profundamente hacia la parte anterior del cuerpo. Mantenga los pies fuertes, conserve activos los *bandhas*, con el borde costal bien abierto, el pecho amplio y pleno, suave respiración rítmica *Ujjayi*, y el núcleo del cuerpo relajado. **64** **62**

1   Echado sobre el suelo en *Savasana*.

2   **Durante la espiración,** acerque los talones lo más posible a las nalgas, manteniendo los pies paralelos, alineados con los isquiones.

3   **Durante la inspiración,** ensanche el borde costal, absorbiendo el plexo solar hacia dentro y hacia arriba, para activar, ensanchar y llenar el pecho, con el abdomen pasivo, alargado y vacío (*Uddiyanabandha*), y aplane su parte púbica, con el ano relajado mientras absorbe el perineo y el sacro hacia dentro (*Mulabandha*).

4   **Espiración:** presione la base (los pies, las manos y los hombros) sobre el suelo, mientras mantiene *Uddiyana* y *Mulabandha*.

5   **Inspiración:** manteniendo activa la base, *Uddiyana* y *Mulabandha*, levante las nalgas y la columna vertebral del suelo lentamente.

6   **Espiración:** levántese sobre las eminencias plantares.

7   **Inspiración:** flexione los brazos y ponga las manos bajo la espalda para sostener la columna vertebral.

8   **Espiración:** baje los talones al suelo.

Mantenga la postura, mientras va separando la columna del suelo vértebra a vértebra y la levanta como empotrando en el cuerpo desde el sacro hasta las últimas vértebras dorsales, hasta que se sienta listo para salir de la postura y pasar a una de las abajo indicadas, dependiendo de la Serie que esté practicando.

Para mantener la continuidad dinámica, puede adoptarse esta postura bajando las piernas desde *Ardhasarvangasana*: primero una y luego la otra.   **64**  **62**

# Núm. 62 Ekapadasetubhujasana

*Postura del puente sobre los hombros con una pierna*

Esta postura es una extensión de la columna vertebral y, por tanto, puede dañar la zona lumbar si no se afronta con cuidado. La clave es utilizar correctamente los pies, manteniendo relajados los músculos de la espalda, usando los *bandhas* y activando toda la columna vertebral. Tonifica la parte anterior del cuerpo, alarga la cara anterior de los muslos y abre el pecho. Enseña la importancia de la pierna elevada para sostener el peso de la pelvis en contra de la gravedad, y sirve, por tanto, de preparación para *Sarvangasana* y *Sirsasana*.

## RESUMEN

En decúbito supino, flexione las piernas y mantenga los pies, los hombros y la cabeza en el suelo, levante la pelvis y arquee la espalda, haciendo un puente con las palmas de las manos debajo como apoyo mientras levanta la columna vertebral tanto como pueda, como metiéndola profundamente hacia la parte anterior del cuerpo. Levante una pierna, manteniéndola bien estirada. Mantenga los pies fuertes y conserve activos los *bandhas,* con el borde costal bien abierto, el pecho amplio y pleno, suave respiración rítmica *Ujjayi,* y el núcleo del cuerpo relajado. **63**

1 Echado sobre el suelo en *Savasana*.

2 **Durante la espiración,** acerque los talones lo más posible a las nalgas, manteniendo los pies paralelos, alineados con los isquiones.

3 **Durante la inspiración,** ensanche el borde costal, absorbiendo el plexo solar hacia dentro y hacia arriba, para activar, ensanchar y llenar el pecho, con el abdomen pasivo, alargado y vacío (*Uddiyanabandha*), y aplane su parte púbica, con el ano relajado mientras absorbe el perineo y el sacro hacia dentro (*Mulabandha*).

4 **Espiración:** presione la base (los pies, las manos y los hombros) sobre el suelo, mientras mantiene *Uddiyana* y *Mulabandha*.

5 **Inspiración:** manteniendo activa la base, *Uddiyana* y *Mulabandha,* aleje las nalgas y la columna vertebral del suelo lentamente al unísono con la **inspiración**.

6 **Espiración:** levántese sobre las eminencias plantares.

7 **Inspiración:** flexione los brazos y ponga las manos bajo la espalda para sostener la columna vertebral.

8 **Espiración:** baje los talones al suelo.

9 **Inspiración:** levante la rodilla izquierda.

10 **Espiración:** estire la pierna izquierda verticalmente hacia el techo, contrayendo el muslo, con el pie activo.

Mantenga la postura, mientras va separando la columna del suelo vértebra a vértebra y la levanta como incrustándola en el cuerpo desde el sacro hasta las últimas vértebras dorsales. Emplee los pies y las piernas para mantener la pelvis elevada y plana. Salga de la postura aprovechando una **espiración** para pasar a *Setubhujasana*.

Para mantener la continuidad dinámica, puede adoptarse esta postura bajando las piernas desde *Ardhasarvangasana*.
Para salir de ella también puede adoptarse *Urdhvadhanurasana* (**63**), paso **4**, a través de *Setubhujasana* (**61**). **63**

# Núm. 63 Urdhvadhanurasana

*Postura del arco hacia arriba*

Esta postura es una extensión de la columna vertebral potente, pero segura. La clave es usar correctamente los pies, manteniendo relajados los músculos de la espalda, usando los *bandhas* y activando toda la columna vertebral. Tonifica la parte anterior del cuerpo, alarga la cara anterior de los muslos, abre el pecho y los hombros, y fortalece los pies, las manos y los brazos.

**RESUMEN**

En decúbito supino, con los pies cerca de las nalgas, las manos metidas bajo los hombros con la palma apoyada por completo, estire los brazos y levante el tronco, arqueando la columna vertebral profunda y completamente. Mantenga los pies y las manos fuertes, estables y uniformes, conserve activos los *bandhas* con el pecho amplio y pleno con suave respiración rítmica *Ujjayi,* y el núcleo del cuerpo relajado. **64**

1    Echado sobre el suelo en *Savasana*.

2    **Durante la espiración,** acerque los talones lo más posible a las nalgas, manteniendo los pies paralelos, alineados con los isquiones.

3    **Durante la inspiración,** extienda los brazos por encima de la cabeza pegados a las orejas y, levantando los talones, póngase de puntillas sobre los dedos de los pies.

4    **Espiración:** flexione los brazos y coloque las palmas de las manos planas en el suelo por debajo de los hombros, con los dedos apuntando a los pies. Active completamente las palmas de las manos, ensanchando la base de los dedos y las eminencias tenar e hipotenar.

5    **Inspiración:** ensanche el borde costal, y absorba el plexo solar hacia dentro y hacia arriba, para activar, ensanchar y llenar el pecho, con el abdomen pasivo, alargado y vacío (*Uddiyanabandha*), y aplane su parte púbica, mientras absorbe el perineo y el sacro hacia dentro con el ano relajado (*Mulabandha*).

6    **Espiración:** presione los pies y las manos contra el suelo, manteniendo el peso equilibrado entre las manos y los pies, y entre cada uno de los cuatro vértices de la base.

7    **Inspiración:** empuje con las manos de modo que la parte superior del cuerpo se eleve y pueda colocar la coronilla en el suelo.

8    **Espiración:** presionando firme y equilibradamente con las manos y los pies, y manteniendo relajada la zona lumbar, levante los hombros y la cabeza del suelo, y deje colgar la cabeza libremente mientras estira bien los brazos.

Mantenga la postura con la base uniforme y estable, mientras levanta la columna, como incrustrándola en el cuerpo, vértebra a vértebra, desde el sacro hasta las últimas dorsales. Use los pies y las piernas para mantener la pelvis elevada y plana. Salga de la postura aprovechando una **espiración** para pasar a *Ardhapindasana*.

Esta postura también puede adoptarse a partir de *Setubhujasana* después de bajar una pierna desde *Ekapadasetubhujasana* (**62**).

**64**

# Núm. 64 Ardhapindasana

*Media postura del feto*

Esta postura alarga el cuello y los músculos altos de la espalda, sirve de descanso al tronco y a las piernas y alivia la zona lumbar. Sirve de preparación para *Sarvangasana* y su ciclo y como contrapostura para las extensiones de la columna vertebral. Permite una profunda relajación de todo el cuerpo, y calma y refresca el sistema nervioso. Puede usarse como oportunidad para aclarar *Mulabandha* (ver pág. 65, sección técnica "Explorando Mulabandha").

**RESUMEN**

Tendido supino, rodando sobre la espalda colóquese sobre los hombros, apoyando los talones en las nalgas y las palmas de las manos en la espalda. Conserve *Mulabandha* con el suelo pélvico pasivo y relajado al mismo tiempo que lo aspira hacia dentro. Mantenga la postura hasta que la respiración sea muy suave y lenta, y no haya tensión, dureza ni tirantez en ninguna parte del cuerpo.

✴ 11  ✴ 65  ✴ 67  ✴ 70  65  65

1    Echado sobre el suelo en *Savasana*.

2    **Durante la espiración,** coloque las rodillas sobre el pecho, ruede hacia atrás sobre la espalda y colóquese sobre los hombros, poniendo las rodillas sobre la frente.

3    **Durante la inspiración,** estire los brazos por detrás de la espalda, separando lo más que pueda los hombros de las orejas y alargando el cuello.

4    **Espiración:** coloque las palmas de las manos en la espalda y, empujando con ellas, desplace un poco más el peso del cuerpo hacia atrás, manteniendo los talones cerca de las nalgas.

5    **Inspiración:** active la parte inferior del abdomen y absorba hacia dentro el perineo, manteniendo el ano relajado (*Mulabandha*).

Mantenga la postura hasta que la respiración sea muy suave y lenta, y no haya ninguna tensión, dureza ni tirantez en ninguna parte del cuerpo. Conserve *Mulabandha* con el suelo pélvico pasivo y relajado mientras lo aspira hacia dentro. Salga de la postura pasando a una de las abajo indicadas.

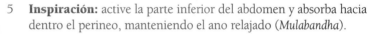

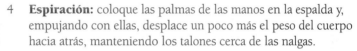

# Núm. 65 Ardhasarvangasana

*Media postura sobre los hombros*

Esta suave extensión de espalda refresca y rejuvenece todo el cuerpo. Alarga la cintura, estira el cuello y abre el pecho. Enseña la acción correcta de los *bandhas,* que en esta postura pueden aclararse con mucha facilidad, y a mantener las piernas estiradas. Sirve de preparación para *Sarvangasana.* Si tiene problemas de cuello, considere seriamente si esta postura le sirve de ayuda realmente o empeora su problema.

**RESUMEN**

En decúbito supino, rodando sobre la espalda colóquese sobre los hombros, y rotando la pelvis hacia fuera, con las manos sosteniendo la espalda o la pelvis, arquee suavemente la espalda y estire bien las piernas. Aclare y profundice los *bandhas,* pecho amplio y pleno, borde costal bien abierto, abdomen alargado, cóncavo y vacío, con el núcleo del cuerpo relajado, y suave respiración rítmica *Ujjayi.*   64   61   68   61   66

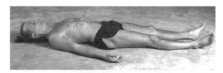

1   Echado sobre el suelo en *Savasana.*

2   **Durante la espiración,** coloque las rodillas sobre el pecho, ruede hacia atrás sobre la espalda y colóquese sobre los hombros, poniendo las rodillas sobre la frente.

3   **Durante la inspiración,** estire los brazos por detrás de la espalda, separando lo más que pueda los hombros de las orejas y alargando el cuello.

4   **Espiración:** coloque las palmas de las manos en la espalda y, empujando con ellas, desplace un poco más el peso del cuerpo hacia atrás, manteniendo los talones cerca de las nalgas.

5   **Inspiración:** aleje las rodillas separándolas de la cara y use las manos para sostener la espalda o la pelvis al mismo tiempo que arquea la espalda suavemente mientras, alejando la pelvis, alarga la cintura.

6   **Espiración:** estire las piernas de modo que queden sesgadas, ni verticales ni horizontales.

7   **Inspiración:** ensanche el borde costal, absorbiendo el plexo solar hacia dentro y hacia arriba, para activar, ensanchar y llenar el pecho, con el abdomen pasivo, alargado y vacío (*Uddiyanabandha*), y aplane su parte púbica, con el ano relajado absorbiendo el perineo hacia dentro (*Mulabandha*).

Mantenga la postura hasta que esté listo para pasar a *Savasana,* aclarando y profundizando los *bandhas* con el núcleo del cuerpo relajado y suave respiración rítmica *Ujjayi.* Salga de la postura pasando a una de las abajo indicadas.  64  61  68  61  66

# Núm. 66 Sarvangasana

## *Postura sobre los hombros*

Se trata de una postura sencilla, pero que presenta bastantes dificultades, que regenera todo el organismo. Junto con la Postura sobre la cabeza es la *Asana* que más nutre el cuerpo, beneficiando todos los órganos internos, todas las glándulas y todo el sistema nervioso. Compensa los efectos de la gravedad que se han ido acumulando durante toda la vida, rejuveneciendo así cada célula del cuerpo desde los hombros hasta los pies. Fortalece la musculatura de la espalda y los músculos más profundos del tronco. Desarrolla los brazos, las muñecas y las manos, y alivia el cuello y el corazón. El peso no debe caer ni sobre el cuello ni sobre las vértebras: debe sostenerse con los brazos y la cintura escapular. Si tiene problemas de cuello, considere seriamente si esta postura le sirve de ayuda realmente o empeora su problema.

**RESUMEN**
Partiendo de la base formada por los hombros y los codos, y empleando las manos apoyadas en la espalda y los músculos del tronco, eleve todo el cuerpo verticalmente en contra de la fuerza de gravedad. Mantenga las piernas rectas y fuertes, sin peso en la parte superior de la columna ni tensión en el cuello. Conserve activos los *bandhas* con el abdomen alargado, cóncavo y vacío, el pecho amplio y pleno, y el núcleo del cuerpo relajado con suave respiración rítmica *Ujjayi*. 68

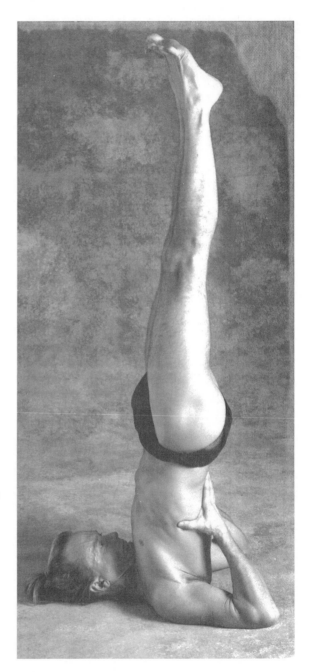

1   Echado sobre el suelo en *Savasana*.

2   **Durante la espiración,** coloque las rodillas sobre el pecho, ruede hacia atrás sobre la espalda y colóquese sobre los hombros, poniendo las rodillas sobre la frente.

3   **Durante la inspiración,** estire los brazos por detrás de la espalda, separando lo más que pueda los hombros de las orejas y alargando el cuello.

4   **Espiración:** coloque las palmas de las manos en la espalda y, empujando con ellas, atrase un poco más el peso del cuerpo, manteniendo los talones cerca de las nalgas.

5   **Inspiración:** rotando ligeramente desplace peso de la cabeza a las manos, y luego levante las rodillas alejándolas tanto como pueda, manteniendo flexionadas las piernas.

6   **Espiración:** levante los pies hacia el techo, y contrayendo los músculos de los muslos, estire las piernas y utilice las manos para presionar sobre la espalda hacia dentro y hacia arriba, de modo que todo el cuerpo se eleve y se separe de la cabeza y los hombros, desplazando más peso sobre las manos y sobre los codos. Mantenga los codos tan cerca como pueda uno de otro.

7   **Inspiración:** ensanche el borde costal, y absorba el plexo solar hacia dentro y hacia arriba, para activar, ensanchar y llenar el pecho, con el abdomen pasivo, alargado y vacío (*Uddiyanabandha*), y aplane su parte púbica, con el ano relajado mientras absorbe el perineo hacia dentro (*Mulabandha*).

Mantenga la postura sin que el peso lo soporte la parte superior de la columna ni que haya tensión en el cuello. Mantenga el peso sobre las manos y los codos mientras eleva cada parte del cuerpo hacia arriba contra la fuerza de la gravedad. Salga de la postura pasando a *Halasana* (**68**). **68**

# Núm. 67 Ardhahalasana

*Media postura del arado*

Se trata de una postura sedante que alarga los músculos de la parte superior de la espalda, sirve de descanso para las piernas y el corazón, estira el cuello y calma la mente. Si tiene problemas de cuello, considere seriamente si esta postura le sirve de ayuda realmente o empeora su problema.

**RESUMEN**

En decúbito supino, rodando sobre la espalda colóquese sobre los hombros, poniendo las rodillas sobre la frente. Baje las puntas de los dedos de los pies hasta tocar el suelo por detrás de la cabeza. Mantenga *Mulabandha* con el suelo pélvico pasivo y relajado mientras lo aspira hacia dentro. Mantenga la postura hasta que la respiración sea muy suave y lenta, y no haya tensión, dureza ni tirantez en ninguna parte del cuerpo.

1   Echado sobre el suelo en *Savasana*.

2   **Durante la espiración,** coloque las rodillas sobre el pecho, ruede hacia atrás sobre la espalda y colóquese sobre los hombros, poniendo las rodillas sobre la frente.

3   **Durante la inspiración,** estire los brazos por detrás de la espalda, separando lo más que pueda los hombros de las orejas y alargando el cuello.

4   **Espiración:** coloque las palmas de las manos en la espalda y, empujando con ellas, desplace un poco más el peso del cuerpo hacia atrás, manteniendo los talones cerca de las nalgas.

5   **Inspiración:** baje los pies hasta tocar el suelo por detrás de la cabeza, manteniendo las rodillas en la frente. Entre en contacto con el suelo con la punta del pie, no con las yemas o las uñas de los dedos.

6   **Espiración:** separe los hombros de las orejas y alargue el cuello.

7   **Espiración:** active la parte inferior del abdomen y absorba hacia dentro el perineo, manteniendo el ano relajado (*Mulabandha*).

Mantenga la postura con *Mulabandha* hasta que la respiración sea muy suave y lenta y no haya tensión, dureza ni tirantez alguna en ninguna parte del cuerpo. Luego salga de la postura pasando a *Karnapidasana* (**69**).

✦69

# Núm. 68 Halasana

*Postura del arado*

Se trata de una postura sedante que alarga los músculos de la parte superior de la espalda, tonifica las piernas, hace que descanse el corazón, estira el cuello y calma la mente. Si tiene problemas de cuello, considere seriamente si esta postura le sirve de ayuda realmente o empeora su problema.

**RESUMEN**

En decúbito supino, rodando sobre la espalda colóquese sobre los hombros, poniendo las rodillas sobre la frente. Baje las puntas de los dedos de los pies hasta el suelo por detrás de la cabeza y estire las piernas. Mantenga *Mulabandha* con el suelo pélvico pasivo y relajado mientras lo aspira hacia dentro. Mantenga la postura hasta que la respiración sea muy suave y lenta, y no haya tensión, dureza ni tirantez en ninguna parte del cuerpo.

**69** **69**

1    Echado sobre el suelo en *Savasana.*

2    **Durante la espiración,** coloque las rodillas sobre el pecho, ruede hacia atrás sobre la espalda y colóquese sobre los hombros, poniendo las rodillas sobre la frente.

3    **Durante la inspiración,** estire los brazos por detrás de la espalda, separando lo más que pueda los hombros de las orejas y alargando el cuello.

4    **Espiración:** coloque las palmas de las manos en la espalda y, empujando con ellas, desplace un poco más el peso del cuerpo hacia atrás, manteniendo los talones cerca de las nalgas.

5    **Inspiración:** baje los pies al suelo por detrás de la cabeza, manteniendo las rodillas en la frente. Entre en contacto con el suelo con la punta del pie, no con las yemas o las uñas de los dedos.

6    **Espiración:** estire las piernas, contrayendo los músculos de los muslos, de modo que la parte posterior de las rodillas se abra y la cara frontal de las piernas se levante del suelo.

7    **Inspiración:** aplane la parte inferior del abdomen y absorba hacia dentro el perineo, manteniendo el ano relajado (*Mulabandha*).

8    **Espiración:** separe los brazos del cuerpo y presione con las palmas de las manos contra el suelo.

Puede variar la posición de los brazos entrecruzando con fuerza los dedos de las manos y estirando las muñecas o colocándolos en la misma dirección que las piernas y presionando con el dorso de las manos contra el suelo.

Mantenga la postura con las piernas estiradas y fuertes, manteniendo *Mulabandha,* y el núcleo del cuerpo relajado, con suave respiración rítmica *Ujjayi,* hasta que esté listo para pasar a *Karnapidasana* (**69**). **69** **69**

# Núm. 69 Karnapidasana

## *Postura del feto*

Esta postura promueve una profunda interiorización, alarga los músculos de la espalda y del cuello, descansa el tronco y las extremidades y alivia la zona lumbar. Sirve de contrapostura para las extensiones de la columna vertebral. Si tiene problemas de cuello, considere seriamente si esta postura le sirve de ayuda realmente o empeora su problema.

### RESUMEN

En decúbito supino, rodando sobre la espalda colóquese sobre los hombros, manteniéndolos estirados bien pegados a las orejas, poniendo las rodillas sobre la frente; después, los brazos; luego, flexionando los brazos, sobre las muñecas, y finalmente, sobre el suelo, pegados a las orejas, mientras cada mano agarra la espinilla por dentro. Mantenga *Mulabandha* con el suelo pélvico pasivo y relajado al mismo tiempo que lo aspira hacia dentro. Mantenga la postura hasta que la respiración sea muy suave y lenta, y no haya tensión, dureza ni tirantez en ninguna parte del cuerpo. ✳64◄ 70 70

1  Echado sobre el suelo en *Savasana*.

2  **Durante la espiración,** coloque las rodillas sobre el pecho, ruede hacia atrás sobre la espalda y colóquese sobre los hombros, poniendo las rodillas sobre la frente.

3  **Durante la inspiración,** estire los brazos por detrás de la espalda, separando lo más que pueda los hombros de las orejas y alargando el cuello.

4  **Espiración:** coloque las palmas de las manos en la espalda y, empujando con ellas, desplace un poco más el peso del cuerpo hacia atrás, manteniendo los talones cerca de las nalgas.

5  **Inspiración:** baje los pies al suelo por detrás de la cabeza, manteniendo las rodillas en la frente y extienda los brazos bien pegados a las orejas. Mantenga esta posición durante un cierto tiempo con suave respiración rítmica *Ujjayi*.

6  **Espiración:** baje las rodillas sobre la parte superior de los brazos, y deje que los pies descansen en las manos, manteniendo todo el cuerpo relajado. Mantenga esta posición durante un cierto tiempo con suave respiración rítmica *Ujjayi*.

7  **Durante una espiración,** flexione los brazos y junte las manos; luego coloque las rodillas sobre las muñecas, entrelace los dedos justo detrás de la cabeza y deje que los pies descansen sobre las manos, manteniendo todo el cuerpo relajado.

Mantenga esta posición durante un cierto tiempo con suave respiración rítmica *Ujjayi*.

8  **Durante una espiración,** baje las rodillas al suelo bien pegadas a las orejas y, colocando los brazos por encima de los gemelos, cruce las muñecas mientras agarra con cada mano, con suavidad, la espinilla por dentro, manteniendo todo el cuerpo relajado.

Mantenga la postura hasta que la respiración sea muy suave y lenta, y no haya tensión, dureza ni tirantez en ninguna parte del cuerpo; luego salga de la postura pasando a una de las abajo indicadas.

✴ 64  70  70

# Núm. 70 Ardhamatsyasana

*Media postura del pez*

Esta postura alarga la garganta y la cintura, abre el pecho y arquea suavemente la espalda. Si tiene problemas de cuello, considere seriamente si esta postura le sirve de ayuda realmente o empeora su problema. Sirve como contrapostura del ciclo sobre los hombros. Cuanto más eleve la parte superior de la espalda, más podrá estirar el cuello.

**RESUMEN**

Sentado con las piernas fuertes y estiradas frontalmente, échese hacia atrás sobre los codos, con los dedos de la mano en los iliones, atrasando la cabeza y levantando y abriendo el pecho. Mantenga los *bandhas*, el pecho amplio y pleno, el abdomen alargado, cóncavo y vacío, el núcleo del cuerpo relajado, con suave respiración rítmica *Ujjayi*. ✳ **73** una de **73** **75** **76** **77** o **78** **72**

1 Siéntese en el suelo con las piernas estiradas hacia delante, rectas y fuertes, los pies juntos y activos, con la columna vertebral erguida bien asentada en la pelvis (*Dandasana*).

2 **Durante la inspiración,** échese hacia atrás y coloque, primero un codo y después el otro en el suelo detrás de usted, y ponga las manos en las caderas de modo que los pulgares queden detrás de los demás dedos, que rodean las crestas ilíacas.

3 **Durante la espiración,** estire y ponga bien fuertes las piernas, con los pies activos.

4 **Inspiración:** presionando hacia abajo con los codos, levante y ensanche el borde costal, absorbiendo el plexo solar hacia dentro y hacia arriba, para activar, ensanchar y llenar el pecho, con el abdomen alargado, cóncavo y vacío (*Uddiyanabandha*), y aplane su parte púbica, con el ano relajado mientras absorbe hacia dentro el perineo y el sacro (*Mulabandha*).

5 **Espiración:** levante la barbilla ligeramente y haga presión con la base del cráneo hacia delante y hacia arriba, y

6 **Durante la inspiración,** mientras arquea suavemente la espalda, eche hacia atrás y hacia abajo la cabeza describiendo un arco tan amplio como sea posible, manteniendo tanto espacio como pueda en la parte posterior de las vértebras.

Mantenga la postura, conservando el abdomen alargado, vacío y cóncavo, el pecho alto, amplio y pleno, con las piernas fuertes y los pies activos. Cuando esté listo, salga de la postura pasando a una de las abajo indicadas.

 una de     o

# Núm. 71 Balasana

*Postura del niño*

Esta postura calma todo el cuerpo, aliviando especialmente la zona lumbar. Sirve de preparación para la Postura del perro. Contrapostura para las extensiones de la columna vertebral y la Postura sobre los hombros. En esta postura, las nalgas no se colocan entre los talones, sino que descansan sobre ellos. Enseña la acción en espiral de los brazos necesaria para *Adhomukhasvanasana*.

1　Partiendo de la postura a gatas, deslice los dedos de los pies hacia atrás de modo que los empeines entren en contacto con el suelo y baje las nalgas atrasándolas para posarlas sobre los talones, mientras el pecho se coloca sobre las rodillas.

2　Manteniendo las nalgas sobre los talones, extienda los brazos hacia delante hasta que estén estirados, con una distancia entre ellos equivalente a la anchura de los hombros.

3　Ensanche las palmas de las manos y alargue los dedos mientras presiona con las palmas contra el suelo (entre las palmas debe mantenerse una distancia equivalente a la anchura de los hombros).

4　Alargue los brazos desde los hombros, manteniendo abiertos los omóplatos y, mientras hace presión con las yemas de los pulgares, sienta el movimiento en espiral de la parte superior de los brazos para crear espacio entre los hombros y el cuello.

5　Aplane la parte inferior del abdomen, absorbiendo el perineo, con el ano relajado (*Mulabandha*).

Mantenga la postura hasta que esté listo para salir de ella, alargando y estirando continuamente los brazos. Para hacer la postura más pasiva, extienda los brazos hacia atrás, con las palmas de las manos vueltas hacia arriba al lado de los pies, y luego relájese completamente. Salga de la postura cuando esté listo para pasar a la siguiente.

**RESUMEN**

Siéntese en los talones y baje el pecho sobre las rodillas, extendiendo los brazos bien pegados a las orejas, presionando con las palmas para estirarlos. Absorba el perineo, manteniendo el ano relajado.

Una de　　　o　

*Balasana* también puede adoptarse partiendo de *Adhomukhasvanasana* (**(15)**, pág. 128) doblando las piernas para colocar las espinillas en el suelo mientras se deslizan los dedos hacia atrás, de modo que los empeines se pongan en contacto con el suelo, y bajando las nalgas hasta los talones y el pecho hasta las rodillas.

# Núm. 72 Sirsasana

*Postura sobre la cabeza*

Se trata de una postura sencilla pero que presenta bastantes dificultades. Debe realizarse con rigurosa precisión para proteger el cuello. Esta advertencia se refiere principalmente al establecimiento y al mantenimiento de la base de la postura: cabeza, manos, codos y antebrazos. Rejuvenece vigorosamente el cuerpo entero, beneficiando todos los órganos internos, las glándulas y los nervios. Junto con *Sarvangasana* es la postura que más nutre el cuerpo. Invierte los efectos de la gravedad acumulados durante toda la vida, regenerando cada célula del cuerpo. Fortalece los músculos más profundos del tronco, los músculos respiratorios y los pulmones. Desarrolla los brazos, las muñecas y las manos, reestructura el cuello y alivia el corazón. El peso debe mantenerse principalmente sobre los brazos y los codos. Si tiene problemas de cuello, considere seriamente si esta postura le ayuda verdaderamente o empeora su problema. Cada parte del cuerpo, excepto la base, debe ser activada en contra de la gravedad para levantar su propio peso. No se dan instrucciones específicas sobre el uso de la respiración. Emplee lo que ha aprendido de las demás posturas sobre la sincronización entre cuerpo y respiración. Respire libremente en la postura de modo que la respiración lo sostenga. No controle ni fuerce la respiración.

**RESUMEN**

Con la cabeza en el hueco de las manos y el peso soportado por la coronilla, los antebrazos y las muñecas, extienda todo el cuerpo verticalmente en contra de la fuerza de la gravedad de modo que forme una línea vertical recta con los hombros, levantándose mientras presiona firmemente hacia abajo con la base. Con una fuerte carga energética en las piernas y los pies, manteniendo los *bandhas,* el pecho amplio y pleno, el abdomen alargado, cóncavo y vacío, y el núcleo del cuerpo relajado con suave respiración rítmica *Ujjayi.* **71**

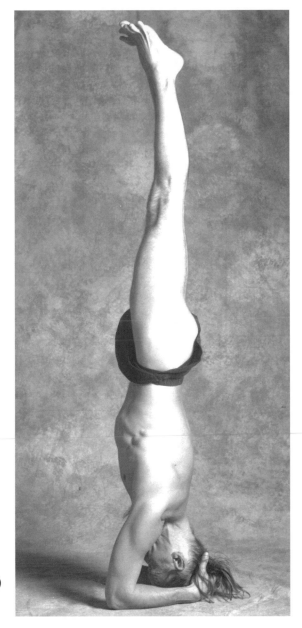

1 Sentado sobre los talones, con las rodillas flexionadas y los pies bajo las nalgas, coloque la coronilla buscando una pequeña incisión donde se cruzan las líneas imaginarias que van de oreja a oreja y desde el puente de la nariz, justo por delante de la cresta que recorre la parte alta de la cabeza.

2 Entrelazando los dedos profundamente, pero sueltos, coloque los fémures paralelos entre sí, de manera que las caras interiores de los muslos estén ligeramente separadas, y ponga los codos en el suelo de modo que los bordes interiores de los codos abracen la parte exterior de las rodillas. (Si las rodillas están alineadas entre sí, los codos también lo estarán. Es importante que ningún codo se encuentre ni siquiera un milímetro desplazado por delante del otro. Esto ocurre si envuelve con los dedos los codos para colocarlos en el suelo a la distancia correcta, lo cual produce una torsión ligera pero significativa del cuello que con el tiempo genera un desequilibrio muscular y tensión en el cuello. Si las rodillas están alineadas, con los fémures paralelos, y las caras interiores de los codos envuelven las caras exteriores de las rodillas, la distancia entre los codos será la correcta.)

3 Presione firmemente contra el suelo con el borde exterior de las muñecas, manteniendo el plano de ambos huesos del antebrazo perpendicular al suelo y presionando hacia abajo, de modo que la yema de los pulgares no rote hacia fuera, hacia el suelo.

4 Coloque la coronilla en el suelo en el hueco creado por las manos, describiendo una suave curva hemisférica, de modo que las yemas de los pulgares y las puntas de los dedos abracen suavemente la parte posterior de la cabeza. Los meñiques, situados más abajo no están en contacto con la cabeza. Las yemas de los pulgares se encontrarán apoyadas en el cráneo cerca de su base junto a las orejas. Presionando firmemente con las yemas de los pulgares, mantenga relajados los dedos de la mano y presione hacia abajo con el borde externo de las muñecas y con los huesos de los antebrazos, para que el plano formado por éstos permanezca perpendicular al suelo.

5 Estire las piernas para que las nalgas se levanten y dé pequeños pasos avanzando de puntillas con los pies en dirección a la cabeza para que la espalda se levante verticalmente. Tenga cuidado: si avanza demasiado, el peso se desplazará de la coronilla a la parte posterior de la cabeza. Mantenga los hombros separados de las orejas a base de presionar firmemente contra el suelo con el borde exterior de las muñecas y de los radios, mientras presiona con las yemas de los pulgares firmemente contra el cráneo.

6 Levante lentamente un pie del suelo y coloque la rodilla apretada contra el pecho, manteniendo el talón apretado contra la nalga.

7   Levante la segunda rodilla apretada contra el pecho junto a la primera y coloque el talón apretado contra la nalga.

8   Manteniendo las rodillas y los pies juntos y las piernas flexionadas, levante las rodillas tanto como pueda para colocarlas verticalmente, de modo que las espinillas y los pies cuelguen por detrás de los muslos. Presione con firmeza contra el suelo con el borde exterior de las muñecas y los radios mientras presiona en el cráneo con las yemas de los pulgares; mantenga el peso en los codos.

9   Levante los pies, manteniéndolos juntos hasta que las piernas estén estiradas y verticales, levantando los hombros para separarlos de las orejas mientras presiona firmemente contra el suelo con el borde exterior de las muñecas y los radios, al mismo tiempo que presiona firmemente en el cráneo con las yemas de los pulgares, manteniendo el peso en los codos.

10  **Durante una inspiración,** ensanche el borde costal, absorbiendo el plexo solar hacia dentro y hacia arriba, para ensanchar y llenar el pecho, con el abdomen pasivo, alargado y vacío (*Uddiyanabandha*), y aplane su parte púbica, con el ano relajado, mientras absorbe hacia dentro el perineo (*Mulabandha*). Mantenga los hombros relajados y separándose constantemente del suelo.

Mantenga los *bandhas* con las piernas y los pies bien potentes, y el núcleo del cuerpo relajado con suave respiración rítmica *Ujjayi*. Salga de la postura flexionando las piernas, colocando las rodillas en el pecho y poniendo primero uno de los pies en el suelo, y luego el otro, para finalmente adoptar la Postura del niño. **71**

# Núm. 73 Sukhasana

*Postura sencilla*

Es la más sencilla de las posturas sentadas, y puede utilizarse para meditación cuando las articulaciones de la parte baja del cuerpo presenten restricciones. Compruebe que no tiene ni presión ni dolor en las rodillas, y que las vértebras lumbares no soportan un peso excesivo. Abre las articulaciones de las piernas.

**RESUMEN**

Siéntese con las piernas cruzadas, con cada pie sosteniendo la pierna contraria. Relaje el tronco, alargue la columna vertebral y permanezca lo más inmóvil que pueda.

1   Siéntese en el suelo con las piernas relajadas cruzadas de manera natural delante de usted.

2   Ajuste la posición de los pies de modo que cada uno de ellos descanse bajo la pierna contraria y la sostenga. Una estará delante; la otra, detrás.

3   Relaje las piernas, el suelo pélvico, el abdomen, los hombros y la cara.

4   Coloque las palmas de las manos planas detrás de las nalgas y compruebe que los iliones están ligeramente adelantados respecto a los isquiones de manera que la zona lumbar no esté redondeada. Mantenga el peso bien repartido sobre la base que forman los isquiones y los huesos de la pierna.

5   Levante el pecho y alargue la columna vertebral, alejando el esternón de la pelvis, y las axilas de las caderas. Relaje los hombros.

6   Alargue el cuello y fije la mirada hacia delante y ligeramente hacia abajo. Mantenga la cara relajada, serenos los ojos y las orejas distendidas. Relaje completamente el núcleo del cuerpo.

Permanezca inmóvil hasta que esté listo para salir de la postura y pasar a *Savasana*.

No deje de consultar las INSTRUCCIONES GENERALES PARA SENTARSE EN MEDITACIÓN AL FINAL DE LA PRÁCTICA (pág. 256).

Quédese inmóvil hasta que esté listo para salir de la postura y pasar a *Savasana*.

# Núm. 74 Urdhvasukhasana

*Postura elevada*

Esta postura es una ampliación de *Sukhasana*, y sostiene la inspiración en una postura fácil de adoptar. Cuando se sienta cansado, puede realizarse entre una y otra postura, en vez de una *vinyasa* activa. Abre el pecho y moviliza el cuello. Contrapostura de los estiramientos de la columna en flexión.

**RESUMEN**

Siéntese con las piernas cruzadas, con cada pie sosteniendo la pierna contraria, y coloque los brazos detrás de los muslos, con las palmas de las manos en el suelo. Entonces desplace el peso desde las nalgas a las palmas de las manos y a los pies. Fije la mirada al frente con suave respiración rítmica *Ujjayi*.

1   Siéntese en el suelo con las piernas relajadas cruzadas de manera natural delante de usted.

2   Ajuste la posición de los pies de modo que cada uno de ellos descanse bajo la pierna contraria y la sostenga. Una estará delante; la otra, detrás.

3   Relaje las piernas, el suelo pélvico, el abdomen, los hombros y la cara.

4   Pase los brazos por fuera de los muslos y coloque las palmas de las manos en el suelo.

5   Desplace el peso hacia delante, de las nalgas a las palmas de las manos y a los pies, levante el pecho y alargue la columna vertebral. Relaje los hombros.

6   Dirija la mirada al frente, alargue más la columna vertebral y abra completamente el pecho.

7   Relaje el núcleo del cuerpo completamente.

Permanezca inmóvil hasta que esté listo para salir de la postura y pasar a *Dandasana* (**32**). ✴ 32

En días alternos, cambie el cruce de las piernas, para que las articulaciones se desarrollen de manera equilibrada a izquierda y derecha.

# Núm. 75 Virasana

*Postura del héroe*

Se trata de una potente postura sentada que abre la cara posterior de las rodillas y los tobillos, refuerza los arcos plantares y estabiliza el sacro. Puede dañar los ligamentos de la rodilla si se realiza inadecuadamente o antes de estar preparado. Si las nalgas no llegan al suelo, apóyelas, mientras lo consigue, sobre los talones o las yemas de los dedos gordos.

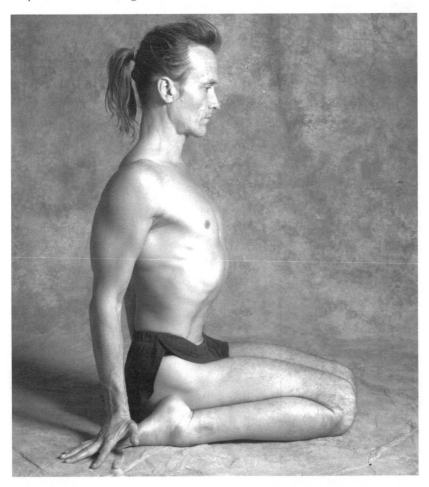

**RESUMEN**

Siéntese con las nalgas entre los pies. Relaje el tronco, alargando la columna vertebral, y permanezca lo más inmóvil que pueda. **1**

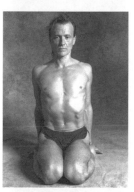

1 Arrodíllese en el suelo.

2 Levante las nalgas hasta que los muslos estén perpendiculares al suelo.

3 Separe los pies y las rodillas hasta que alcancen la misma anchura que los isquiones, con los empeines extendidos sobre el suelo, y los huesos internos y externos de los tobillos a la misma altura del suelo.

4 Alargue la parte interna del tobillo alineando el borde interior del pie con el borde interior de la tibia, de manera que los dedos de los pies no se curven hacia dentro. Mantenga la distancia entre el borde interior de la tibia y la cara interna del talón.

5 Baje las nalgas hasta que se apoyen en el suelo entre los pies.

6 Use los dedos de las manos para separar los de los pies y comprobar que cada uno de ellos está ejerciendo presión sobre el suelo.

7 Mantenga los fémures paralelos entre sí y meta los peronés hacia dentro y hacia abajo para que se levanten las rodillas sin elevar las nalgas.

8 Haga presión con la base de las manos sobre los empeines para mantener el alineamiento entre los huesos de la espinilla y las rodillas respectivas.

9 Levante el pecho y alargue la columna vertebral, alejando el esternón de la pelvis y las axilas de las caderas. Relaje los hombros.

10 Alargue el cuello y dirija la mirada hacia delante y ligeramente hacia abajo. Mantenga la cara relajada, serenos los ojos y las orejas distendidas. Relaje completamente el núcleo del cuerpo.

Permanezca inmóvil hasta que esté listo para salir de la postura, relajando las piernas en *Savasana*.

No deje de consultar las INSTRUCCIONES GENERALES PARA SENTARSE EN MEDITACIÓN AL FINAL DE LA PRÁCTICA (pág. 256).

SI LAS NALGAS NO LLEGAN AL SUELO, USE LOS PIES O LOS TALONES PARA SOSTENERLAS. NO GIRE LOS PIES HACIA FUERA COMO HACEN LOS NIÑOS CUANDO SE SIENTAN ASÍ.

# Núm. 76 Ardhasiddhasana

*Media postura de los expertos*

Se trata de una postura sentada sencilla y estable, que puede realizar la mayoría de las personas. Desarrolla los músculos de la espalda, abre las caderas, flexibiliza los tobillos, centra la energía y estabiliza la mente. Sirve de preparación para *Padmasana*.

**RESUMEN**

Siéntese con las piernas cruzadas, con un talón delante del otro, alineados con el centro del hueso púbico. Relaje el tronco, alargue la columna vertebral y permanezca lo más inmóvil que pueda.

1  1

1 Siéntese en el suelo con las piernas delante de usted, manteniéndolas relajadas.

2 Coja la pierna derecha por la rodilla y el tobillo, manteniéndola relajada.

3 Sosteniendo el peso de la pierna en la mano izquierda, situada en el talón, utilice la mano derecha para desplazar la masa muscular de la pantorrilla y del muslo hacia arriba, de modo que los huesos del muslo (fémur) y de la pierna (tibia y peroné) puedan acercarse más.

4 Utilice las dos manos para acercar la tibia y el peroné lo más posible al fémur, comprobando que la tibia no gire hacia arriba.

5 Ponga el talón derecho en el suelo delante del centro del hueso púbico. Relaje el tobillo y la rodilla.

6 Flexione la pierna izquierda de la misma manera y coloque el talón izquierdo justo delante de la pierna derecha de manera que los pies se toquen.

7 Relaje las piernas, el suelo pélvico, el abdomen, los hombros y la cara.

8 Compruebe que los iliones están ligeramente adelantados respecto a los isquiones, de manera que la zona lumbar no quede redondeada. Mantenga el peso bien repartido sobre la base que proporcionan los huesos de la pierna y los isquiones.

9 Levante el pecho y alargue la columna vertebral, separando el esternón de la pelvis y las axilas de las caderas. Relaje los hombros y coloque las manos en las rodillas.

10 Alargue el cuello y fije la mirada hacia el frente y ligeramente hacia abajo. Mantenga la cara relajada, los ojos serenos y las orejas distendidas. Relaje el núcleo del cuerpo completamente.

Permanezca inmóvil hasta que esté listo para salir de la postura y pasar a *Savasana*.

No deje de consultar las INSTRUCCIONES GENERALES PARA SENTARSE EN MEDITACIÓN AL FINAL DE LA PRÁCTICA (pág. 256).

En días alternos, cambie el cruce de las piernas, para que las articulaciones se desarrollen de manera equilibrada a izquierda y derecha.

1 ●1

# Núm. 77 Siddhasana

*Postura de los expertos*

En su forma clásica, con el talón inferior presionando en el perineo y el superior en los genitales, ésta es la *asana* más potente, junto con *Padmasana,* para la transformación energética, *Pranayama,* la meditación y la transformación psicológica. Desarrolla los músculos de la espalda, abre las caderas y el pecho, flexibiliza los tobillos, centra la energía y estabiliza la mente. Sirve de preparación para *Padmasana.*

**RESUMEN**

Siéntese con las piernas cruzadas, con un talón sobre el otro alineados con el centro del hueso púbico. Relaje el tronco, alargue la columna vertebral y permanezca lo más inmóvil que pueda. **1** **1**

1  Siéntese en el suelo con las piernas delante de usted, manteniéndolas relajadas.

2  Coja la pierna derecha por la rodilla y el tobillo, manteniéndola relajada.

3  Sosteniendo el peso de la pierna en la mano izquierda, situada en el talón, utilice la mano derecha para desplazar la masa muscular de la pantorrilla y del muslo hacia arriba, de modo que los huesos del muslo (fémur) y de la pantorrilla (tibia y peroné) puedan acercarse más.

4  Utilice las dos manos para acercar la tibia y el peroné lo más posible al fémur, comprobando que la tibia no gire hacia arriba.

5  Ponga el talón derecho en el suelo delante del centro del hueso púbico. Relaje el tobillo y la rodilla.

6  Flexione la pierna izquierda de la misma manera y coloque el talón izquierdo sobre el talón derecho.

7  Relaje las piernas, el suelo pélvico, el abdomen, los hombros y la cara.

8  Compruebe que los iliones están ligeramente adelantados respecto a los isquiones, de manera que la zona lumbar no quede redondeada. Mantenga el peso bien repartido sobre la base que proporcionan los huesos de la pierna y los isquiones.

9  Levante el pecho y alargue la columna vertebral, separando el esternón de la pelvis y las axilas de las caderas. Relaje los hombros y coloque las manos en las rodillas.

10  Alargue el cuello y fije la mirada hacia el frente y ligeramente hacia abajo. Mantenga la cara relajada, serenos los ojos y las orejas distendidas. Relaje el núcleo del cuerpo completamente.

Permanezca inmóvil hasta que esté listo para salir de la postura y pasar a *Savasana*.  **1**  **1**

No deje de consultar las INSTRUCCIONES GENERALES PARA SENTARSE EN MEDITACIÓN AL FINAL DE LA PRÁCTICA (pág. 256).

En días alternos, cambie el cruce de las piernas, para que las articulaciones se desarrollen de manera equilibrada a izquierda y derecha.

# Núm. 78 Padmasana

*Loto completo*

La quintaesencia del yoga. Es la *Asana* más potente, junto con *Siddhasana*, para la transformación energética, *Pranayama*, la meditación y la transformación psicológica. Desarrolla los músculos de la espalda, abre las caderas y el pecho, flexibiliza los tobillos, centra la energía y estabiliza la mente. Debe ponerse mucho cuidado de que los ligamentos de la rodilla superior no se lesionen por forzar la rodilla a bajar hasta el suelo. Puede colocarse un cojín, una manta o un libro debajo de ella hasta que la flexibilidad en las caderas haga posible que descanse naturalmente en el suelo. Debe ponerse mucho cuidado al colocar y quitar la rodilla de la pierna de arriba para no dañar los ligamentos.

**RESUMEN**
Siéntese con las piernas cruzadas, cada pie en la raíz del muslo contrario. Relaje el tronco, alargue la columna vertebral y permanezca lo más inmóvil que pueda. 1 1

1  Siéntese en el suelo con las piernas delante de usted, manteniéndolas relajadas.

2  Coja la pierna derecha por la rodilla y el tobillo, manteniéndola relajada.

3  Sosteniendo el peso de la pierna en la mano izquierda, situada en el talón, utilice la mano derecha para desplazar la masa muscular de la pantorrilla y del muslo hacia arriba, de modo que los huesos del muslo (fémur) y los de la pantorrilla (tibia y peroné) puedan acercarse más.

4  Utilice las dos manos para acercar la tibia y el peroné lo más posible al fémur, comprobando que la tibia no gire hacia arriba.

5  Acerque la tibia derecha a la izquierda y, mientras el pie derecho se acerca al muslo izquierdo, colóquelo sobre el muslo con el talón cerca del ombligo.

6  Flexione la pierna izquierda exactamente de la misma manera, usando las dos manos para sostenerla, y retirando la masa muscular de entre la pierna y el muslo.

7  Acerque el muslo izquierdo hacia el derecho de modo que el pie izquierdo se mueva hacia la cadera derecha, colocando con cuidado el pie izquierdo sobre la pierna derecha hasta que el pie izquierdo descanse en la raíz del muslo derecho.

8  Tire suavemente de los muslos para acercarlos entre sí, colocando los talones más apretadamente sobre el ombligo.

9  Compruebe que los iliones están ligeramente adelantados respecto a los isquiones, de modo que la zona lumbar no esté redondeada.

10  Levante el pecho y alargue la columna vertebral, separando el esternón de la pelvis y las axilas de las caderas. Relaje los hombros y coloque las manos en las rodillas.

11  Alargue el cuello y fije la mirada hacia el frente y ligeramente hacia abajo. Mantenga la cara relajada, serenos los ojos y las orejas distendidas. Relaje el núcleo del cuerpo completamente.

Permanezca inmóvil hasta que esté listo para salir de la postura y pasar a *Savasana*.

No deje de consultar las INSTRUCCIONES GENERALES PARA SENTARSE EN MEDITACIÓN AL FINAL DE LA PRÁCTICA (pág. 256).

En días alternos, cambie el cruce de las piernas, para que las articulaciones se desarrollen de manera equilibrada a izquierda y derecha.

1  1

# 12

# INSTRUCCIONES GENERALES PARA SENTARSE EN MEDITACIÓN AL FINAL DE LA PRÁCTICA

Al final de la práctica, tras las inversiones, siguiendo las series llegará usted a una postura sentada. Es aquí donde los efectos de su práctica se fertilizan. El fertilizante empleado es la respiración consciente. Pase tanto tiempo como le sea posible sentado inmóvil y respirando conscientemente. Deje que esto ocurra en el siguiente *Vinyasa Krama*. Inténtelo ahora. Proceda lentamente paso tras paso. Vaya aumentando progresivamente de 2 minutos por paso hasta 10. Si algunos son más largos y otros más cortos, que así sea. No lo fuerce; si a usted le funciona, querrá pasar más tiempo en él.

## Paso 1

Sentado inmóvil, con la columna vertebral elevada sin tensión en los *bandhas,* deje que todo el cuerpo se relaje. Libere *Uddiyana* y *Mulabandha.* No deje caer el pecho ni que se hunda la columna vertebral. Concéntrese en liberar, especialmente, la garganta y la mandíbula, el suelo pélvico y el abdomen. Mientras se concentra en el abdomen, sienta cómo éste se relaja profundamente. Mientras se relaja, sienta el movimiento de la pared abdominal incrementándose gradual y libremente con cada inspiración y cada espiración. Permanezca en este paso durante un cierto tiempo.

## Paso 2

Poco a poco concentre su atención cada vez más profundamente en las costillas flotantes. Siéntalas abrirse y expandirse hacia fuera cuando inspira, y hundirse cuando espira. No fuerce la respiración. Déjela fluir libremente. Ignore el abdomen, déjelo estar. A medida que vaya entrando en un contacto cada vez más íntimo con las costillas flotantes, anímelas, con franqueza y sin forzar, a abrirse, lenta y muy gradualmente, un poco más con cada inspiración. No fuerce este proceso. Usted está invitando, sencillamente, a cualquier capacidad latente que posea a despertarse en el momento propicio. Así será, pero, especialmente al comienzo, lo hará con mayor facilidad si se le permite a esta capacidad despertarse lentamente. Los músculos respiratorios no están sólo crónicamente infrautilizados, sino cargados de tensión emocional. Respete este estado temporal. Está usted a punto de cambiarlo. Hágalo con suavidad. Una vez que haya alcanzado claramente su actual capacidad, mantenga la respiración hasta que el ritmo se haga absolutamente fluido y sin esfuerzo. Se caracterizará por una respiración lenta y fina que fluye consistentemente sin tensión, contracción ni cambio de ritmo. Deje que este ritmo sin esfuerzo, con la integridad que posee, mejore su conciencia. Si siente resistencia, sienta la resistencia, pero continúe si puede. Si siente liberación, sienta la liberación, pero continúe.

## Paso 3

Cambie de centro de atención: de las costillas flotantes a la parte alta del pecho. Ignore las costillas flotantes, déjelas estar. A medida que entra en contacto cada vez más estrecho con las costillas fijas, anímelas, con franqueza y sin forzar, a abrirse gradualmente cada vez un poco más con cada inspiración. No fuerce este proceso. Usted está invitando, sencillamente, a cualquier capacidad latente que posea a despertarse en el momento propicio. Así será; pero, especialmente al comienzo, lo hará con mayor facilidad si se le permite a esta capacidad despertarse lentamente. Los músculos respiratorios no están sólo crónicamente infrautilizados, sino cargados de tensión emocional. Respete este estado temporal. Está usted a punto de cambiarlo. Hágalo con suavidad. Una vez que haya alcanzado claramente su actual capacidad, mantenga la respiración hasta que el ritmo se haga absolutamente fluido y sin esfuerzo. Se caracterizará por una respiración lenta y fina que fluye consistentemente sin tensión, contracción ni cambio de ritmo. Deje que este ritmo sin esfuerzo, con la integridad que posee, mejore su conciencia. Si siente resistencia, sienta la resistencia, pero continúe si puede. Si siente liberación, sienta la liberación, pero continúe. Si la barbilla parece querer caer hacia el esternón, no intervenga, pero no permita que se hunda el pecho.

## Paso 4

Deje que su conciencia abarque el abdomen, las costillas flotantes y las costillas fijas.

A medida que entra en contacto cada vez más estrecho con los pulmones, anímelos, con franqueza y sin forzar, a abrirse gradualmente, un poco más con cada inspiración. No fuerce este proceso. Usted está invitando, sencillamente, a cualquier capacidad latente que posea a despertarse en el momento propicio. Así será, pero, especialmente al comienzo, lo hará con mayor facilidad si se le permite a esta capacidad despertarse lentamente. Los músculos respiratorios no están sólo crónicamente infrautilizados, sino cargados de tensión emocional. Respete este estado temporal. Está usted a punto de cambiarlo. Hágalo con suavidad. Una vez que haya alcanzado claramente su actual capacidad, mantenga la respiración hasta que el ritmo se haga absolutamente fluido y sin esfuerzo. Se caracterizará por una respiración lenta y fina que fluye consistentemente sin tensión, contracción ni cambio de ritmo. Deje que este ritmo sin esfuerzo, con la integridad que posee, mejore su conciencia. Si siente resistencia, sienta la resistencia, pero continúe si puede. Si siente liberación, sienta la liberación, pero continúe.

## Paso 5

Gradual y lentamente invierta los pasos de *Vinyasa* **4, 3, 2, 1**, hasta que vuelva a respirar normalmente. Siga aún un cierto tiempo.

## Paso 6

Levante lentamente la barbilla. Aclare y estabilice la postura sin hacer esfuerzo alguno. Relájese profundamente sin dejar que se hunda ni la columna vertebral ni el pecho. Concéntrese en liberar, especialmente, la garganta y la mandíbula, el suelo pélvico y el abdomen. Deje que su conciencia abarque el flujo de sensaciones que resulta de su respiración. No intente influir sobre ella de ninguna manera. Déjela estar. Permanezca un cierto tiempo siguiendo, sencillamente, las cambiantes sensaciones de la respiración. Si alguna sensación o sentimiento se presenta persistente o abrumadoramente, deje que su conciencia lo abarque y lo penetre completamente, utilizando el flujo de su respiración para mantener el punto de concentración.

## Paso 7

Aclare y estabilice la postura sin hacer esfuerzo alguno. Relájese profundamente sin dejar que se hunda ni la columna vertebral ni el pecho. Concéntrese en liberar, especialmente, la garganta y la mandíbula, el suelo pélvico y el abdomen. Deje que su conciencia abarque el flujo de sensaciones que resulta del hecho de que posee un cuerpo. Sienta el juego cambiante de sensaciones mientras permanece ahí sentado. No intente influir en este proceso de ninguna manera. Déjelo estar. Sienta cualquier sensación que sienta justo como la sienta y cuando la sienta. No añada nada deliberadamente. Si lo necesita, use el flujo de su respiración para mantener su conciencia en un punto de concentración estable y claro en lo que está verdaderamente ocurriendo. Si alguna sensación o sentimiento se presenta persistente o abrumadoramente, deje que su conciencia lo abarque y lo penetre completamente, utilizando el flujo de su respiración para mantener el punto de concentración. Permanezca en este paso durante un cierto tiempo.

## Paso 8

Aclare y estabilice la postura sin hacer esfuerzo alguno. Relájese profundamente sin dejar que se hunda ni la columna vertebral ni el pecho. Deje que la conciencia abarque el flujo de la percepción: sensaciones, sentimientos, pensamientos, imágenes que resultan del hecho de que posee una mente. Atienda al cambiante juego de la percepción mientras permanece ahí sentado. No intente influir en este proceso de ninguna manera. Déjelo estar. Perciba cualquier percepción que perciba justo como la perciba y cuando la perciba. No añada, cambie ni mantenga nada, ni se resista a nada deliberadamente. Si lo necesita, use el flujo de su respiración para mantener su conciencia en un punto de concentración estable y claro en lo que está verdaderamente ocurriendo. Si alguna percepción se presenta persistente o abrumadoramente, deje que su conciencia la abarque y la penetre completamente, utilizando el flujo de su respiración para mantener el punto de concentración. Permanezca en este paso durante un cierto tiempo. Después tan sólo siga ahí sentado sin hacer absolutamente nada. Deje que la mente absorba todas las percepciones libremente, sin preferencia ni imposición. No importa si la mente rebosa de pensamientos. Sólo déjela estar. Déjese en paz a sí mismo. Experiméntese exactamente como es. Disfrute de usted exactamente como es. Pasado un cierto tiempo, salga de la postura sentada y échese en *Savasana* (**1**).

# IV

# La práctica del Yoga Dinámico

# 13

# LA SERIE DE APACIGUAMIENTO ✳

La Serie de Apaciguamiento está pensada para aclarar los fundamentos del método del Hatha Yoga. Para lograrlo, se utilizan posturas muy sencillas, accesibles a cualquier persona. Por mucha experiencia que tenga, no deje de empezar por esta Serie.

La Serie de Base introduce las posturas de pie básicas y desarrolla la dinámica del método del Hatha Yoga mediante sencillas posturas. Debe practicarse hasta que todas las posturas se realicen sin esfuerzo alguno.

La Serie Preparatoria presenta la mayoría de las posturas de la secuencia tradicional Yoga Chikitsa. Se han omitido las más extremas. Es más exigente en cuanto a flexibilidad y resistencia que las demás Series. Aunque ya se encuentre cómodo practicando la Serie Preparatoria, habrá veces, cuando esté cansado o estresado, en que le resultará excesiva. Practique entonces una de las otras dos Series, o una de las secuencias elementales más cortas.

Las secuencias más breves se reservan para cuando disponga de menos tiempo que el requerido por la Serie completa.

# 14

# LA SERIE DE BASE ■

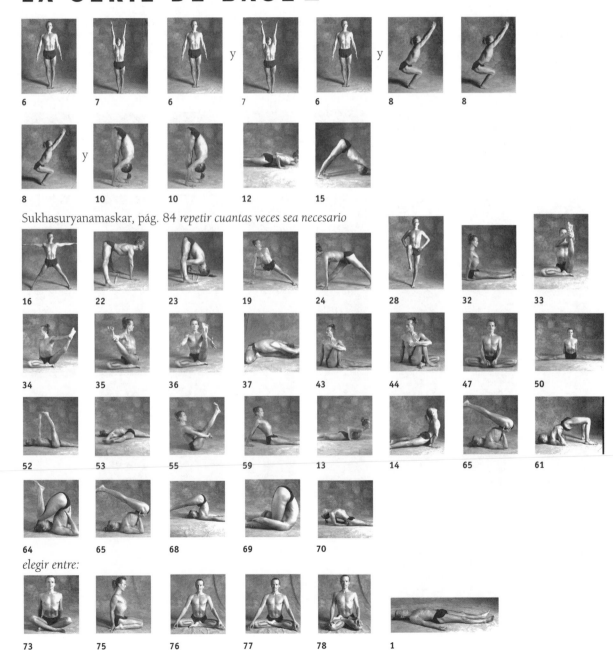

6    7    6    y    7    6    y    8    8

8    y    10    10    12    15

Sukhasuryanamaskar, pág. 84 *repetir cuantas veces sea necesario*

16    22    23    19    24    28    32    33

34    35    36    37    43    44    47    50

52    53    55    59    13    14    65    61

64    65    68    69    70

*elegir entre:*

73    75    76    77    78    1

# 15

# LA SERIE PREPARATORIA●

Suryanamaskar, pág. 86 *repetir cuantas veces sea necesario*

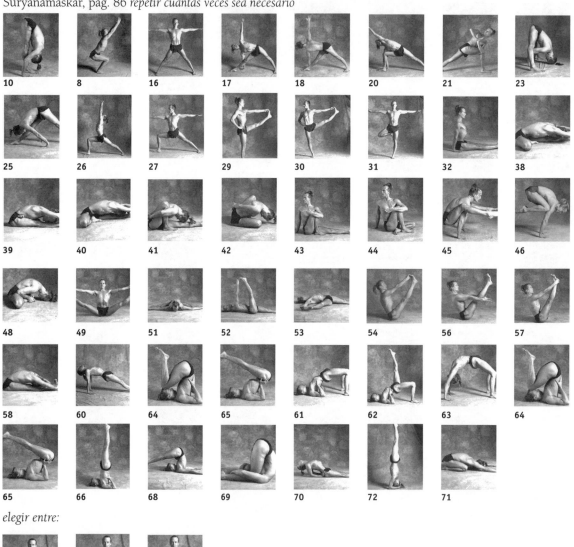

10  8  16  17  18  20  21  23

25  26  27  29  30  31  32  38

39  40  41  42  43  44  45  46

48  49  51  52  53  54  56  57

58  60  64  65  61  62  63  64

65  66  68  69  70  72  71

*elegir entre:*

76  77  78  1

# 16

# LAS PRÁCTICAS BREVES

Advertencia general: para *vinyasa* elija usted la práctica que desee

## Práctica Dinámica 1

Suryanamaskar, pág. 86
*repetir cuantas veces sea necesario*

10
8
20
21
25
26
27
29
30
32
*vinyasa*
54
56
57
56
59
60
*vinyasa*
64
65
61
62
63
64
69

## Práctica Dinámica 2

Suryanamaskar, pág. 86
*repetir cuantas veces sea necesario*

10
8
32
*vinyasa*
54
56
57
56
59
60
*vinyasa*
64
69

## Práctica Dinámica 3
(*sólo para practicantes avanzados*)

6 y 7
6 y 8
9 y 10
23
19
24
28
32
13
*vinyasa*
14
*vinyasa*
65
61
63
64
72
71
1

# Práctica Pasiva 1

1
2
3
4
5
15
64
65
64
67
69
64
70
73
1

# Práctica Pasiva 2

15
10
8
64
65
64
67
69
64
70
73
1

# Práctica Pasiva 3

*(sólo para practicantes avanzados)*

15
10
8
72
71
15
65
66
68
69
66
70
78
1

# GLOSARIO

| | |
|---|---|
| *adhara* | apoyo, soporte |
| *adho* | abajo, hacia abajo |
| *ardha* | mitad |
| *Asana* | postura de yoga, la práctica de posturas de yoga |
| *asana* | la actividad interna del cuerpo en las posturas de yoga, proceso de ajuste del cuerpo para despertar la inteligencia celular |
| *ashtanga* | ocho limbos o estadios |
| *Yoga Ashtanga* | el yoga de los ocho limbos o estadios, mencionado por Patanjali en los Yoga Sutras |
| *Yoga Ashtanga Vinyasa* | sistema de Hatha Yoga derivado del Yoga Korunta de T. Krishnamacharya y K. Pattabhi Jois de Mysore |
| *aswini* | la boca de la liebre |
| *Aswini mudra* | el gesto de la liebre |
| *baddha* | trabado, ligado, atado |
| *baka* | cuervo |
| *bala* | niño, niña |
| *Bandha* | sello, agarre, cierre o interruptor energético |
| *bhakti* | devoción, amor extático, adoración |
| *Bhakti yoga* | el yoga de la adoración |
| *bhuja* | hombro |
| *chakra* | frecuencia de vibración, que resuena en ciertas zonas del cuerpo |
| *chatura* | cuatro |
| *chikitsa* | terapia, proceso correctivo |
| *Desikachar, T. K.* | Maestro contemporáneo de Yoga, hijo de Krishnamacharya |
| *drushti* | punto de concentración |
| *Drushti* | atención dirigida |
| *dwi* | dos |
| *eka* | uno |
| *Gherandasamhita* | texto medieval de Hatha Yoga |
| *ha* | corriente solar, energía activa, principio creativo |
| *hala* | arado |
| *hasta* | brazo, mano |
| *hatha* | equilibrio de energías opuestas, intensa activación de la energía |
| *Hatha Yoga* | el yoga del equilibrio energético |
| *Hathayogapradipika* | texto medieval de Yoga |
| *Iyengar, B. K. S.* | Maestro contemporáneo de Yoga, cuñado de Krishnamacharya |

| | |
|---|---|
| *Jala* | red |
| *Jalandhara Bandha* | red que sostiene el cierre de la garganta, que separa el cráneo del tronco |
| *jnana* | sabiduría, intuición |
| *Jnana Yoga* | el yoga de la búsqueda interior |
| *karma* | acción; acción y reacción |
| *Karma Yoga* | el yoga del servicio a los demás |
| *karna* | oreja |
| *kona* | ángulo |
| *krama* | peldaño, paso |
| *Krishnamacharya, T.* | Maestro moderno de Yoga con incomparable repercusión en el yoga occidental a través de sus discípulos avanzados, su dominio del Yoga Korunta y su insistencia en *Vinyasa* |
| *kurma* | tortuga |
| *Marichya* | maestro, o sabio, histórico de yoga |
| *Matsyendra* | maestro medieval de Hatha Yoga |
| *mudra* | gesto, sello o circuito energético |
| *mukha* | rostro, cara, faz |
| *mula* | raíz, base |
| *Mulabandha* | cierre de la raíz, sello de la base, interruptor de la raíz |
| *Muladhara* | centro de la raíz, centro de resonancia energética de la base |
| *nava* | barca, bote, nave |
| *pada* | pierna, pie |
| *parivrtta* | retorcer, rotar |
| *parsva* | costado, flanco, lado |
| *pascima* | aspecto que mira a occidente, parte posterior del cuerpo |
| *Patanjali* | antiguo codificador del yoga, autor de los Yoga Sutras |
| *Pattabhi, Jois K.* | Maestro contemporáneo de Yoga, discípulo aventajado de Krishnamacharya, instruido especialmente por él para transmitir las enseñanzas del Yoga Korunta |
| *pida* | presión |
| *prana* | fuerza vital, energía vital, aliento, respiración |
| *Pranayama* | la práctica de la regulación energética a través de la respiración |
| *pranayama* | refinar la respiración |
| *purva* | aspecto que mira a oriente, o parte anterior del cuerpo |
| *raja* | real (propio de reyes) |

| | |
|---|---|
| *Raja Yoga* | el yoga de la meditación |
| *sadhana* | práctica espiritual |
| *samadhi* | estado de conciencia en el que el sujeto, la acción y el objeto se unen revelando su verdadera naturaleza |
| *sarva* | todo |
| *sarvanga* | todo el cuerpo |
| *setu* | puente |
| *shakti* | energía pura y aplicada, divinidad manifiesta, la energía activa de la conciencia |
| *sirsa* | cabeza |
| *siva* | la conciencia pura, divinidad transcendente, fuente de energía manifiesta |
| *Sivasamhita* | texto medieval de Hatha Yoga |
| *soma* | dulce néctar de la inmortalidad que destila de las profundidades del cráneo y es degustado y canalizado en la garganta |
| *sukha* | fácil, sencillo |
| *sutra* | hilo, aforismo, verso |
| *tan* | estirar, alargar |
| *tha* | corriente lunar, energía pasiva, principio receptivo |
| *tri* | tres |
| *trikona* | triángulo |
| *Ud* | hacia arriba |
| *Uddiyana Bandha* | sello de la energía ascendente, agarre que vuela hacia arriba |
| *Ujjayi* | victorioso, potente |
| *Ullola* | ola |
| *urdhva* | hacia arriba |
| *ut* | intenso |
| *uttana* | estiramiento intenso |
| *utthita* | extendido, alargado |
| *Vajroli mudra* | práctica energética esotérica que implica el nervio que produce el orgasmo |
| *vinyasa* | progresión, continuidad |
| *Vinyasa* | secuencia continua de posturas relacionadas con la respiración |
| *vinyasa krama* | progresión paso a paso |
| *Vinniyoga* | sistema de Hatha Yoga concebido por Krishnamacharya sobre el principio de Vinyasa Krama derivado del Yoga Korunta. Actualmente lo enseña su hijo Desikachar y sus discípulos |
| *Virabhadra* | nombre de un guerrero mítico |
| *yama* | regular, refinar, extender, ajustar, restringir |
| *yana* | volante |

| | |
|---|---|
| *yoga* | el estado de unión, el proceso de realizar la unión |
| *Yoga Energético (Power Yoga)* | sistema de Hatha Yoga popular en Estados Unidos que deriva del Yoga Ashtanga Vinyasa |
| *Yoga Iyengar* | sistema de Hatha Yoga basado en las posturas del Yoga Korunta, elaborado y enseñado por B. K. S. Iyengar. El estilo de Hatha Yoga más conocido |
| *Yoga Korunta* | antiguo manual de yoga, empleado por Krishnamacharya, fuente del método de Yoga Ashtanga Vinyasa |
| *Yoga Sutras* | antiguo manual de yoga compilado por Patanjali |
| *yogasana* | postura de yoga |

(cuando la Asana citada se describe —o menciona— en el interior del libro, se indica entre paréntesis la página que corresponde)

# Glosario de Asanas
(Traducción literal)

| | |
|---|---|
| ADHOMUKHASVANASANA *(128)* | postura del perro con la cara/boca hacia abajo |
| ARDHACHATURANGADANDASANA *(120)* | postura de la mitad del bastón sobre las cuatro extremidades |
| ARDHAHALASANA *(232)* | postura de la mitad del arado |
| ARDHAMATSYASANA *(238)* | postura de la mitad del pez |
| ARDHAPADMASANA *(176)* | postura de la mitad del loto |
| ARDHAPARSVOTTANASANA *(146)* | postura de la mitad del estiramiento intenso lateral |
| ARDHAPINDASANA *(226)* | postura de la mitad del embrión |
| ARDHAPURVOTTANASANA *(216)* | postura de la mitad del estiramiento intenso frontal |
| ARDHASARVANGASANA *(228)* | postura de la mitad del cuerpo completo / de todas las partes o miembros del cuerpo |
| ARDHASIDDHASANA *(250)* | postura de la mitad del poder |
| ARDHURDHVAMUKHASVANASANA *(124)* | postura de la mitad del perro con la cara/boca hacia arriba |
| ARDHUTTANASANA *(116)* | postura de la mitad del estiramiento intenso |
| BADDHAKONASANA *(194)* | postura del ángulo trabado/atado |
| BAKASANA *(190)* | postura del cuervo |
| BALASANA *(240)* | postura del niño |
| BHUJADHANURASANA *(106)* | postura del arco sobre los hombros |
| CHATURANGADANDASANA *(122)* | postura del báculo sobre las cuatro extremidades |
| DANDASANA *(162)* | postura del báculo |
| DWIHASTABHUJASANA *(188)* | postura del hombro sobre dos brazos |
| EKAPADANAVASANA *(170)* | postura de la barca sobre una pierna |
| EKAPADANGUSTASANA *(156)* | postura sobre un dedo gordo del pie |
| EKAPADAPASCIMOTTANASANA *(174)* | postura de estiramiento intenso posterior sobre una pierna |

| | |
|---|---|
| EKAPADASANA (154) | postura sobre una pierna |
| EKAPADASETUBHUJASANA (222) | postura del arco sobre los hombros y una pierna |
| HALASANA (234) | postura del arado |
| JANUSIRSASANA (178) | postura de la cabeza a la rodilla |
| KARNAPIDASANA (236) | postura de la presión sobre las orejas |
| MARICHYASANA (180) | postura del sabio |
| MERUDANDASANA (196) | postura del báculo de la montaña sagrada |
| NAMASKARPARVRITAPARSVAKONASANA (140) | postura lateral de saludo del ángulo rotada |
| NAVASANA (210) | postura de la barca |
| PADMAPASCIMOTTANASANA (176) | postura de loto con estiramiento intenso posterior |
| PADMASANA (254) | postura del loto |
| PADOTTANASANA (144) | postura de estiramiento intenso de la pierna |
| PARIVRTTAIKAPADASANA (168) | postura rotada sobre una pierna |
| PARIVRTTAMARICHYASANA (184) | postura rotada del sabio |
| PARIVRTTASUKHAMARICHYASANA (186) | postura rotada sencilla del sabio |
| PARIVRRTATRIKONASANA (134) | postura rotada del triángulo |
| PARSVAIKAPADANGUSTASANA (158) | postura lateral sobre un dedo gordo del pie |
| PARSVAIKAPADASANA (166) | postura lateral sobre una pierna |
| PARSVAKONASANA (138) | postura lateral del ángulo |
| PARSVAVIRABHADRASANA (152) | postura lateral del guerrero |
| PARSVOTTANASANA (148) | postura lateral de estiramiento intenso |
| PASCIMOTTANASANA (214) | postura de estiramiento intenso posterior |
| PURVOTTANASANA (218) | postura de estiramiento intenso frontal |
| SALAMBAPARSVAKONASANA (136) | postura del ángulo lateral con apoyo |
| SARVANGASANA (230) | postura del cuerpo completo / de todas las partes o miembros del cuerpo |
| SAVASANA (101) | postura del muerto |
| SETUBHUJASANA (220) | postura del arco sobre los hombros |
| SIDDHASANA (252) | postura del poder |
| SIRSASANA (241) | postura sobre la cabeza |
| SUKHAMARICHYASANA (182) | postura sencilla del sabio |
| SUKHAPASCIMOTTANASANA (172) | postura sencilla de estiramiento intenso posterior de la pierna |
| SUKHANAVASANA (208) | postura sencilla de la barca |
| SUKHASANA (244) | postura sencilla |
| SUKHASURYANAMASKAR (84) | salutación sencilla al sol |
| SUKHAVINYASA (88) | secuencia sencilla de continuidad |
| SUKHULLOLA (91) | ola sencilla |
| SUPTAHASTASANA (102) | postura supina de brazos |
| SUPTAHASTULLOLA (102) | ola de brazos en postura supina |
| SUPTAIKAPADASANA (104) | postura supina de piernas |
| SUPTAPADULLOLA (104) | ola de piernas en postura supina |
| SUPTAIKAPADAPARIVRTTASANA (108) | postura supina rotada de una pierna |
| SUPTAPARSVAPADANGUSTASANA (204) | postura supina lateral del dedo gordo del pie |

# SOBRE EL AUTOR

Godfrey Deveraux comenzó su práctica de Hatha Yoga en 1973, después de observar a su tío, pastor anglicano, rezando en Vriksasana. Aunque ha estudiado extensamente, con muchos profesores de muchos estilos, siempre ha encontrado su guía más importante en su esterilla de práctica o en su cojín de meditación (zafu). Empezó a transmitir sus conocimientos en 1979, y desde 1989 su ocupación principal es la de profesor de yoga. Actualmente dirige un centro de formación de yoga en régimen residencial en la isla de Ibiza, donde vive. Desde 1990 estudia con el *roshi* Soten Genpo, líder de la Sangha Zen más grande de Occidente. Más que ninguna otra persona, ha sido este maestro zen quien ha ayudado a Godfrey Deveraux a aclarar la verdadera naturaleza del yo, de la realidad y del yoga.

Si desea:

- conocer la formación necesaria para convertirse en profesor de Yoga Dinámico
- organizar un seminario o un retiro de Yoga Dinámico
- adquirir casetes, cintas de vídeo y carteles de práctica de Yoga Dinámico

o si desea mantenerse informado anualmente sobre el programa de cursos de Godfrey Deveraux por correo, diríjase a él por carta a una de las siguientes direcciones:

36 Stanbridge Road
London SW15 1DX
(Reino Unido)
*o*
Can Am des Puig
Sant Mateu 07816
Ibiza (España)
*o*
por correo electrónico a info@windfireyoga.com (su nombre y dirección serán mantenidos en nuestro ordenador salvo expresa indicación en contrario por su parte).

Para más información sobre las actividades de Godfrey Deveraux, visite su página web en www.windfireyoga.com